不朽的东方传奇

李小龙

郑杰 著

华中科技大学出版社
http://www.hustp.com

图书在版编目(CIP)数据

李小龙:不朽的东方传奇/郑杰著.—武汉:华中科技大学出版社,2017.8
ISBN 978-7-5680-3003-8

Ⅰ.①李… Ⅱ.①郑… Ⅲ.①李小龙(Lee,Bruce 1940—1973)-传记
Ⅳ.①K837.125.78

中国版本图书馆 CIP 数据核字(2017)第 135151 号

李小龙:不朽的东方传奇
Li Xiaolong:Buxiu de Dongfang Chuanqi

郑　杰　著

策划编辑:沈　柳
责任编辑:孙　念
封面设计:琥珀视觉
责任校对:何　欢
责任监印:朱　玢
出版发行:华中科技大学出版社(中国·武汉)　　电话:(027)81321913
　　　　　武汉市东湖新技术开发区华工科技园　　邮编:430223
录　　排:匠心文化
印　　刷:湖北新华印务有限公司
开　　本:880mm×1230mm　1/32
印　　张:9
字　　数:241 千字
版　　次:2017 年 8 月第 1 版第 1 次印刷
定　　价:36.00 元

序言：你所不知道的李小龙

> 我的计划和所做的一切，在于发现生活的真正意义——寻找宁静的心境。
>
> ——李小龙

2016年11月，我曾和师兄以及中国截拳道国际联盟（CJIF）主席一行三人，专程赴美，拜祭截拳道恩师李恺师父。其间，我们专门抽出时间前往西雅图，拜祭李小龙宗师，代表联盟、国内的弟子们，完成一个截拳道者朝圣般的夙愿。

记得从西雅图机场出来，一位黑人出租车司机接我们去市区。他很热情，一路与我们闲聊。路上，他好奇地问我们来西雅图做什么，我们说为了拜祭"Bruce Lee"而来，他一听就兴奋起来，大叫一声"哦打！"当时，他的双手如果不是紧握着方向盘，以他的那个兴奋劲儿，恐怕还要学着宗师的表情，抹一抹鼻子。到了西雅图之后，为探寻宗师的足迹，由美国著名李小龙纪念品收藏家李捷勤先生带领，我们夜访唐人街"大同饭店"。李小龙当年常常光顾这家饭店，至今这家饭店还留有一个纪念专座。刚刚进门，就见一位年轻人异常高兴，冲着我们一边嚷着，一边手里还挥舞着什么，定睛细看，原来是一瓶"李小龙茶"，而当时我们三人也是人手一瓶。也许，对于这位美国人而言，"李小龙茶"就是全世界"龙迷"的接头信物。那一份毫不见外的激动，我们也马上心领神会，同样报以中国式的热情回应……李小龙是很多美国人心中不灭的偶像，这次美国行，一路上有非常多直观的感受。

多年来，我陆续看过很多有关李小龙的新闻报道、街头采访，似乎无论是在中国的北京、长沙，还是在美国的纽约、旧金山，乃至于远在印度洋西南方的非洲岛国毛里求斯，走在大街上，随便问一个人，你知道李小龙吗？鲜有不知道的，而且其中大部分人还会像那位西雅图的黑人出租车司机一般，在瞬间被某种叫做"李小龙"的神秘能量点燃，激动得手舞足蹈之外，一定还要加上几声大叫"哦打！"

你一定听说过李小龙。不过，你真的"知道"李小龙吗？

抛开那些李小龙影视表演中展现的各种姿式，抛开 20 世纪 70 年代娱乐记者和新闻媒体们炮制的一个个"李三脚""精武指"之类的子虚乌有的噱头，抛开那些基于李小龙"国际功夫电影巨星"的浮光掠影的外在表象，他的思想、他的生活、他的武术生涯、他的人生追求和成就、他的光荣和梦想，有多少人真正了解呢？

当我们只是留着长发，穿着黄色运动装，叫着"哦打"，抹着鼻子，控一个高腿，摆出一副李小龙式的标志性姿势，然后就此滔滔不绝地谈论李小龙的时候，我们谈的是那位不到三十岁就在美国创立截拳道的武学宗师吗？我们谈的是那位说"一个人必须努力做到最好，只有天空才是极限"的李小龙吗？我们谈的是那位一生中坚持"始终做自己"，努力追求成为真正的"人"的李小龙吗？我们谈的是那位终生以自己是中国人而自豪，以向外国人传播中国文化而骄傲的李小龙吗？我们谈的是那位有血有肉，宁愿国术馆赔本，也不愿为了商业化牺牲艺术质量；宁愿不要演出机会，也不愿摧眉折腰事权贵，牺牲中国人尊严的李小龙吗？我们谈的是那位性格急躁、喜欢恶作剧，有点小骄傲，有不少普通人的缺点，但又能坦诚面对自我的李小龙吗？我们谈的是那位情商很高、才华横溢，喜欢在微雨中漫步，能诗善画懂设计的李小龙吗？我们谈的是那位从来不以大师自居，一生践行空杯哲学和学无止境理念的李小龙吗？

如果，我们感兴趣的只是那位外形俊朗、肌肉健美、功夫超群，可以短暂激增我们的荷尔蒙，满足我们心理代入感的电影明星李小龙先生，那么，这对于我们而言，特别是对于那些以李小龙为榜样的人们而言，有任何现实意义吗？

这必须打一个大大的问号。

"基本上来说，我一直主动选择武术作为我的生活，而把演员当做一个职业。但，最重要的是，我希望能够实现自我，成为一位生活的艺术家"，这是李小龙当年对自己人生的精确定位，以及在他心中孜孜以求的人生理想。因此，关于演员，关于明星，李小龙生前对此早有清醒且深刻的认识。作为截拳道的一代宗师，电影只是他向世界传播中国武术的一个媒介，演员只是他选择的一个职业。他从来不追求成为明星，而只想成为一个"有品质的演员"。他知道很多人，特别是那些盲目的"龙迷"，都只是透过"明星"这个光环去看他。"如今有太多的明星，太少的演员"，20 世纪 70 年代初，面对记者，李小龙曾非常直白地指出这一点："'明星'不过是个幻象。它能使你扭曲变形。"后来的事实证明，李小龙的国际影响力主要因影视而成就，其个人形象却也因影视而被歪曲。

几十年来，李小龙，这位 20 世纪红遍全球的传奇人物，因其传奇经历，以及演员和功夫电影明星这两个极端表面化的刻板符号，被大众、商业传媒，以及无任何辨识力的所谓"龙迷"们，有意无意，以猎奇的方式曲解、误读。一些商业传媒，甚至无中生有，以地摊文本、奇谈怪论迎合某些大众的低级趣味，不是将他妖魔化，就是将他神化。历年所见，无论报纸、书籍、杂志，还是电视台制作、播放的纪录片，到处充斥着大量难以置信的谬误。近年来，虽然在市面上偶见一两本高质量的国内外作者撰写的李小龙传记，但大部分正式出版的所谓李小龙传记多为不加考证，拾人牙慧，夹杂传抄各种 20 世纪 70 年代港台街巷地摊资料，毫无历史真实可言的"传记"，三人成虎，以讹传讹至今，成为一切妖魔化或神化李小龙的主要源头。

几十年过去了，放眼世界，中外各类功夫、动作电影明星何其多，但是众星如流星般闪耀过后，唯有李小龙仍然是偶像中的偶像,明星中的明星。当今世界最佳 MMA 选手、前 UFC 中量级冠军安德森·席尔瓦就是一位最具典型性的专业级龙迷和李小龙学习者,他说:"李小龙一直是我生命中的标准。我研究李小龙的技巧,也一直在研究李小龙的书,同时我也将自己的技巧变得像李小龙一样。"事实上,对于李小龙而言,当年他所取得的,无论是武术事业上,还是电影事业上的前无古人的成功,都不过是早在他预料之中,并经过长期艰苦卓绝的自我训练和修行,做好了充分准备,且在机会来临之际,简单直接地主动选择的结果。在此,我们不妨重温一下李小龙当年关于成功的定义:"成功就是当准备遇到机会。机会也许会走向你,也许不会。幸运也许走向你,也许不会。但如果它们走向你——你称之为幸运——你最好已经做好了准备。"

通过这本传记,读者将会了解到,李小龙为了得到成功的机会,曾经如何"像隐士一样日复一日地进行体能和技巧的训练以达到最佳状态",做过哪些超越常人的艰苦准备。香港刚柔流空手道桥治会资深馆长李锦坤先生,至今仍然记得李小龙在指导他的腿技时对他的告诫:"能受人不能受之苦,定能成人不能得之成。"并引以为人生座右铭。

本书作者是一位资深的"龙迷",亦是一位研究有成的年轻的李小龙研究者。他曾经在我为《中华武术》杂志编辑李小龙纪念会刊和专辑的过程中,提供过无私的工作支持和高质量的翻译文章,由此我对他有了较为深入的了解。为了置身于那个时代,走近人物的内心,以便能尽量接近当时的历史真相,还原一个有血有肉的李小龙,本书作者为此准备了 22 年,期间花费了大量时间、精力和财力,如痴如醉,乐在其中。目前他所收集、珍藏的李小龙文献资料有 3087 份,仅电子版资料(不包括视频资料),容量就达到12.4G,其中包含 6.6G 的李小龙照片,达 31895 张,另有李小龙有关视频 717 个。他以一位李小龙研究学者应有的严谨务实的态度,对海量材料条分缕析,严格考据,并于 2013 年正式动笔,撰写这本传记。我能够看到这本传记的背后，作者的至诚，以及他到目前为止所做的努力，反复修订，以期达到尽量的完善。

　　诚如作者自己所言：这是一本也许不怎么强调文学性和思想性，但尽量贴近真实的严谨的李小龙传记。"有多少资料，说多少话，得出什么样的结论。"或许其中仍有不察之错谬，但本书对读者贴近真实的李小龙，并借此相对深入地了解李小龙伟大而传奇的一生，会有极大的帮助。抛开各种先入为主的关于李小龙的成见，以及盲目追星的浮躁，希望读者能够通过这本传记，更进一步地了解李小龙，走近李小龙。最终，我们会了解到，李小龙对于一个人人生成功的终极定义，是中国道家式的——寻找宁静的心境。假如您能从中纠正一些过去关于李小龙的错误认识，得到一些启迪和激励，或许这正是本书作者所期望的。假如您能够因此敞开自己，坦率真实地开启自我发现、自我解放的旅程，那可能正是李小龙所期望的。

　　"生活是不断前行的过程，你应在此过程中保持流动，不断去发现自己、实现自己、升华自己"，"一切知识最终都意味着认识自己"。

　　谨以李小龙的人生隽语与诸君共勉。

　　WALK ON!

朱建华
2017 年 3 月 9 日
于岳麓山能量谷·麓山中和

目　　录

1940

1959

第一章

龙之初

1.1 | 从美国到香港

　　1940 年 11 月 27 日早晨 7 点 12 分,何爱榆的第二个儿子出生在唐人街的杰克逊街东华医院[1],起名为李镇藩[2]。产科医生玛丽·格洛弗给这个男婴起了一个英文名字"Bruce Lee"。得知消息的李海泉连夜带妆从纽约赶到医院,见到母子平安,满心欢喜,才依依不舍地回到戏班演戏。

　　何爱榆子女共 5 人,分别为李秋源、李秋凤、李忠琛、李振藩、李振辉。5 个子女中,以李忠琛与李振辉长得最像外国人,而李小龙怎么看都是一副中国人模样。而李振辉年纪渐长后,外貌却越来越中国化了[3]。

　　何爱榆出院后,抱着李振藩住在特伦顿街 18 号,李海泉则继续巡回演出。3 个月大的时候,李振藩曾在由伍锦霞导演,关文清编剧的电影《金门女》(*Golden Gate Girl*,1941 年上映,片长 110 分钟)中饰演婴儿时期的王莱露,他的镜头在杰克逊街 636 号的大明星戏院拍摄。1941 年 5 月 27 日,《金门女》于美国上映。

　　1941 年 1 月,美国总统罗斯福签署的《1940 年移民法案》正式

---

[1] 李小龙出生时的产房,后被改作医生与全院医务人员的培训室,室号 405。现医院已被拆除重建。

[2] 有一说是"李震藩",因与爷爷李震彪同字辈,故李海泉好友,著名华侨刘义南建议换成谐音字"振"。但在出生证明及学籍卡上,俨然写着"李镇藩",但不知何时何故改为了"李振藩"。

[3] 根据旧金山移民局档案记载,李海泉夫妇都说,比李秋凤大 40 多天的李秋源是养女,李秋凤才是其亲生女。将李小龙堂姐、李满甜之女李秋钻的照片与李秋源的照片进行对比后,笔者认为李秋源是李海泉兄长李满甜的女儿,为李海泉过继女。

生效。该法案规定,出生在美国、入籍美国,或是出生在美国所辖之海外殖民地、孩子出生时母亲居住在美国的,无论孩子出生在该法案生效之前或之后,都是美国公民。这就意味着,李振藩一出生便是美籍华裔。因此,结束了巡演的李海泉夫妇在 3 月 29 日早上八点半便来到美国司法部旧金山移民局,在华裔口译员的帮助下,面对检察官,为刚出生不久的李振藩申请了美国国籍,并承诺将让他日后回到美国接受教育。

1940 年的香港,一下子涌来了许多逃避战争的难民,香港人口急剧膨胀。当时香港的卫生条件很差,港英政府一下子无法管理如此多的人,致使那年秋天霍乱横行。李海泉一家三口一直等到演出合同结束,拿到了李振藩的出生证及美国移民归化局于 1941 年 3 月 31 日所颁发的"美国公民出埠回国证书申请书",才在 4 月 6 日乘坐"皮尔斯总统号"远洋渡轮,于 5 月中旬回到阔别年余的香港。

在迁居弥敦道 218 号之前,李海泉与兄长一家近 20 人住在茂林街 5 号 2 楼。

在李忠琛和李振藩之前,何爱榆曾生过一个男婴,但不久就夭折了。李海泉那七十多岁的母亲骆耕妹极为迷信,于是,刚出生的李忠琛便打了耳洞,戴了耳环。在美国时,李海泉夫妇也对年幼的李振藩这么做。就连 1948 年出生的老幺李振辉也不例外。骆耕妹为了骗过所谓的专门吸食男孩魂魄的"金甲神",还特意给李振藩起了一个女性化的小名"细凤"。

李振藩回到香港后由于水土不服而生了一场大病,整个人很是虚弱,中医也束手无策。李家人回忆,那时的李振藩,毫不夸张地说,的确是接近死亡边缘了。于是,何爱榆抱着李振藩去余潮光医生处看西医。

经过余医生的精心治疗与何爱榆不分昼夜地悉心看护,年幼的李振藩总算熬了过来,而骆耕妹却在不久后因病过世。鉴于李满甜也已在 1940 年逝世，抚养全家近 20 人的生活重担便落在了李海泉身上。

1941 年 12 月 25 日，日军攻陷香港。香港进入了历时 3 年 8 个月的日据时期。

日本人在占据香港期间所采取的政策是一贯的"男杀女奸"，甚至因为粮食短缺而出现了人吃人的现象，这让本就对侵略行径愤慨的港人对日本人更为深恶痛绝，除了拒买日货外，还成立了"香港义勇军""广东人民抗日游击总队港九大队""广东人民抗日游击队东江纵队"等抗日武装组织[1]。

日本人深深懂得，控制了文化和思想，就能彻底控制香港。于是，日本人开始将魔爪伸向文化界，李海泉是梨园行大佬倌，自然成了日本人的主要拉拢目标。日据时期的中国人是不能吃大米的，但日本人不惜以多供给大米为诱饵，逼迫梨园行就范。刚搬进弥敦道 218 号的李海泉为了养活一家老小，不得已为日本人唱戏。李家人回忆，当时在道口盘查时，只需说出自己是唱大戏（粤剧）的，便不会遭到非难。

在日据时期，香港连好莱坞电影也被禁止放映，改为专门上映日本电影。除了李香兰（1920—2014 年，原名山口淑子）在日本人制作的影片中扮演过一些角色，没有一个香港电影人愿意为日伪工作，1944 年香港电影业更是连一部电影都没有拍摄过。在那段时间里，香港电影业处于完全停顿状态。

抗战结束后，电影业开始逐渐复苏，许多粤剧名伶在粤剧尚未完全复兴之时，开始纷纷转向电影界发展，作为副业。李海泉也曾带上家人与剧团一起坐船回家乡顺德，在三华村为当地华光庙落

---

[1] 港九大队成立于 1942 年 2 月。东江纵队为中共领导的东江抗日游击队，成立于 1943 年 12 月。港九大队后改称为东江纵队港九独立大队，抗战胜利后，编入华东野战军。1951、1988 年，经港英政府批准，建立了两座抗日纪念碑。1998 年重阳节，香港特别行政区举行了隆重的"阵亡战士名册安放仪式"。

成进行演出。这也是李振藩平生唯一一次踏足祖国大陆[1]。

由于李海泉在家中教导一班徒弟，加上家中经常有粤剧界人士出没，被称为"冇时停"（粤语，停不下来的意思）的李振藩耳濡目染，没多久就能模仿个七七八八，并在父亲演戏的电影片场像模像样地演起粤剧。那些叔伯们见他活泼可爱，偶尔教他一招半式的"功夫"。这些招式多为花拳绣腿，但是在李振藩眼里，这些"绝招"已足以用于震慑对手。

儿童顽皮活泼，本是平常之事，但是年幼的李振藩却活泼得让人捉摸不定。李海泉子女5人，虽然李秋凤曾是"自力女子篮球队"的首发前锋，但也并不像李振藩这样如陀螺般活跃，这让李海泉夫妇大伤脑筋，对他那旺盛精力也疑惑不解。为了管住李振藩，他们已经使出了浑身解数，但根本没有任何效果，于是索性让李振藩去看连环画，却不料歪打正着，沉迷于连环画的李振藩就像被如来佛降服了的孙悟空一样安静了下来。这也让家人找到了他的"命门"——只要给他一本连环画看，便可获得一段时间的安宁。李振藩看连环画上了瘾，经常挑灯夜读，这样的"用功"程度使得他6岁起就戴上了厚厚的近视眼镜。[2]

由于何爱榆与修女们的良好关系，除了尚未出世的李振辉外，李家子女都被安排在家附近的嘉诺撒圣玛利书院读一年级。不久后，李忠琛与李振藩转入德信学校就读。

德信学校建成于1930年，是一所天主教男子小学，由加拿大修女所创办，教师们都是女性。香港沦陷后，加拿大修女被驱逐出

---

〔1〕李振辉回忆，除顺德老宅外，李海泉在广州荔湾区恩宁路永庆一巷13号另有一处房产，是典型的西关大屋，多为度假之用，李海泉年轻时也曾在距离此宅仅几十米的八和会馆演出过。李振辉小时候经常在这间老房子里追逐嬉戏，但李小龙没有在这里生活过。该房屋已被废弃，现为培正小学操场一部分。李海泉赴港后，该处房产出租。1978年，李振辉将产权收回，房契保留在美国家中。

〔2〕李振辉在做客《鲁豫有约》节目时说，他们全家都有鼻敏感的症状，家里的男孩在1～6岁期间常常生重病。由此可见，这是一种有着严重遗传倾向的疾病，而且对于男性遗传倾向更为严重。著名香港电影人文隽也说，许多医学专家经过研究得出的结论是，李小龙这是得了一种名为"注意力缺乏多动障碍"（ADHD，俗称多动症）的病，是一种轻微脑功能障碍综合征，也是一种常见的儿童精神障碍。

境,德信学校被迫停办。二战结束后,德信学校重新选址建造,1947 年 9 月复课,李振藩与哥哥李忠琛、堂哥李发枝一同入学,成为第一批入读该学校的学生之一,李振藩就读二年级。德信学校当时为九龙地区少数英文私立学校,课程设"汉文科",兼授四书五经,古文辞章,声誉日隆。来这里读书的学生都有私家司机和佣人接送,李振藩也不例外。

1.2 | 影坛新星

1948 年,俞明(李小龙堂姐李秋钻的丈夫,越南华侨,原名阮耀麟,著名导演俞亮的哥哥)说服李海泉,让李振藩在《富贵浮云》中出演了一个小角色。没多久,炸剧院厕所、热衷于打架滋事的"猩猩王"李振藩转入了寿山学校。

1949—1950 年,李小龙以"李鑫""小李海泉""新李海泉""李敏"等艺名参与拍摄了《梦里西施》《樊梨花》《花开蝶满枝》等三部"七日鲜"(在 7 天内便可拍摄、制作完毕并上映的影片)影片。遗憾的是,连同《富贵浮云》在内的以上四部影片拷贝皆不知下落,目前也只见到一张《富贵浮云》的剧照流出。

李海泉让像野马般难以驯服的李振藩在影片里扮演角色其实是图暂时清净的无奈之举,他一直将自己没有接受过教育,只能以唱戏为生视为人生一大憾事,因此他更看重子女的学业,并不愿意子女们涉足电影界和梨园行。但命运就是如此奇妙,李振藩的一生注定与电影结缘。

冯峰(香港著名影视明星冯宝宝之父)觉得眼前这个活蹦乱跳的李振藩就是他心目中《细路祥》的男主角,便向李海泉"借人"。但李海泉是梨园界大佬馆和电影界前辈,绰号"财主",财力雄厚,说出来的话自然有一定分量,单纯用金钱很难让他动心。有备而来的冯峰使出"撒手锏",承诺将李氏兄弟送入名校就读,方才获得李海泉"首肯"。

改编自著名漫画家袁步云同名漫画的《细路祥》,在那个"七日鲜"影片泛滥的年代里,算得上是一部制作精良的影片。为了能让李振藩打响名气,袁步云应冯峰要求,为李振藩暂时起了个"李龙"的艺名,据说是在听到卖艺人吆喝时获得的灵感。[1]

而冯峰的确是慧眼识珠,这部戏简直就是为李振藩量身定做的,李振藩还在影片中表演了从叔伯们那里学来的连续侧手翻。该片上映后,获得热烈好评,既叫好又卖座,一举奠定了他的童星地位。不久后,《人之初》公映,李振藩的艺名正式改为"李小龙",这个艺名也伴随了他一生,以至于很少有人知道他的本名。据统计,李小龙在赴美前,包括《金门女》在内,一共出演了 23 部电影。

李小龙自踏入影坛伊始就流露出极高的表演天赋,他酷爱表演,到了着魔的程度。李小龙拍摄电影的时间通常在后半夜或者凌晨,他母亲回忆道:"他非常热爱拍电影,凌晨 2 点的时候,我只要说'小龙,车来了',他就会从床上一跃而起,穿好鞋,高高兴兴地离开。没什么可以阻止他去拍戏,但如果是早晨叫他去上学,那真是一件非常困难的事情。"

1951 年,李振藩入读喇沙书院小学部[2],由于他喜欢拍戏,厌恶上学,还经常逃学,导致学习成绩一塌糊涂,光小学 5 年级就读了 3 年。这让李海泉很是气恼,于是限制其活动范围。因此,1954

---

[1] 袁步云说"李小龙"这个艺名是自己起的,但在《细路祥》特刊、宣传画及报刊广告中用的都是"李龙"。"李小龙"这个艺名直到一年后《人之初》上映时才正式采用。

[2] 喇沙书院前身是圣若瑟书院分校,初建于 1917 年。1932 年 1 月 6 日,新校区正式投入使用。二战爆发后,校舍先是被港英政府征为军事监狱,后又改作医院。日据期间作为日军仓库。1949 年,港英政府再次将学校作为医院使用,学生们只能前往巴富街临时校舍上学。李小龙入读喇沙书院时,正是巴富街时期。而"冷面笑匠"许冠文与李小龙是该校同级生。原名为黄湛森的黄沾也是其校友。喇沙小学前身是喇沙书院的附属校舍。1957 年,正式脱离喇沙书院,成立喇沙小学,由彭亨利修士担任校长,为期 27 年。因此,李小龙当时所读的"喇沙小学"严格意义上说应是"喇沙书院小学部"。

年,他只参演了《爱》上下集的拍摄,这 2 部电影分别于 1955 年元旦期间公映。1955 年,李小龙终于升到了初一,获得父亲"大赦"的他立刻放开手脚,参演了 4 部影片。算上元旦期间上映的《爱》上下集,这一年有 6 部他参演的电影上映。

李小龙虽然是童星,但是拍摄电影所得片酬也要上交给父母,由父母代为管理。在这样的环境下长大的李小龙,当然也深知勤俭节约的道理。李秋源回忆,李小龙每次拍片回来,总要给姐姐 50 圆钱,或是亲自买首饰和礼物送给姐姐和家人。而李小龙每个月只有 5 圆零花钱,他约朋友出来玩时,第一件事就是凑钱,以钱财额度来决定娱乐场所及消费档次。

1.3 | 拜师叶问

比李小龙大 47 天的张卓庆饱受家中那位同父异母的大哥的欺凌,于是想到请李小龙来帮忙。为此,1949 年,他在同为梨园行的阿姨的带领下参加了李小龙的 10 岁生日宴会(其实当时只有 9 岁)。但见眼前的李小龙一身女孩打扮,遂打消了念头,可由于二人年龄相仿,所以很快就成了无话不谈的好友。那天之后,两人有很长一段时间没有见过面。

1951 年,张卓庆亲眼见证了学习拳击的黄淳樑踢馆叶问,却被叶问多次打翻在地。当年年底他得知,黄淳樑已改练了几个月的咏春拳,遂请其兄黄敏良代为引荐,成了叶问的弟子。1954—1958 年,张卓庆借住在叶问家中,得到叶问倾囊相授,还钻研医术和点脉绝技,成了叶问真正意义上的入室弟子,也为日后在澳洲发展咏春打下了坚实的基础。

1952 年,在一次上学途中,张卓庆与李小龙互相认出彼此,于是重新做回朋友,张卓庆更是天天接送李小龙上学、放学,两人友情日益深厚。

李小龙曾在幼年随李海泉学过一段时间的吴氏太极拳,每天一大早,父子二人起床烧香后便一同前往京士柏公园练武。但是练了没多久,李小龙就因为太极拳的慢节奏而开始心生厌倦。虽然练习太极拳半途而废,却也因为每天对着刚出的太阳锻炼,双目显得炯炯有神。1953年底的一天,李小龙被一群人追赶,亏得张卓庆及时出手相助才化险为夷。此时的李小龙已粗粗学过太极拳、洪拳、蔡李佛拳等拳法,但是发现在实战中都不是很实用。于是,李小龙向张卓庆提出想学咏春拳来防身。张卓庆一开始便极力反对,理由是:李小龙是小有名气的电影童星,学了咏春拳打架,会致使名誉受损,更何况他压根不相信李小龙会严肃地对待练武这件事。但是李小龙决意要学,张卓庆拗不过他,只得答应,并多次上门劝说何爱榆让李小龙学武。爱子心切的何爱榆最终还是替李小龙交了学费。李小龙将学费包了一个红包,亲自递呈叶问。

叶问与李海泉是好友,也很喜欢看李小龙演的电影。在他看来,李小龙全身透着一股机灵劲,是块练武的好材料,当即便收他为徒并为其开拳。拜师时,除了李小龙、张卓庆兄弟及叶问本人外,再无他人在场。李海泉得知此事后,也并无阻拦。

叶系咏春拳[1]简单至极,只有三个套路:小念头、寻桥、标指;两种器械:八斩刀、六点半棍,外加一套木人桩法。招式简便,步伐幅度极小,甚少腿法,以拳为主,实战性极强。街头巷战,要的就是简单、实用、有效,能用最小、最简单的动作和力量达到最大的效果。而咏春拳的特点正合李小龙心意。

一开始,张卓庆手把手教李小龙入门套路"小念头",一开始只

---

[1] 咏春拳,南派拳种,创拳者繁多(如五枚师太、至善禅师、摊手五、郑三娘子等),源流延演的传说也有多种版本,现已很难考证清楚。据叶问宗师次子叶正师傅所述,叶问所传的咏春以梁赞为祖师。梁赞传艺陈华顺,陈华顺收了叶问为封门弟子,陈华顺去世后由弟子吴仲素代为传艺。后叶问于香港圣士提反书院就读期间遇见师公梁赞之子梁璧(本名梁碧和),随其深造,回佛山后不断钻研、实践,大体形成了自己的风格。1949年到港后,又将拳术改良,后世称"叶问系咏春"或"叶系咏春",而叶问本人则一直称自己所学为"佛山咏春"。

教了十来招，在没有教授新的招式的情况下，李小龙足足学了3个月。可见其恒心与毅力。

为了练好咏春拳，不再被人欺负，李小龙几乎是全身心投入功夫上：每天在放学后风雨无阻地去武馆；时常在吃饭时以拳头击打桌椅，来锻炼拳头的硬度；为了试验拳头的威力，李小龙经常将街上的老鼠箱打坏；在散步时手持小型哑铃，旁若无人地做连环直拳状一路"打"过去；偷偷地在家中安置了一架木人桩，每日勤加练习；还时常在几个师兄弟家"开小灶"；连睡觉都拿着哑铃。叶正曾听叶问说过："小龙一天练习咏春拳的时间至少超过五、六小时。一般人一星期、一个月的练习时间加起来，也比不上小龙一天的练习时间。"何爱榆曾感慨，如果李小龙能像练武般花点心思在学习上，成绩也不至于那么糟糕。

进入青春期的李小龙比童年时更喜欢打扮了，尤其是发型，每天必定花上15分钟以上，打理得一丝不乱方可出门。至于那些时髦的花衬衫更是不在话下。但咏春门里有个别师兄看不惯他，就在与他练习"黐手"时恶作剧，屡屡攻击他的面部及胸部，这让体格瘦弱，极为注重仪表的他很不开心，却又不便发作。叶问对此情形洞若观火，便改由黄淳樑、张卓庆指点李小龙。

梁绍鸿在见识了李小龙那日渐犀利的咏春身手后，决定拜入叶问门下。于是，年长他两岁的李小龙带他来到叶问拳馆拜师，成了他的师兄。之后，家世颇为显赫的梁绍鸿更派出私家车接叶问亲自上门传艺，成为"第一私家门徒"，直到1959年负笈澳洲。

业精于勤，不久后，李小龙便功力大进，那些曾捉弄过他的师兄们在与之对练时发现已不是他的对手。这些家伙为了找回面子，开始调查起李小龙的身世，结果发现了他的混血儿背景，便以血统不正为由，联合起来向叶问施压，并扬言，如果叶问不把李小龙赶出去就不付学费。叶问迫于无奈，便让李小龙离开武馆，同时暗自授意黄淳樑与其单独练武。李小龙也很"狡猾"，他曾守在黄淳樑家门口，对前来练武的师兄弟谎称黄淳樑不在家中，以此来达到单独训练的目的。

本就是街头小霸王的李小龙，学了咏春拳之后更是"如虎添翼"。据楚原[1]回忆，有一次他和女友接弟弟回家，一帮人过来调戏楚原女友，当他们不知怎么办时，李小龙从学校内一路走来，那帮人就吓得赶忙逃走了。李小龙曾与一帮同学、好友，组成了一个自称为"龙城八虎"的"团伙"（另有一说为七虎，但并非真正的帮派组织），到处打架滋事。李小龙打架也并非完全是惹是生非，更多是打抱不平。童年的李振辉曾在一次足球比赛中被对方球员打了一顿，李小龙听闻此事立刻冲出家门，找到那个肇事者，把他狂揍了一顿。从此，李小龙的高大形象便在李振辉心中树立了起来。

练武本身就是为实战服务的，但在公共场合打架是违法行为。因此，以李小龙的性格而言，即便他不去招惹别人，也要知道自己的武技到了什么样的阶段。陪同李小龙练功的黄淳樑怕李小龙私下与人动手会闯出什么祸来，便在某栋楼的天台安排了一场讲手并担任裁判。

李小龙第一次与人讲手，不比在街头斗殴，有裁判，又有规则，有点不习惯，又怕把脸打坏了没法演戏，有些畏首畏尾，结果在第一回合就被对手抓住机会，打倒在地，还挂了彩。李小龙有些沮丧，但黄淳樑示意李小龙继续打，并给他鼓气。经过再三劝说，李小龙终于鼓足勇气，重新开打，发挥出了水平，对手很快被击倒。这一仗，给了李小龙极大的信心，为日后的讲手打下了坚实的基础。

在拍戏期间，李小龙不打架。如果李小龙被人挑衅而不得不出手时，张卓庆、张学健等"实战派"师兄弟就会代替李小龙出战，以保护他不受到伤害，从而使他得以顺利连戏。

---

[1] 楚原，本名张宝坚，1934 年生，曾为邵氏著名武侠片导演，著名香港影视演员，其成名作为《爱奴》，开了风月片之先河。楚原之妻为著名粤语片明星南红。弟弟张鹏程，也是李小龙好友。

1.4 │ 拳击与恰恰舞

　　根据李小龙的回忆，除了自住的那套房子外，他家还有几套房子出租，据说是李海泉在日据时期低价购入，租金可观。家里有几个佣人服侍，加上李海泉唱戏、参演电影，一家人也算是衣食无忧。以现在的眼光来看，李小龙算得上是个"富二代"，否则，又如何能上得起喇沙书院这样的贵族学校？

　　在喇沙书院就读的学生大多是华裔天主教徒，他们与在山上的英皇乔治五世学校的学生们关系很恶劣，而英皇乔治五世学校离喇沙书院不过几分钟路程。香港的中国人不喜欢英国人，时常会引发争吵甚至是小规模打斗。1956 年，一天放学后，李小龙和他的"团伙"聚集在山上骂英国学生，最终引发了激烈的争斗，结果他被学校除名，转入圣芳济书院念初二。

　　当时，香港的社会风气很恶劣，许多年轻人都有黑社会背景，李小龙又喜欢与他人讲手，打赢了会讽刺别人，自然会在无形间树敌多多，即便是得罪黑社会也并不奇怪。据说，当时 300 万港人中，有 60 万人是黑帮组织成员。

　　有一段时间，李小龙总是被一些不明身份的人跟着，一部分是被李小龙打输了不服气而来"复仇"的，除此之外并没有什么恶意；另一部分是三合会的手下，想要拉李小龙入伙。李小龙虽然能打，对这些人也有些惧怕。有一段时间，叶问拳馆搬到了圣芳济书院旁边的利达街。所以，只要张卓庆或黄淳樑在，就可以确保李小龙在放学时安然无恙，他俩俨然成了李小龙的保镖。

　　李小龙热衷于打架，声名在外，连圣方济书院的体育老师爱德华修士都知道了。这位曾经的前拳击冠军鼓励李小龙参加校际拳击比赛，并将他安排在拳击队里，每天放学后进行训练。

　　为了尽快提升自己的拳击技能，李小龙与曾经练过拳击的师兄黄淳樑"开小灶",让他充当自己的假想敌。除了进一步磨炼拳击技术,更多的是熟悉拳击规则。在李小龙看来,简单直接的咏春拳在实战时与拳击并无二致,但自己的拳击技术、擂台经验都无法与对手相比,于是,他和黄淳樑在进行深入讨论后决定:遵守拳击规则,使用咏春拳技术,准备来个出奇制胜。

1958年3月29日,在英皇乔治五世学校,李小龙代表圣芳济书院,与代表英皇乔治五世学校出战的三届拳击冠军加里·埃尔姆斯争夺冠军。此前,他们都在前几轮分别战胜了自己的对手。

双方身材差不多,但是对手拳台经验丰富。李小龙虽然街战与讲手经验丰富,但是真正的拳台比赛还是第一次。这注定了是一场硬战。虽然只打了3个回合,但是李小龙应对得很吃力,数次被逼到绳角,还被吹过犯规哨。幸亏他在最后时刻抓住了对手的失误,以咏春拳中的连环日字冲拳打击对手,终于迫使对手认输。他获得冠军后,同学们都视其为偶像。

几乎是在练习咏春的同时,李小龙开始学跳恰恰舞。那时,恰恰舞在香港很流行,李小龙喜欢与朋友们一起去家附近的一家凉茶铺听音乐,看跳舞,随着音乐手舞足蹈。为了克服见到女孩子害羞的毛病,他向一名舞技精湛的菲律宾人学跳恰恰舞。他精心练习恰恰舞,用功程度几乎与练咏春不相上下。琳达曾说李小龙有一张卡片,上面记载了108个恰恰舞步。(在沙田文化博物馆展出的李小龙展品中,有一本李小龙记载了82个舞步的笔记本。)李小龙也在《早知当初我唔嫁》《甜姐儿》《人海孤鸿》等几部影片中见缝插针地表演了恰恰。

李小龙最爱和朋友们去香槟大厦跳舞,每次跳舞几乎都会带上文兰。文兰(原名梁葆英,后改为梁葆文,文兰是其艺名,现定居上海)为香港著名粤剧表演艺术家、粤语片影星梁醒波之女,两家为世交,两人关系自然也极为密切。不过,李小龙只是把文兰这个"假小子"当成好朋友和哥们,两人关系因此而未能更进一步。虽然离得不远,也还是要开车去舞厅,两人互为司机。文兰还回忆,虽然外出时有李小龙做"保镖",但以李小龙好勇斗狠的性格,她其实也是很欠缺安全感的。有时，李小龙会让她开车，停在某个地方，独自一人进去打架。不一会，他急匆匆跑出来钻进汽车，两人扬长而去。

由于同为电影界中人，李海泉与曹达华也是世交，两家人自然希望曹敏仪能和李小龙走到一起，李海泉夫妇更是希望曹敏仪能好好管管李小龙这只"猴子精"。李小龙也确实喜欢气质高雅的曹敏仪，经常去曹家与她一起练习恰恰舞。但是令人遗憾的是，由于种种原因，两人最终还是未能结合。

为了了解自己的恰恰舞到了什么样的水准，李小龙决定报名参加 1958 年的全港恰恰舞比赛。

李小龙的女性朋友很多，找任何一个做舞伴，其他人都会吃醋。为了能找到合适的舞伴参赛，李小龙真是伤透了脑筋。突然，他灵机一动，决定让 10 岁的弟弟李振辉与自己搭档。当时的李振辉接受能力强，柔韧度又好，学起恰恰舞来进步很快。兄弟俩一起练习了几个月后，便参加了 1958 年的全港恰恰舞比赛。最终一举夺得了青年组冠军。而与他同年级的许冠文获得了第八名。

1.5 | 《人海孤鸿》

1957 年 3 月 14 日，李小龙参演的文艺片《雷雨》上映，他原本希望借这部影片来拓宽戏路，摆脱之前的孤儿或小流氓形象。但是，剧中周冲的性格与其本人性格截然不同，致使他表演痕迹过重而显得做作。结果上映后恶评如潮，这让他开始怀疑自己的演技，也影响到了他在演艺界发展下去的信心。这直接导致他在武馆习武时心浮气躁，肌肉僵硬，动作变形，看上去很不自然。于是，叶问劝他暂停练武一周。郁闷的他独自一人划船出海，却在不经意间

领悟到了"天下莫柔弱于水"的真谛。几年后,他在一篇论文《悟》中如此描述当时的情形:

　　……那一个星期我留在家里,沉静下来用心了好几个钟点。练了好几回之后,我决定放弃了,改乘了条小船出海。在海上我回想起我所接受的训练,跟自己生起气来,就用拳头去打海水。就在那一刹那我突然悟到了——"水",这种最基本的东西,不正是功夫的要义吗?这种普通的水正为我说明了功夫的原理……水,是世界上最柔软的物质,可以适应于任何容器。这就是了,我一定得像水的本性一样。

　　1957年底开拍的《人海孤鸿》,被视为香港电影历史的一座里程碑,也是李小龙离港前作为童星拍摄的最后一部电影,更被李小龙本人视为代表作。

　　该片为全彩色伊士曼(伊士曼柯达公司,简称柯达公司,这里指的是柯达胶片)摄制的宽荧幕电影,是香港第一部以青少年犯罪问题为题材的粤语片。由吴楚帆根据刊登在《星岛晚报》上的著名作家欧阳天同名原著连载、"丽的呼声"广播剧所改编。李小龙在片中扮演小混混"阿三",嗓音低沉的他在镜头前,一副颓废样:抽烟、吸毒、扒窃、在舞厅跳恰恰舞、拿着刀子在上课时恐吓女老师、和同学打架……李小龙在片中所展示的演技浑然天成,毫无矫揉造作之感,完全是本色出演。笔者认为,虽然李小龙的演技有待磨炼,但风头早已压过了吴楚帆。

　　作为华联公司的创业之作,身为编剧、主演、监制的吴楚帆自然对这部戏要求甚严,即便该剧集中了一批如冯峰、白燕、高鲁泉这样的实力派明星,有深得戏剧大师欧阳予倩真传的李晨风导演,有李小龙这样的天才演员加盟,也要经过两年多的打磨。这样严谨的态度,如此多的明星加盟,堪称豪华的制作班底,以今天的标准来看,也可称之为经典巨制。

　　该片于1960年3月3日在香港上映,场场爆满,观者掌声雷

15

动,对此片赞誉有加。张彻曾说过:"不管找到剧院有多困难,也必然要去看一看。"并评价李小龙在片中表现:"才华并不逊于詹姆斯·迪恩。"对于李小龙的演技,那些电影评论家们无不交口赞叹,由于"阿三"这个角色充满着詹姆斯·迪恩式的叛逆精神,因此,李小龙被当时的某些香港媒体称为东方的詹姆斯·迪恩,笔者认为确实恰如其分。而后者也正是李小龙少年时的偶像之一。李小龙好友、编剧谭嫽曾回忆道:

李小龙极喜欢《人海孤鸿》,视为自己的代表作。几乎所有同一代的香港人,也是一提起李小龙必提这个戏。《人海孤鸿》的故事是说一个孤儿在战乱中的悲惨遭遇,想做好人又挫折重重,最终步入正途。某些片断很有英国狄更斯小说的味道。加上当时美国詹姆斯·迪恩式的反叛青少年题材流行,《人海孤鸿》上映引起轰动,李小龙真正让人认识到他的精湛演技。

戏内有个孤儿院主景,老板兼男主角吴楚帆借用了离岛的航海学校实景拍摄。那时代交通很不方便,所以摄制队索性就在赤柱的一家小酒店内住下,日出而作。现在赤柱是旅游购物地,但那时却是个落后小渔村。晚上不拍戏,就没事可做。而我跟李小龙和李兆熊三个年轻人,就到酒店外面的沙滩去跳跳跑跑,有时候楚帆叔的助理阿十姐,也像个监护人一样跟了去。要是不出去,李小龙就在酒店里教我跳恰恰。(在戏里导演也特地为他加了一场跳恰恰的戏。)

他是个停不下来的大孩子。我印象最深的是在整个戏里他只有两套连戏服装,一套是孤儿院制服,一套是演小流氓的唐装衫裤,上衣有四个大口袋,他每天总把所有零钱换成角子放在其中一个大口袋,以便随时"喂"酒店里那台点唱机,另外一个大口袋就放满零食,什么话梅、口香糖,等,音乐一起,他就吃着跳着,跳起来那口袋里的角子就锵锵作响。他也不在乎旁人看他,他就是自得其乐。他告诉我说他家里每天给他五圆钱零用,但是从不到片场里看他。他很爱笑,笑得很纯真,带点稚气。他跟上上下下的工作人员都相处得好,灯光师们在打光的时候最喜欢逗他,要他学他爸爸的古怪唱腔,他也照唱。但不管他怎么顽皮,只要楚帆叔一叫"小龙,试戏!"他立刻就入了戏,非常专业。

赤柱的外景拍了一个多星期,我就是这样跟他熟起来的。但这个戏杀青了以后,他就到美国念书去了……

吴楚帆在此片放映结束后,应米兰国际电影节组委会之邀,将拷贝寄往米兰,参加电影节的角逐,该片成为首部进军国际影坛的粤语片。

尽管李小龙在影片中一副"资深烟民"模样,但是私下却说,这东西对身体不见得会有什么好处。李小龙不吸烟的原因在于李海泉。李海泉早年因为要频繁演出,需要抽大烟来提神。英国人着手全面禁烟时,李海泉才不得不戒掉。痛定思痛的李海泉在之后的日子里每天去京士柏公园练习太极拳,强身健体,身体状况大有改观。李小龙一早便见识到大烟对人体的危害,暗下决心,不沾烟酒。

1.6 ｜ 离港赴美

1958 年 5 月 2 日,李小龙在联合道的某天台与蔡李佛派的人发生口角,并与一个练过 4 年蔡李佛拳的年轻人比武。李小龙原打算适可而止,却不料对手来势汹汹,一度将其逼至白线。当时规定,一方越过白线,就是输了。李小龙在这样的情况下疲于应付,结果很快一只眼睛就被打瘀青了,这催生了他内心暴力的种子。结果那年轻人不但被打晕在地,还被狂怒中的李小龙踢掉了一颗牙。

李小龙回到家，机灵的李振辉发现了这一情况，便嘲笑他成了"独眼龙"。何爱榆赶紧给他拿了个热鸡蛋敷眼睛来化解瘀血。庆幸的是，刚从粤剧舞台退下来不久的李海泉自始至终都没发现李小龙那只受了伤的眼睛。

李小龙没有意识到自己已经闯下大祸，那个被打伤的年轻人的父母报了警，警方直接找到校长谈话，校长意识到了问题的严重性，急忙通知何爱榆来学校。警方让何爱榆签了一份材料，要她看管好李小龙，如果以后再犯，不排除拘捕他的可能。回到家后，何爱榆与李海泉为了李小龙的前途而彻夜长谈。最终，他们痛苦地做出了一个决定：让李小龙去美国读书、生活，换个环境或许能改变他的人生。

如前文所述，香港的黑社会势力猖獗，已经到了令人毛骨悚然的地步。习武之人，也有不少参加了帮派或被帮派控制。如果卷入与有着黑社会背景的拳手比武，便会在无意间得罪他们。张卓庆就是在这种情况下，在著名华人探长父亲的帮助下，于1958年圣诞夜坐船去了澳洲避难。他离开的那天，李小龙哭得很伤心。曾为李小龙大嫂的香江才女林燕妮也在纪念李小龙的文章里提到了李小龙离港与黑社会有关：

他在美国出生，后回港，因为太顽劣，开罪了黑帮人物，他的妈妈唯有火速把他送回美国避难。

李海泉夫妇早在1941年为李小龙申请美国国籍时，便对检察官做了如下保证：

李海泉：我到这来是为了给在美国出生的儿子李振藩确立美国公民身份……我认为他生在美国是一件好事，那样他可以回来学习英语……我打算住到香港后，每隔数年就向美国大使馆提供一张他的照片……

何爱榆：我打算在他到了上学的年纪就让他回来上学……我

打算在抵港后便向美国驻华使馆登记他的信息,我也打算每隔数年提供他的照片给大使馆⋯⋯

幸亏当时李海泉夫妇给他留了一条后路,否则如果李小龙继续待在香港,后果不堪设想。根据《1940 年移民法案》规定,住在美国以外的国家超过 6 个月的美国公民,如果想重新加入美国国籍,必须提交自己没有加入其他国籍的证据。现在,李小龙已经 18 岁了,应该行使公民权利并锻炼自己。

李小龙自知闯下大祸,也就对父母的这一决定没有任何异议。在剩下的那段日子里,他变成了另外一个人,老老实实地上学放学,回到家认认真真地做功课。18 岁生日那天,一向爱写日记的李小龙在日记本上写了一个"?"。他在接下来的日记中写道:

1958 年 11 月 30 日:正在寻找自己的人生目标,是当一名医生还是干别的? 如果是医生,那我必须努力学习。

1958 年 12 月 1 日:学好数学,学习更多的英语(口语)。

在离开香港之前,李小龙需要好好想清楚,自己去了美国能干什么? 他靠什么来谋生? 他的成绩一般,英语也不好,如何融入当地社会⋯⋯这一系列的现实问题,始终困扰着李小龙和他的家人。为此,李小龙还在生日后不久便专门写信求助于他人,以帮助自己决定是否往牙医或药剂师方向发展。同时,他开始去位于窝打老道的青年会(现为香港城景国际酒店,位于窝打老道 23 号)补习基础英语及口语。

美国当时地广人稀,如果没有汽车,出行就极为不便。李小龙虽然于 1956 年 12 月便获得临时驾照,但仍然认认真真跟随高超先生学习驾驶。高超先生回忆说,通常一般人学会开车需要 30 小时,而李小龙只花了 7 小时就学会了,他还偷偷地考了正式驾照。

1957 年 11 月 22 日,黄淳樑曾代表香港参加"港澳台国术大赛",在占据了压倒性优势的情况下轻敌,结果被对手当场翻盘,这对李小龙触动很大。在反复看了多遍影片后，李小龙得出的结论是：咏春拳下盘不够灵活。于是在赴美前不久，李小龙找到了有"武术活字典"之称的邵汉生师傅，来恶补北派武术。

在邵汉生的悉心指导下，李小龙在2个月3天内，学习了"节拳""功力拳""北拳基本功"（偏腿、连环撞、旋身跳跃）和北螳螂派的"蹦步拳""八卦刀""五虎枪"等北派拳法及器械，这些都是精武体育会的基本武术套路。

李小龙当时以教邵汉生恰恰舞为交换条件学得这些功夫。据邵汉生回忆，普通人需要几周才能掌握一套拳，而李小龙只用了3天就烂熟于胸。但是，直到李小龙赴美，邵汉生连恰恰舞的基本步也没掌握。

除此之外，李小龙也不会放过任何向叶问讨教的机会。叶问通情达理，也尽量争取对李小龙进行单独指导[1]。

未念完高一的李小龙从父母手中得到的只是一张18天行程的船票，外加100美元的盘缠。李海泉是个传统的中国人，平时板着脸，喜怒不形于色，但是在李小龙即将动身赴美时，他却显得非常难分难舍。他曾不无担忧地说："他身上只有100美元，希望能撑下去。"

李小龙对于彼岸的陌生世界也倍感惶恐，开始为自己的前途担忧了。李振辉回忆道：

在他接近离开香港之前的那个时段，他变得非常的忧郁。记得他将去美国前夕，我们在一起玩游戏，正在开心的时候，他突然

---

〔1〕李小龙与叶问单独练习许久，且在多封写给友人、弟子的信件中均已明确表示自己已学完且熟练掌握叶系咏春拳的小念头、寻桥、标指3个套路。其多次回港，拍下大量照片、影像材料，相信全套木人桩法、六点半棍法及八斩刀他都应接触过，至于熟练程度，笔者不敢妄下结论。在《截拳道之道》（TAO of JEET KUNE DO）中，存有李小龙亲笔手书"咏春派先师秘传总诀""少林咏春派点脉图表"等传统武术秘法资料。笔者认为，若不是叶问视为衣钵传人或极其疼爱、欣赏、器重的弟子，是绝对不会得到这些门派之密的。除李小龙外，据说只有叶准、叶正、张卓庆、梁绍鸿、郭富等寥寥数人才持有此类珍贵无比的第一手门内文献。

停下来看着我说："好了，Robert。你知道过几天我就会离开了。"
他再次难过地看了看我就起来走开了。现在想起来，我感觉到我
们兄弟间手足情深。

1959 年 4 月 29 日晚 10 点，李小龙于九龙仓码头，登上了"威
尔逊总统号"巨型远洋客轮，开始了他的美国之旅。

那晚，他的家人、亲朋好友都到场送他。依依不舍的家人们随
李小龙登上船，一直把他送到了座舱里。文兰因阑尾手术而没能
去送他，但是调皮的李小龙依然对她恶作剧了一把。他将一张纸
条托人送到了刚动完手术的文兰手里，上面写着：希望医生把你
剖开！

汽笛声响起，轮船缓缓开动，18 岁 5 个月大的李小龙，站在甲
板上，手中挥舞着彩带，向码头上的家人、朋友们告别，就此踏上了
新的旅途……

1959 ○

○ 1964

第二章

西雅图

2.1 | 重返旧金山

离港当晚,李小龙就在船上将他那精湛的舞技教给了一个印度人,这是他在船上认识的第一个人。旅途风急浪大,船身摇晃得很厉害,晕船的他根本睡不着。睡不着的另一个原因则是心中牵挂着曹敏仪。几天后,他用威尔逊总统号航线专用信纸给她写了一封充满爱意的情书。

我最亲爱的敏儿:

自从 4 月 29 日离开后我就非常想你……那天晚上我根本无法入眠,一遍遍地看着你给我的那些照片……我爱你。

由于李家人数众多,经常会造成洗漱不便,于是李小龙经常前往位于宝勒巷的上海浴室享受一条龙服务,有时更会带朋友一同前往。而习惯了泡澡的李小龙,对船上的淋浴系统如何使用一窍不通,他先开了热水,结果水越来越热,差点被烫死;关了热水开冷水,又几乎被冻成冰棍。经过这样一番"冰火两重天"的折腾,才总算勉强洗完了澡。当他回到舱里,与其他人说起此事的时候,大家哄笑起来,他这才知道,自己闹了一个大笑话。好动的李小龙将恰恰舞教给驻船乐队以及船上的一些旅客。作为回报,原本住在经济舱的李小龙得以出入头等舱和舞厅。

在李海泉的悉心安排下,李小龙每到一地都有人接船。当船停在大阪时,让李小龙惊喜的是,接船的是他的哥哥李忠琛,李忠琛带着他从大阪游览到东京。这次游览让李小龙大开眼界。李小龙兑换了一些日元,以较便宜的价格买了一些纪念品和衣物。途中,李忠琛的朋友做东,请他们品尝了美味的日本料理,还听了一场音乐会;到达檀香山后,当地的中国社区艺术团体前来迎接,这让李小龙在倍感温暖的同时,也领略了极具特色的故乡风情。他更以自身的武技,吸引到一位富有的当地华人,得以享用了一顿丰盛晚宴,一碗鱼翅就要 25 美元[1]。这位富豪还想让李小龙留在当地教拳,甚至准备开始为他寻找合适的场地,但被李小龙婉言谢绝。

经过了 18 天多姿多彩的漫长旅途,1959 年 5 月 17 日,李小龙终于抵达了他的诞生地,同时也是众多华人祖先的血泪之地——旧金山,这座城市还拥有海外最有中国传统风格的唐人街。

李小龙站在旧金山市政码头上,看着这座海湾城市,心底涌起一阵莫名的激动,热血沸腾。他强烈地意识到,自己将在这里打开一片新天地。

前来接船的是李海泉的粤剧同行、好友关景雄,他带着李小龙来到了唐人街杰克逊街 654 号公寓,安排他居住在 2 号房。

对初到美国的李小龙来说,如何生存下去是个大问题。虽然身上有 100 美元,在那时也算是一笔不小的数字,但也很难支撑很久。于是他在杰克逊街 655 号的 Gum Hon 饭店(现为"御食园川菜馆",Z & Y Restaurant,2008 年开张,被称为旧金山及湾区最棒的川菜馆)找到了他的第一份工作——做服务员。被伺候惯了的李小龙自然无法适应这种被人呼来喝去的工作,只做了一周就辞职了。

李小龙喜欢与人比武,一到美国便多方打听周围是否有武馆。在关景雄的介绍下,李小龙认识了西德尼·黄,他将旧金山的武馆向李小龙和盘托出。黄先生回忆道,李小龙经常去这些武馆"参观"。他会指出他人的缺点,但这种举动往往在不经意间就变成了踢馆。他也会在俱乐部内用咏春拳与其他不同门派的武者切磋,

---

[1] 若参考 20 世纪 50 年代的货币兑换汇率,1 美元大约相当于港币 5 圆左右。而 500 圆港币能在香港买一套房子。可见招待他的那位仁兄出手是何等阔绰。

战绩相当不俗。

关景雄发现李小龙非常喜欢炫耀恰恰舞技,便在斯托克顿街836号(前身是由孙中山创办的少年中国晨报社旧址)为他开设了一间社区恰恰舞学校。李小龙以他那精湛的舞技、娴熟的武技吸引了大量社区居民来此学习、观摩。严镜海(已故著名美籍华裔武术家)的弟弟就曾见识过李小龙的身手,惊叹不已。回到奥克兰后,他曾将自己所见一五一十地向严镜海讲述,半信半疑的严镜海当时就想亲自拜访李小龙,但因为种种原因而未能成行。谁都想不到,他能对李小龙日后在美国武坛站稳脚跟,甚至跻身全美顶尖武术名家之列起到巨大的作用。

根据美国法律,年满18周岁的美国男性青年必须到征兵局及本国各地的兵役委员会进行登记。1959年6月16日,在美国刚住了一个月的李小龙便到美国征兵局进行了兵役登记。

美国原本采用志愿兵制度,但是从二战期间开始,义务兵役制度取代了志愿兵制度。美国国会多次延长了义务兵征召的期限。但由于征召对象数量过于庞大而无法管理,于是征兵局延缓征召,并解释说"如果他们确有一个原因来延缓入伍,我们表示热烈欢迎。如果他们没有什么原因来推迟入伍时间,我们会让他们寻找一个适当的理由来支持他们这么做"。

6月19日,李小龙意外接到正在纽约曼哈顿演出的父亲打来的电话,于是他拿着关景雄给他买的机票飞赴纽约。见到父亲,李小龙的头等大事依然是打听此处的武馆。李海泉和老朋友们在和合中餐馆享用了一顿丰盛的午宴后,他的一位老朋友带领李小龙到不远处的东百老汇大街"参观"了当地知名武术家麦宽师傅[1]

---

[1] 麦宽,又名麦振宽,1927年生于广东台山,学过螳螂拳、少林拳、白鹤拳等多门武艺,为江西竹林寺螳螂拳第五代传人,并于1947年在美国纽约、费城、明尼阿波利斯设馆授徒,因实在太年轻而受到当地武术团体多番挑战,全胜而无一败绩。2012年病逝于美国。

开设的螳螂拳武馆。

在与麦师傅派出的一名练习了一年的学员做友谊交流,并以和局收场后,识货的李小龙在此处虚心地学了一个月左右的螳螂拳,也接触了一些非常实用的训练方法及设备。这对他日后改良、创造出诸多新款训练设备有着较深远影响。

随着李海泉此次在纽约的演出宣告结束,李小龙也飞回了旧金山。但他觉得旧金山唐人街的规模实在太小,又很嘈杂,实在住不惯,觉得自己应该去更广阔的天地闯荡。李海泉也认为,这只"猴子"需要吃点苦头才会真正地自立自强起来,他更需要知识的积累与熏陶才能有出人头地的机会。于是,李海泉打电话给远在西雅图的好友、粤剧界同行周少平与周露比,希望李小龙能得到他们的照料和适当管教。周氏夫妇一口答应,随即向李小龙发出邀请。于是,李小龙离开旧金山,前往西雅图。

2.2 | 周露比餐馆

周露比,原名马双金,出生于西雅图。她 12 岁时丧父,19 岁时丧母。曾与一男子有过短暂的婚姻。1943 年,她与周少平结婚,两人一起迁回西雅图。1948 年,两人合开了广为人知的"周露比餐馆"(现已被改建为停车场)。凭借着独特的社交手腕、管理手段和热忱助人的本性,一直热衷于推广中华文化并积极帮助侨胞的周露比,很快就获得了广大群众的支持。所以,虽然餐馆位置较为偏僻,依然吸引了不少达官显贵前来用餐,因而声名大噪,生意兴隆,当地媒体也多有报道,令她的地位日益水涨船高。

头发梳理得一丝不乱，戴着一副墨镜，西服革履的李小龙受到了周露比一家的热烈欢迎。见到周少平，李小龙恭恭敬敬地叫了一声叔叔，但是称呼周露比，只是"露比、露比"的叫。周露比在惊讶之余，觉得无论是出于辈分还是礼貌，李小龙都应该要叫她一声阿姨，谁料李小龙不屑地说："你本来就不是我阿姨，我为什么要叫你阿姨？"这让周露比在大家面前很是尴尬，好在丈夫周少平在一旁赶紧圆场，气氛才得以缓解。

周露比安排李小龙蜗居在阁楼的一个 4 平方米左右的小房间里，负责他的日常膳食。她先安排李小龙做打杂的，后来做传菜员和服务员，每天在餐馆内工作 4 小时[1]。那时前来用餐的多数是中年白人以及他们的家人。李小龙遗传了李海泉的幽默基因，谈吐举止很能吸引顾客，顾客们也很乐意与之交谈。不久后成为李小龙学生的斯基普是唯一一名被允许进入餐馆参观阁楼的人，他也被允许帮李小龙做洗盘子、清洁餐馆、拖地板等工作。对于李小龙的"小房间"，斯基普曾在采访中做出如下表述：

李小龙的房间其实就是一个"可进入式衣帽间"，大约不到 4 平方米。一半是他的"壁橱式卧室"，位于上到三楼的楼梯部分。换句话说，因为天花板是楼梯的"阴暗面"，所以他的房间大部分是向地板倾斜的。这就意味着他不可能在低矮的天花板处站起来……他的衣服总是叠得整整齐齐，堆放在地板和床垫上。其他部分是"正常"的净空高度，但这个部分只有大约 1.5 平方米。在这里，李小龙用一个木质水果箱靠着墙放着，充当临时桌子，坐在地板上的一个枕头上。挨着墙整齐地堆着一排书籍（绝大部分是

---

[1] 李小龙在周露比餐厅工作是事实，但是周露比一家对此却看法不一。周露比到去世都对李小龙没有一点好印象，甚至对此事断然否认。她的女儿谢丽尔·周认为李小龙以这样的方式来获取食宿，是一种"交换"。她的儿子谢尔顿·周则在访谈中明确用了"work"一词，并说李小龙起初是打杂，后来做服务员。

中文的）、一个背包、一些他的香港家人的照片，以及其他一些个人物品。从天花板垂下来的一个无罩的电灯泡给这间房间提供光亮，离临时书桌只有1米的高度。有一串长绳连在开关上，这样李小龙可以在夜晚关灯后从书桌翻滚到床垫上，在黑暗中进入梦乡。

入住餐馆不久后，李小龙就让家人将木人桩托运至餐馆，装配完毕后安放在餐馆后面的天井处，每日操练咏春拳，有时还会教店里的伙计们几招。由于练习木人桩法会发出巨大的噪音，所以他只在特定的时间练习，每天花上二到四小时不等。和李小龙同住在餐馆的杨九福是当地男青年会的主教练，李小龙曾与他切磋武技，学到了太极、螳螂拳等传统武术。周氏夫妇早知李小龙习武，加上李小龙与她的子女自来熟，亲密得像一家人，与伙计们也相处得不错，便没有对他的言行特别在意。此时的李小龙仅仅将练习咏春拳作为强身健体的一种手段，从未想过以后会借此谋生。

周露比希望所有人都把餐馆当成自己家一样来对待，准时回来，认真做作业，用心工作，彼此尊重，举止得体。同时认为，以自己的行政管理手段和经验，眼前这个衣着随便，态度"轻佻"，干活不认真，一副少爷派头、吊儿郎当的李小龙即便不是对她服服帖帖，也会比在香港时听话得多。谁料李小龙居然像一匹脱缰野马般难以驾驭。作为一名女强人，这样的结果让她很不爽。更要命的是，丈夫周少平对餐馆里所有的年轻人都很宠爱，这经常让周露比在大家面前下不了台。周少平平日里对李小龙也颇多关照，也会主动向他问起武术表演的反响如何，这让李小龙对他颇有好感，但周露比的管理手段让桀骜不驯的李小龙产生了抵触情绪[1]。

---

〔1〕从相关照片及资料来看，起码在入住餐馆初期，李小龙和周露比相处得还不至于像后来那么糟糕。至于双方日后绝口不提彼此，又有林燕妮旁证李小龙"不愿回到周露比餐馆"，期间发生了什么事，确实令人疑惑。

暴脾气的李小龙还和餐馆大厨发生过一次激烈的争执，大厨一气之下拿出一把菜刀来威吓李小龙，李小龙毫不相让，立刻声称要给他一点颜色看看，这名大厨反而退缩了，此后再不敢放肆。

1959年9月3日，李小龙正式入读爱迪生技校[1]，开始继续他的高中学业。不久，李忠琛、李秋凤、曹敏仪三人一同飞赴美国留学，李秋源则留在家中操持家务。

据周露比的女儿，谢丽尔·周回忆，李小龙曾在西雅图的中央社区开设了恰恰舞课程，邀请了她和她的女性朋友们去那里参观并教她们跳舞。而在谢丽尔就读富兰克林高中时，李小龙曾在该校的演讲课上向班上的同学们介绍功夫并做了示范表演，还曾在此补习过英语。

李小龙对于自己的武技很自信，喜欢炫技，即便是在与人讲手时也是如此。他喜欢闭着眼睛（或蒙着眼睛）与人过招，以显示自己异乎常人的反应和敏感度。但是，李小龙有一次就为自己的傲气买了单。谢丽尔回忆道：

> 我记得有一次有一群和他差不多年纪的家伙在后院吵闹，我想知道原因，于是我过去看。李小龙说他闭着眼都能打败他们中的任何人。于是其中一个家伙和他打了起来，并且闪到他的身后，打了他的后脑。李小龙发怒了，睁大双眼，飞快地出拳，直到把这个家伙打得贴在了车库的墙上，像个影子一样滑落在地。这几乎就是在看一部活生生的卡通片，李小龙在他身后大叫着"骗子"。这个家伙爬了起来，从大门跳进他的车里逃走了。这是我所知道的关于他的唯一一次打斗。

---

[1] 爱迪生技校，前身是1902年设立于美国国会山的百老汇高校，为未读完中学而已经成年的二战退伍军人补修中学学业。1966年9月改为西雅图社区学院。

2.3 | 功夫小组

　　杰西·格洛弗 13 岁时因为自己的黑人身份被 3 名白人警察暴打一顿,他的牙齿被打掉了一颗,不得不装了假牙。为了保护自己,他先后学习了拳击和柔道,还曾是内陆帝国(指美国华盛顿州斯波坎附近的发达地区,广及爱达荷州和蒙大拿州)第一位有着黑带实力的柔道棕带冠军。

　　在听说李小龙之前,杰西曾看过一篇关于中国功夫的文章,上面介绍了几个非常厉害的中国师傅,于是他和几个朋友一起去了旧金山,想在唐人街寻找愿意教功夫的师傅,但未能如愿。他们又在奥克兰辗转找到了严镜海,想在短时间内掌握武术,但严镜海婉拒了他们的请求,因为武术绝非朝夕之功。他们一无所获,失望地回到了西雅图。不久,查理·胡(李小龙西雅图时期的弟子,因骑马时摔伤而英年早逝)就把李小龙将与男青年会的功夫小组于 8 月中旬在西雅图海洋节[1]上做武术表演的消息及时地告诉了杰西。

　　在和同样是柔道爱好者的好友艾德·哈特一起观看了李小龙的武术表演后,杰西立刻像着了魔一样被吸引了。不久后,杰西打听到李小龙和他一同就读于爱迪生技校,而且他所居住的餐馆离自己的公寓只相隔 4 个街区,便赶在李小龙之前,在上学的路上踢电线杆,想引起李小龙的注意。岂料戴着黑框眼镜,穿着高帮鞋的李小龙对他视而不见。于是,他径直走到李小龙面前,拦住他的去

―――――――――

〔1〕西雅图海洋节,始办于 1950 年。每年 6 月末或 7 月初开始,8 月初或 8 月中旬结束,跨度长达一个月。杰西在回忆录里忆述,当李小龙进行表演时,主持人曾说李小龙刚到西雅图不久。若此言属实,那李小龙在海洋节的出现便已打破了"李小龙在旧金山居住了 3 个月 17 天"的常规说法。

路并说明来意。李小龙犹豫了一会,向杰西提出要求:必须要有一个无人打扰的清净场所,且训练时不能有其他人在场,杰西给出了一个令李小龙极为满意的地点——他的公寓。

当天中午,两人一起在学校食堂用餐,杰西谈到了严镜海和他的英文武术著作,这让李小龙感到很惊讶。放学后,两人一起来到离周露比餐馆不远处的一个拐角处,李小龙简要地向他谈了武术的历史以及自己练习的拳种。然后要来杰西的地址,并告诉他,自己在结束餐馆的工作后会直接去杰西的公寓教授武艺。两人道别后,杰西立刻兴冲冲地跑回寓所,将李小龙要教他功夫的消息告诉了他的两个室友,两人明白这件事对杰西的重要性,便识趣地离开了公寓。

当晚 6 点,李小龙来到杰西的家,大略翻阅了一下严镜海写的铁砂掌专著《唐手功夫》(*Modern Kung Fu Karate*),这也是杰西对于武术仅有的一点认识。接着,李小龙开始教给了他小念头,从这一刻起,他成了李小龙的第一位美国弟子,也是李小龙生平第一位弟子。杰西曾感慨地说:"成为李小龙的首徒是我毕生的荣耀和成就!"

一个月后,杰西将艾德和斯基普介绍给了李小龙。身高 1.9 米,曾是职业拳击手,练习过柔道,有"芝加哥街斗王"之称,双臂能随意提起 200 磅(约 90 公斤)重物的艾德回忆道,当他被引荐给李小龙认识时,也曾被建议就地切磋,他乍一出拳便被李小龙压制,同时,李小龙一记"凤眼拳"已结结实实地抵在了他的咽喉上,这令他大惊失色。

李小龙最初对于柔道并不了解,在成为李小龙首徒的当晚,杰西向李小龙示范了他最拿手的柔道技术,并用自己最擅长的一招将李小龙扔了出去,结果李小龙的头差点撞在距离床边仅几厘米的茶几上。多少年后,当杰西回忆起这件事的时候依然心有余悸。不过,这反倒激发了李小龙对柔道的兴趣。于是杰西带他去了一家柔道俱乐部,向他示范了许多柔道技术,并将柔道黑带弗雷德·

佐藤介绍给他认识,两人很快就成了非常好的朋友。佐藤还经常去周露比餐馆与李小龙进行训练,李小龙非常重视这门课程,在上课时特意穿上全套柔道服。在准备就读华盛顿大学时,还去参加了美国80公斤级柔道冠军加藤修造开的班。进入大学后,李小龙得知,根据体育课的要求,他要去学习柔道,巧的是,教柔道的老师正是加藤修造。李小龙所收的弟子大多是带艺投师的,多少学过一些拳击或柔道,李小龙经常与他们一起训练,学到了许多柔道技术,也买了许多的柔道书籍加以研究。

通过口口相传,学员数量开始逐渐增加,李小龙萌生了开武馆的想法。大家认为,开武馆最重要的就是扩大影响力,于是他们向校方提出在校内举办一场武术表演。校方对这一提议很重视,在经过开会研究后,决定邀请李小龙和他的功夫小组在"亚洲文化日"那天进行表演。

詹姆斯·德迈尔是一名退役的前空军重量级拳击冠军,因为退学服兵役的原因,他必须补足学分才能从高中毕业,于是他入读爱迪生技校,与李小龙成了校友。巧合的是,他们出生在同一天、同一家医院。

"亚洲文化日"那天,无事可做的德迈尔走进礼堂,坐在后排观看了李小龙的表演,舞台上的李小龙表演了日后在《龙争虎斗》中广为人知的华拳中经典套路——"击步三不落地旋风脚",动作像蝴蝶飞舞般美丽而流畅。

李小龙的表演结束后,德迈尔来到后台,面对李小龙毫不讳言地对武术的实战性提出质疑。李小龙很客气地要求德迈尔攻击他,这个请求实在太大胆、太自负了,让德迈尔也吓了一跳:两人虽然身高差不多,但是德迈尔是前空军重量级拳击冠军,体重102公斤,而李小龙只有70公斤左右。黄淳樑在李小龙离港前最后叮嘱他的一句话便是"提防拳击手"。

德迈尔摆出了拳击架势,打出了一记前手刺拳,而接下来的事令德迈尔终生难忘,他回忆道:

……就一眨眼的工夫，他迅速出击，不仅仅是封堵我的出拳，还把我猛地拉倒在了地上，缠住了我的右手，还封住了我的左手，我觉得自己像一块法国脆饼干，那种感觉很奇怪。我无法动弹，连迈步都无法做到，别说踢腿了。他笑了，轻轻地拍了一下我的前额，就好像在问"有人在家吗"，他放开了我，然后后退了几步。这就是我对李小龙的印象，于是我立即加入了他的功夫小组，开始和大家一起进行训练。

对李小龙心悦诚服的詹姆斯·德迈尔当天便和勒罗伊·加西亚一起加入了李小龙的功夫小组。

加西亚在李小龙生日那天送了他一支手枪，李小龙对此爱不释手。加西亚和杰西还经常带着他去郊外进行射击训练。有时候李小龙也会把自己打扮成西部牛仔，挎着枪，大摇大摆地来到斯基普家。他还经常从周露比餐馆的阁楼上打窗外的鸟，直到杰西告诉他，在美国打猎是非法的，李小龙才作罢。斯基普也借给过李小龙一把柯尔特半自动手枪。有那么两三年，李小龙非常迷恋射击。他还让斯基普拿玩具枪来让自己练习躲避"子弹"的攻击，斯基普每次几乎眼看着就要打到李小龙了，但匪夷所思的是，李小龙每次都能逃脱。

虽然李小龙将练武视为生活的重要组成部分，但是跳恰恰舞也依然是他的兴趣所在。他经常和勒罗伊的妻子雪莉一起跳舞。一天，李小龙开车送雪莉回家，就在李小龙找到一个停车位准备倒车时，另一辆载有四个流氓的车突然抢占了这个车位，他们出言不逊，还带有种族歧视言论，这让李小龙很是恼火，他想冲上前去教训这些混蛋，幸亏雪莉眼疾手快拉住了他，那些家伙才逃过一劫。

李小龙脾气大，爱开玩笑，但是其实非常有礼貌。他经常和朋友们去斯基普家吃午餐或晚餐。每当斯基普的母亲进来送食物时，他都会非常礼貌且严肃地起立，其他人立刻都不敢开玩笑了，这让她感到非常紧张。但很快，两人就成了好朋友。她对李小龙始终念念不忘,称他为"我们的朋友",哪怕在她 98 岁高龄,已经几乎完全失去记忆时,还经常问斯基普关于李小龙的"近况",而那时李小龙早已过世多年。斯基普只得强颜欢笑,说李小龙的事业一切顺利,并让他代为问好。每当此时,她都会非常开心,而斯基普已是热泪盈眶。

那时,李小龙的英语并不好,还有口吃的毛病,在课堂上不敢发言,怕被大家嘲笑,又不知道应该如何面对这种情况,自尊心极强的他对此很是焦虑。杰西告诉他,让视线在教室里转来转去,不要盯在一个地方,就好像在摄影棚里表演一样。李小龙照方抓药,还真的收到了奇效,心理障碍很快就被化解,这时的李小龙显示出了他那顽皮、幽默的本性,大家都很喜欢他。所以日后斯基普评论道,如果没有杰西,就没有后来的李小龙,这话并非空穴来风。

2.4 ｜振藩国术馆

木村武之出生在奥林匹亚市(华盛顿州首府)。他的父亲一共生有 3 子 4 女,木村武之排行第六。二战中,日本偷袭珍珠港,美国随即向日本宣战,太平洋战争就此爆发。美国国内对日本人恨之入骨,凡是有日本血统的人,或与日本有任何关系的人都会被关进集中营。

从 1942 年到 1946 年,木村一家在集中营里被关押了 5 年才被释放,这段经历对年少的木村造成了极深的心理创伤,并患有严重的抑郁症。这也是木村在遇见李小龙前具有强烈自卑心理的根源所在。

为了摆脱自卑感,木村开始学习柔道,但被摔伤了几次,最严重的一次连手臂都摔断了。之后，心灰意冷的他再也没有接触柔道或其他武术运动，直到遇见了李小龙。

李小龙的一些学生在木村的超市购物时曾向他提及李小龙那惊人的身手，木村觉得自己也是见过一些大世面的人，一个不到20岁的中国人能有多大能耐，值得这些人对他赞不绝口？出于强烈的好奇心，木村提出想要见见李小龙。于是，某个周日，在杰西和德迈尔的带领下，木村来到了华盛顿大学的足球场，李小龙正在那里等着他。见识了李小龙的身手后，木村毅然加入小组，拜李小龙为师，与其他人一起练习。有时他也会在健身俱乐部里和李小龙一起练习柔道。

李小龙的功夫小组没有固定的训练场所，有时候在大街上，有时在杰弗逊公园、校园操场、学生会大楼、基督教青年会、周露比餐馆后院，以及几个早期弟子的家中进行训练。他曾和弟子们合租了南威乐街651号，这是一间临街店铺，有100多平方米，非常宽敞。在二楼，大家可以聚在一起谈天说地、放松身心。严格来说，这不是一间武馆，更像是一家私人会所。

李小龙除了在周露比餐馆打工赚取生活费外，还兼职送《西雅图时报》（华盛顿州发行量最大的报纸。在2000年3月6日前都是晚报）。为了能早些练武，杰西和德迈尔每天都会来帮助李小龙一起送报。勒罗伊还会开着自己的卡车来替那时尚未获得美国驾照，又不会骑自行车的李小龙分发报纸。

在弟子们的帮助下，李小龙选中了南威乐街609号作为武馆，命名为"振藩国术馆"（Jun Fan Gung-Fu Institute）。这是李小龙未向公众公开的第一家武馆。这家武馆由两个房间组成，其中一间有积水，于是他们在另外一间练武。刚开始的时候，只有10名学员，李小龙向他们每人收取10美元用来交房租。此后的学员每人都要交20美元，如此一来，李小龙终于可以专心习武和授武了。李小龙择徒很严格，虽然弟子们可以带自己认为信得过的人进武馆，但是否收下这名学员最终还是由李小龙说了算。李小龙还再三强调,不能把学来的武术用在中国人身上。

李小龙不将武馆公开,主要是受到低调的叶问影响。叶问虽然自 1949 年便开始在香港传授咏春拳,但是从未像其他师傅那样将武馆牌匾挂在门外招徕生意。所以,李小龙除了将窗户漆红,不定期在唐人街范围内散发亲手绘制的宣传广告外,便是应邀与弟子们在各高校做示范表演,并在加拿大、西雅图电视台录制"东方防身术"之类的节目。但开武馆教外国人武术,还是引起了某些人的非议,杰西曾在一次采访中透露道:

当他来到美国的时候就开始着手对咏春拳进行改良。他惹了麻烦,因为一个老年人不喜欢他教外国人功夫。毫无疑问,他在西雅图打破了这个传统。周露比——她开了一家餐馆,李小龙在那工作并生活——不喜欢李小龙教外国人功夫。她说:"你教黑人这样那样的功夫,他们会打败中国人的。"李小龙说:"好吧,反正他们会打败中国人,那我就去教会他们应该如何尊重中国人。"

李小龙虽然远在大洋彼岸,但仍然心系祖国。只要有同学来自中国,他就会去询问包括功夫在内的所有事物的最新动态。当他知道中国发生了巨大的改变,并取得了不俗的发展成果时,他从心底里为自己是中国人而感到自豪。在香港时,他曾多次乘坐轮渡往返澳门,还花了整整一天的时间坐在中英街观察那些来来往往的人。他对杰西说,如果自己有机会去中国内地,将会追寻、遍访那些伟大的功夫大师们的足迹。如果有人能打败他,他就拜那人为师。他也希望教杰西粤语,以便日后有机会能和他一起去香港,更希望杰西能去内地多看看,但杰西对学习粤语毫无兴趣。

李小龙和他的弟子们在不同场合做了多次的武术表演,包括在唐人街颇具影响力的中华会馆,开始有了点名气。虽然他不希望被称作"师傅",更乐意他们叫自己的名字,但是为了表演的效果,不但把杰西称为"助教",还让他们在公开表演时称他为"师傅"。

37

李小龙很看重示范表演，他让弟子们都穿上传统武术服以便于表演。虽然他武技超群，但在一开始做示范表演时也很难控制好力度与距离，杰西就曾被李小龙一拳打得鼻子出血，差点被打翻在地。木村也差点因此失去一只眼睛，他回忆道：

……那是李小龙为我们演示前手直拳，要求大家发挥出能穿透目标的力量。他一边看着大家，一边发力。他的拳头直捣我的右眼，打碎了我的眼镜，划伤了我的眼球。我们赶紧去了医院，医生取出了所有碎片，还责怪我竟然在如此剧烈的体力活动中戴着眼镜。李小龙怪罪我动了！我绝对没动，但我不能说我没动！

李小龙的这班弟子人种各异，肤色也各不相同，但李小龙毫不在意，在颇具"天下一家，有教无类"思想的李小龙眼里，只要你是真心想学，他就教你。但这些学员即便不是虎背熊腰，也是带艺投师，为了弥补体格及体能上的差距，李小龙将形意、八卦、太极、螳螂拳、白鹤拳、蔡李佛等传统武术中自认为有效的武技及训练方法，在遵循咏春拳理的原则下，逐步融入自己正在改良的咏春拳中。他称这种经过改良的咏春拳为"振藩功夫"（Jun Fan Gung-Fu）。教拳时，他只用粤语说出招式名称。多年后，叶问宗师次子叶正师傅在《功夫传奇：咏春无华》一集中透露：

我们现在在美国和欧洲教咏春，摊手，除非那些外国人不曾学过咏春，否则，他已经知道要做些什么。摊手、膀手、枕手、摊手……全都听得明白。这归功于李小龙第一个在外国推行，不翻译（招式），用中文（粤语）教授。你要学中国功夫，便要懂得中国功夫的用语。

对于李小龙不分国界地收徒并倾囊相授，已经年逾七旬的伊鲁山度在采访中感慨地表示：

师父的第一个徒弟（注：联系前后文，此处伊鲁山度想说的是"助教"一词）是木村武之，他是一个日本人，在传统武术尤其是中国传统思维里，日本人是中国的敌人，为什么要对一个日本人倾囊相授，而且还让他在振藩功夫的领域遥遥领先？师父是不是已经超越武术本身，看的是人的本质？第二个徒弟是严镜海，他是中国人，我是菲律宾人，我当时对师父说你不需要兼顾那么多，他告诉我说他从不按种族选择学生，他认为武术不是只有中国人才能传承，这也是我最敬重师父的地方。因为直至今时今日，（这样的师父）都不多见，更何况是在过去，大家都认为武术就应该保留，传承在中国人的社群内。

在一次表演中，人群中一名叫作上地的空手道三段黑带（也是柔道黑带）武士对李小龙所阐述的"武术起源自中国"及"空手道的风格僵硬，不连贯，不如中国功夫来得灵活、流畅"的言论非常不满。在表演结束后，他来到衣帽间，向李小龙发起了挑战，并说李小龙是"光说不练的假把式"，但李小龙当时并未应战。这名武士依旧不死心，不停地向李小龙挑战，李小龙也曾多次问及弟子们是否应该应战，大家自始至终都竭力反对，认为这是浪费时间。但这名日本武士定下了日期，更放出狂言"李小龙可以去任何他想去的医院"。被惹毛了的李小龙告诉杰西他接受挑战。杰西提醒李小龙，千万不能在学校里比武，否则将会被开除。在杰西的建议下，李小龙和武士约定在男青年会比武。

1960年11月1日，李小龙、杰西、艾德和霍华德·霍尔等人在放学后径直前往男青年会，许多人闻讯后也跟着一起去凑热闹。

男青年会三楼是个壁球馆，一同前来的那名日本武士换上了空手道服，跪在一个角落里，神情凝重，过了一会他站了起来，走向李小龙。这次比武，杰西担任裁判，艾德担任计时员。比赛规则为三个回合，每个回合两分钟。杰西和艾德都认识这名日本武士，他们曾在一起练习柔道，杰西每次都能赢他。他们一致认为，以李小龙的格斗能力,这场比武用不了三个回合就能结束。

李小龙脱下衬衫,日本武士摆出了一个空手道姿势,然后迅速向李小龙裆部踢出一脚,李小龙躲过这一脚后顺势切入中线,一顿连环重拳把他打得贴在了墙上,并且还持续不断地施以重拳。那武士贴着墙滑落在地上,李小龙又对着他的脸飞起一脚,将他踢翻在地。此时的地板上已然有了点点血迹,那日本武士已经失去了知觉,血流满面。杰西见状不妙,赶紧大叫道"住手！他就快被你打死了！"。这场比武只进行了 11 秒。当日本武士苏醒过来后,第一件事就是向周围的人询问李小龙打败自己用了多长时间。为了安慰他,艾德把时间延长了一倍,结果他精神彻底崩溃,躺在地上不愿起来。

事后,人们发现这名武士的眼眶附近裂开了,颧骨的皮肉也被撕裂,被揍得鼻青脸肿的他回学校上课时只说自己出了车祸,而李小龙神色自若,似乎什么事都没发生过。最后,这名武士请求拜李小龙为师,想要得到李小龙的私下传授。李小龙虽然很大度地接纳了他,但只是让他和功夫小组练习一样的技术。结果这名武士学了没多久就离开了,并将学到的东西教给了自己的空手道学生。

李小龙喜欢去西雅图或跨境到加拿大的书店买大量的书回来阅读并加以研究。那时的李小龙并没有系统的教学计划,教授的都是自己感兴趣的内容,而这些内容随时在变化,弟子们甚至不知道他究竟想教什么,对此都很不适应。同时,20 世纪 60 年代初美国经济非常不景气,大家都要去找工作,所以很多学员都离开了。在这种情况下,李小龙不得不关闭武馆。

很快,"振藩国术馆"就搬到另外一家唐人街的地下室中,这家武馆离第一家只隔着两条街,是第二家没有公开的武馆。但受到经济大环境的影响,武馆也无可避免地受到了冲击,无法稳定地开办下去。也有许多人无法坚持日复一日的枯燥训练,选择了离开。

虽然觉得教拳总比整天洗盘子好不少,但是李小龙也不是很愿意教拳。他与杰西单练的时间多于在武馆的时间,杰西学到的也远比武馆内所教的多,所以许多想练好武术的人中途会和杰西学。1961年,杰西和德迈尔想自己出去开武馆。出于礼貌,他们事先征求了李小龙的意见,李小龙的回答是:"非常好的主意,不过有个前提,就是不能称呼它为咏春拳或振藩功夫。"于是,杰西把自己的武馆称为"非传统功夫学校"(Non-classic GungFu School),并于1962年正式开馆收徒。只要他回到李小龙的武馆,李小龙依然像对待老朋友一样,将最新的武术进展介绍给他,并在私下将新招式悉数传授。

失去了武馆的李小龙只得和弟子们重新"流浪",在周露比餐馆附近的停车场内一角公开授课。直到木村将自己开的超市后面的空地加盖了顶棚,李小龙和他的功夫小组才终于有了一处较为固定的训练场所。但是李小龙担心万一哪天35岁的木村或许会因为自卑心理而变卦,那他们就又要到处"流浪"了。在了解木村的特殊背景与身世后,他用从心理学书籍上学来的知识,"剑走偏锋",对这个班上年纪最大的弟子极尽刁难苛责之事。这确是一着险棋,极难掌握火候。由于李小龙在日常生活上对这位弟子极为照顾,让木村感受到了久别的温情,因此,没过多久,木村便消除了心魔,变得自信起来,练功也比先前勤奋得多。李小龙也很喜欢木村,在日后更是对其倾囊相授。

李小龙这种极为严苛的训练方式其实是延续了传统武术界的做法,但并不是人人都能接受得了的,很多学员因为无法理解他的这种行为,纷纷拂袖而去。李小龙要的学员不在于多而在于精,最终也只有极少数人能留下,而在日常训练中,李小龙要求弟子们必须做到"团结、友爱、手足情深"。一次,一位学员取笑另一位学员手脚笨拙,李小龙铁青着脸来到他面前,将这个不懂得尊重的家伙狠狠地斥责了一顿,并警告他,如果还有下一次就会把他赶出武馆。

2.5 ｜华盛顿大学

　　1960 年 12 月 2 日，李小龙从爱迪生技术学校毕业。他想去找份工作。在进入大学就读前，李小龙就曾研读心理学书籍，深入研究心理与行为之间的关系。这为他将来创立截拳道打下了基础。

　　李小龙于 1961 年 3 月 27 日入读华盛顿大学（笔者注：非"华盛顿州立大学"，而是西雅图华盛顿大学），主修戏剧[1]，选修范围极为广泛，如哲学、演讲、心理学、历史、体操等。李小龙很喜欢哲学，尤其是中国哲学和亚洲哲学，也很喜欢和同学们讨论哲学问题。但他有时候会误导别人，这时，他的一个好朋友，也是他的早期学生之一，约翰·杰克逊，亚洲哲学学得比李小龙还要棒，他会毫不留情地指出并纠正李小龙的错误。在这样的良性竞争下，李小龙的哲学成绩自然是进步神速。

　　对于为什么攻读哲学，李小龙曾对香港媒体发表过如下感言：

　　我之所以要选择攻读哲学系，与我童年时代的"好勇斗狠"有关。我常常问自己：胜利了又怎样？为什么人们把荣誉看得这么重要？什么才是荣誉？什么样的"胜利"才是光荣呢？于是，当我的导师帮助我选系的时候，他认为以我的求知欲，最好是学习哲学，他说："哲学会告诉你人是为了什么而活着！"

　　当我告诉亲戚和朋友们我选读了哲学的时候，大家都很惊讶。大家认为我最好是选读体育，因为，我从童年到中学毕业，唯一感

---

〔1〕对于大学的主修课，李小龙不止一次地在访谈及书信中表明为哲学。当年华盛顿大学学科修读记录表上显示，李小龙于 1961 年主修戏剧，1963 年开始专修哲学与心理学。

兴趣的课外活动是中国武术。事实上,武术和哲学看来是两个极端,但我以为中国武术的理论部分晦涩难懂,而武术的每一个动作,都应该有着它的道理。我想,国术应该有一套完整的理论体系,我希望能把哲学融入武术中去,所以,我坚持读哲学。

我从来没有间断过对武术的研究与锻炼。当我对武术追根溯源时,我产生了一个疑问:每一派的武功,都有他们自己的套路和风格,这种既定的形式,是否就是创派者的本意呢?

我不这么认为,包括哲学在内,形式是进步的羁绊。任何创始人的武功必定比一般人高,也比一般人聪明,如果他的弟子们没有与其相同的创造力去继续发展他的成就,那么,就不免流于形式化了,任何发展和突破都将是不可能的。

让无心向学的李小龙入读大学是李海泉夫妇做梦都想,却也不敢去想的事情。所以,当李小龙第一时间将要入读大学的消息告知父母时,可想而知全家人的喜悦之情,李海泉更是用"好过中马票"来形容内心的激动。

华盛顿大学风景优美,李小龙曾在操场、华盛顿湖边等地拍下多幅照片,颇具文采的他还写下两首有关华盛顿湖的小诗,也曾在湖边的木头码头上拍下如老僧入定般坐禅的照片。

1961 年 9 月 19 日,刚进入华盛顿大学不久的李小龙自愿报名参加了"后备军官训练团",进行了一段时间的短期训练。他还得意扬扬地穿着免费领来的新军服和军事书籍,模仿猫王,拍下了数张照片。但是对李小龙的这一举动,弟子们都很反对,木村武之甚至认为,以李小龙的个性,加上在军训期间"顶撞上级"的表现,根本就不适合当兵,甚至还很有可能被开除并被送上军事法庭。

美国联邦政府依托地方院校培养后备军官由来已久,早在 1916 年,美军就把这一制度用法律的形式确定下来。1954 年,美国正式从法国手中"接管"越南事务。在越战(1955—1975 年)初始阶段,除了少数知识分子与和平主义者零星的抗议以外,美国国内舆论几乎一致支持美国介入越南事务,并把美国的介入当作向全世界传播美国式民主价值的一场试验,以证明美国的"伟大"而非"自私"。当时的摇滚乐巨星"猫王"艾尔维斯·普莱斯利于1958年正式加入美国陆军,1960年3月以中士身份退伍,因为没有因巨星的身份而躲避兵役,被当时的媒体誉为"美国年轻人的楷模"。

为了考察一下李小龙的身手究竟有多厉害,严镜海拜托他的武友、同为健身爱好者的幼年好友周裕明,借世博会之际,代为拜访李小龙。

穿着一身灰色法兰绒西服的李小龙从外面散步回来,遇到了已经在餐馆门口等候了一段时间的周裕明。周裕明在做了自我介绍后便说明来意,两人随后在周裕明下榻的酒店内谈论起了武术。李小龙对严镜海早有耳闻,说起武术就更兴奋,他迫不及待地向周裕明展示了自己的武技,当时周裕明的反应可想而知。当他回到奥克兰,向严镜海绘声绘色地描述了李小龙的精湛武技后,严镜海这才相信弟弟在3年前所言并无夸大,便毫不犹豫地给李小龙打了个长途电话,两人开始了一场"隔空论武"。严镜海的真诚打动了李小龙,李小龙随即驱车前往奥克兰,专程拜访严镜海。

严镜海看到了李小龙的身手后,不由赞叹道:"这小伙子实在是太优秀了,优秀到让人感觉太不真实了!"两人一见如故,很快就成了莫逆之交。不久后,严镜海这名"武痴"便正式拜入李小龙门下,这应该是当时李小龙的第一位武术家弟子。只要一有空,严镜海就会开车来到西雅图,与李小龙切磋交流,李小龙有时也会抽空去奥克兰与严镜海相聚。严镜海还将少林拳法名家拉尔夫·卡斯特罗和美国琉球唐手创始人艾德·帕克(被誉为"美国空手道之父",曾多次入选权威武术杂志《黑带》名人堂)介绍给李小龙认识,这两位美国武术界举足轻重的人物对李小龙日后能顺利进入武术大师殿堂起了极其重要的作用。

大量事实证明,严镜海无论在生活还是武术事业上,对李小龙的帮助与扶持都是巨大的。可以说，如果没有严镜海，就没有我们所认识的李小龙。同样给予李小龙巨大帮助的还有谢华亮（柔道、柔术家，国际级柔道金牌教练，小循环柔术创始人）。他通过一名弟子的引见而结识了李小龙，两人遂成为忘年交，经常交流武学心得。谢华亮也是李小龙登上武术宗师级殿堂的重要推手之一。而冯天伦也是在此时经严镜海介绍而认识了李小龙，并与李小龙在车库一起训练。

1962年4月，李小龙开办了第三家"振藩国术馆"并向公众开放，学费为成人每月22美元，少年儿童每月17美元。武馆逐渐走上正轨后，李小龙就把那辆二手雪福兰换成了1957款的德索托冒险家双门敞篷车，并将自己穿着风衣，戴着礼帽与车的两张合影寄往香港家中，以示自己已能在美国站稳脚跟。

李小龙在大学里也一直进行武术表演，也始终希望能在学校里开设武术班，但由于收费的问题而一直未能如愿。但他并没有因此而放弃，因为他的心中已经有了一个宏伟的规划蓝图。1962年9月，他在给曹敏仪的一封信中写道：

> ……功夫是我生命的一部分，它极大地影响着我的个性和观点的形成。我习武为增强体魄，同时也是一种思维训练，是一种自卫方法和生活方式。……多年来，我一直不断完善自己的个性和功夫。我的目标是创建一所功夫学院，使中国功夫遍布美国（我计划用10～15年时间实现这一目标）。我这样做的目的不仅是为了赚钱，而是要让世人认识到中国功夫的精湛，我也乐于教授中国功夫，我也想为我的家人营造一个幸福的家。我喜欢创新，但最重要的是功夫已成为我生活的一部分……我既有清醒的认识，也爱梦想（别忘了现实，梦想者从不会放弃梦想）。我现在也许除了一块栖身之地外一无所有，但一旦我的梦想像潮水般涌起时，我仿佛已看到一张美好的蓝图：拥有一座五、六层的功夫学院，其分部遍布全美。但我并非信心十足，于是我开始审视自己，以战胜困难，摆

脱逆境,取得"难以置信的成功"。

美国大学的开放风气正合李小龙的不羁性格,如鱼得水的他一进到大学就结交了一名比他大 6 个月的日裔女友艾美三由。李小龙第一次见到艾美就直接抓住了她的手臂并打了个招呼,这个举动差点让艾美摔倒在地。为了弥补那次的鲁莽举动并再次表达诚意,李小龙在一次长途飞行后专程赶去看她,这让艾美非常感动。学过芭蕾的艾美教李小龙跳芭蕾舞,用脚趾头来保持平衡很难,但是习惯于前脚掌着地的李小龙第一次做就成功了,这让艾美很是惊讶。但是芭蕾舞的节奏毕竟有异于恰恰,李小龙学起来还是很别扭。

除了跳舞,李小龙还喜欢带艾美到他最喜欢去的唐人街餐馆吃中餐,大部分时候则是让他的一位朋友做他们的司机与他们一起出游。他们还一起去参观了 1962 年在西雅图举办的世博会。二人之间渐生情愫。

随着时间的推移,李小龙与艾美走得越来越近。但李小龙对于自己的家世极少提及,艾美对李小龙也不是很了解。双方稚气未脱,尤其是很爱玩的李小龙。年轻人都有属于自己的梦想,艾美想让李小龙支持自己在未来成为一名舞蹈家的梦想,但李小龙对艾美的梦想大肆嘲笑,却又想让艾美支持自己开连锁武馆,不久,他们的关系便出现了裂痕。德迈尔说过,虽然李小龙身边有很多女孩,但是只有艾美是他的结婚对象。而性格独立又好强的艾美觉得李小龙和她结婚的目的就是为了将她时刻留在身边,控制她的一切,帮助他实现他的那些宏伟目标。这让她无法接受。不过艾美也承认,李小龙是她遇到过的最棒的、无法用言语来形容的男朋友。在与艾美交往的 3 年多时间里,李小龙曾多次向艾美求婚,但都遭到拒绝。

当李小龙知道艾美已经在纽约找到工作后,便鼓起勇气,进行最后一次求婚。他的想法是,如果求婚成功就立即结婚,然后再将此事告诉在香港的家人,并准备在夏季假期的时候带她一起回香港。为此,他甚至将他外祖母留下的镶有白色十字架的蓝宝石戒指给艾美戴上。但艾美还是把戒指还给了李小龙,从此在李小龙的生活里消失了。李小龙得知后曾多番尝试却遍寻不着她,很是伤心,在接下来的几周内颇为沮丧,痴痴地画着她的画像,做什么事情都打不起精神。

李小龙在一篇随笔中,隐晦地说出了自己对于那些曾苦苦追求,却有缘无分的女朋友们的思念与遗憾。

回忆是唯一不会驱逐我们的天堂。欢乐是枯萎的花朵,回忆是持久的芳香。回忆比现在的真实更加持久;我曾保存了许多年的花朵,却从未结果。

对于李小龙交女友一事,林燕妮曾在纪念李小龙的回忆性文章中写道:

……女朋友肯定是有的,并非固定那类,泡妞而已……对逢场作戏的女人,他可说是口没遮拦……对他真正心仪的淑女,他却像个小男生。曾有位比他大的淑女,也是他当年倾心的女子,吻了他一下,他便喜心翻倒地告诉了他的哥哥。没有动手动脚,没有任何事情发生,他永远不会对他真正仰慕的女子强求的。

这是很典型的李小龙,追不到,他宁可写诗,苦恋,遥遥地思念。

当艾美知道李小龙去了好莱坞发展的时候,凭直觉就觉得他会在那里出名,但是永远不会有所谓的快乐。当听到李小龙的死讯时,她颇为震惊,非常伤心,郁闷了好久,她始终无法忘记和李小龙一起学习舞蹈的那段日子。他们之间有着太多的共同之处,李小龙身上有很多她喜欢的特质。

2.6 │ 首次返港

　　美军为鼓励学生参加后备军官培训团,允许为学生报销一次探家的往返路费。离开香港4年了,李小龙也想借着暑假回去看看家人。原本他想带艾美回家的愿望如今成了泡影。他的弟子中,刚加入不久的道格·帕尔默曾在学校里学过普通话,对东方文化很感兴趣,于是李小龙决定带他一起回港,领略一下东方风情。

　　李小龙当时手头并不宽裕,而严镜海向他保证写书一定能赚钱。于是,李小龙在严镜海的帮助下撰写《基本中国拳法》(*Chinese Gung Fu：The Philosophical Art of Self-Defense*)[1]。同时,在餐馆后院、严镜海的车库里,与木村、杰西、德迈尔、查理·胡、严镜海合作拍摄了大量技术示范照片,还亲手绘制了书中所有的插图。所有的参与者,包括李小龙本人都为能出版一本武学专著而感到兴奋。不过,这本书以咏春为主,部分框架及章节照搬自蔡龙云所著《武术运动基本训练》。这也是李小龙生前出版的唯一一本著作,艾德·帕克、严镜海、谢华亮等三位武学大家还为此书做了序。这本共97页的书,由严镜海带到自己的印刷厂做限量印

---

[1] 印刷册数从300本到1500本的说法都有。此书初次印刷时封面上印有"1963年4月或之前有效"并标有5美元的定价,但是后来的版本这行字被删去,可见该书至少经过一次以上加印或重印。据杰西回忆,李小龙亲自对他说,成本费花了600美元,而这本书卖了5000美元。如果此言属实,说明这本书的总印量在1000本以上。在奥克兰武馆开张后,该书的订单呈缓步增长之势,需要琳达来处理这些订单便是明证。

刷,在《黑带》杂志(1961年创办,第一期为4月号)上刊登广告,在严镜海的书里也刊登了邮购信息;而木村、周裕明在他们的超市或杂货铺里也对该书进行销售。书的扉页上赫然印着"谨以此书献给我的父母李海泉夫妇及挚友曹朱绮华夫人"。同时,为了感谢木村的大力协助,李小龙在赠书上写道"献给我亲爱的朋友木村武之,感谢你从1960年起为我所做的一切"。

冷静下来的李小龙认为这本书是不合格著作,于是,他有了着手写第二本著作《功夫之道》(*The Tao of Gung Fu*)[1]的计划,他想在这本书里对中国传统武术的源流、发展做一次更为系统、全面、深刻的诠释。

就在李小龙准备回港前不久,美国征兵局发来信函,不让李小龙回香港,觉得李小龙很可能会借此机会一走了之。因为后备军官训练团的培训与高等院校的学制相吻合,一般为2年或4年,制定有严格的教学大纲。主要是实施初级军官职责、分队战术、射击、野外生存等必要的军事训练,每周训练3~4小时,每学期训练6周。暑期自然也会有培训。李小龙此时回香港,征兵局自然会认为李小龙有逃避培训的嫌疑。

同时,在"麦卡锡主义"的后续影响力和冷战思维的影响下,美国当局对华裔、亚裔人群很是紧张,他们不能寄钱给在中国的亲人,禁止公开谈论自己的家乡,或被认为是"间谍",或被认为"亲共""亲中"而受到调查和非法传讯,甚至严重到了囚禁、驱逐出境和暗杀的地步,这颇有些白色恐怖的味道。李小龙虽然是美籍华裔,但以自己是中国人为豪,自然也属于移民局和征兵局的监视对象。为能顺利探亲,李小龙请他的英文老师玛格丽特·沃特斯写下了"离境担保信"来向征兵局证明自己是个守信用的人,同时也

---

〔1〕 该书于李小龙死后经后人编辑出版,名称为 *Tao of ChineseGung Fu:A Study In The Way of Chinese Martial Art*,中文名为《功夫之道:李小龙中国武术之道研究》。

是个受人尊敬的绅士，这才得以重返香港。

1963年3月26日，当经过悉心打扮，西装革履的李小龙带着帕尔默走出启德机场时，已等候多时的李海泉和亲戚们皆欣喜不已，家人团聚的喜悦之情溢于言表。在美4年，小龙容颜未变，乡音未改，但较以前成熟得多，除了将当初的100美元归还给李海泉外，还给他买了一件新的大衣。而李小龙在港期间举止谈吐，待人接物均大方得体，也是大家以前根本无法想象的。

在香港的这个夏天，李小龙除了每天陪着老爸晨练，打麻将，拜访各位影视界、武术界前辈外，最重要的事情就是带着帕尔默去见叶问。见叶问前，李小龙一再嘱咐这个美国徒弟不可显示出自己学过功夫，以避免不必要的麻烦。

当叶问亲自与李小龙试手后，发觉李小龙并未因在美国念书而荒废了武功，反而功力大进，而且对咏春拳做了一定程度的更动，心中暗喜却不形于色。李小龙于是趁热打铁，向叶问提出要求，希望他能将木人桩法、六点半棍及八斩刀等技法拍摄成照片，以便带回美国自修。叶问生前不喜欢拍照，也不轻易示范这些高级技法，但李小龙一开口，他便立刻破例答应，这些珍贵的片段被帕尔默拍摄下来。

日渐成熟的李小龙已极力避免冲突，但是有一次为了保护林燕妮，他还是忍不住动手了。时隔多年，林燕妮对这次打斗依然记忆犹新。

谈到打，小龙出手之快，实在是没见过才不相信。有一回父母带我和小龙到那时希尔顿酒店的"鹰巢"用晚膳和跳舞，事后小龙带我逛街。那夜他打扮得很帅，整套黑色西装。不过天气热，他把外衣脱下搭在手里，露出了里面的紫色衬里，当时是很"串"（粤语中嚣张跋扈之意，此处引申为炫目之意）的打扮。走到天星码头时，四个流里流气的飞仔出言不逊取笑他，大有撩架打之意。我看着四个人凶巴巴地围着我们，心慌起来便往站在我右边的小龙一望,看他如何是好。只见他气定神闲地站着,似乎没怎么动,待我回过头来之时,已见那几个家伙全卧在地上,其中一个还没命似的爬着走。小龙说:"扫了他们一腿而已。"原来在那电光石火的一瞬间,他已出了腿。

远道而来的帕尔默被香港的闷热天气、缺水以及因自身特殊的肤色与体格被李振辉等人捉弄而不堪其扰,不过在美丽的海滨游泳、看电影,在很不错的餐馆吃饭,在喧闹的街上散步,还是让他领略到了香港的魅力。他还在游乐园里玩到了许多在美国玩不到的游戏,比如用球打酒瓶、用矛刺气球等。他还参加了李小龙亲戚的一次婚礼。

每逢周六、日下午4点至6点,李小龙还不忘带着旧时老友们以及一群仰慕他的女孩子们一起去夜总会跳"茶舞"。李小龙还给这些女孩子们变魔术、讲笑话。一个英俊潇洒的男孩子如此有魅力,难怪周围会有那么多女孩子。她们沉迷于李小龙那独特的个人魅力而"倒追"李小龙。

假期一晃而过,李小龙和帕尔默一起回到了美国。还没等他喘上一口大气,一件让他后背发凉的事便随之袭来——美国军方寄来了体检通知书,他必须去进行体检,若是体检通过,就非常有可能被派往越南前线。

在进入后备军官训练团时,李小龙就按照规定签订了服役合同,该合同规定,他必须在大学二年级时服兵役。尽管李小龙完全可以找出种种理由,但他是个守信用的人,既然服兵役是自己的选择,那这次体检硬着头皮也要去。

当然,李小龙可以不用去参军了,因为在体检报告上,军方拒绝李小龙的理由是因为他"患有轻度扁平足"。虽然长舒一口气,但是生理上的缺陷也着实让以身手敏捷、体魄刚健著称的李小龙尴尬不已。

2.7 │ 琳达

李小龙经常会在各个大学表演他的功夫，每次都要带着艾美。1963 年春季的一天，在华盛顿大学刊物上看到了李小龙那篇甲级哲学论文《中国哲学——阴阳论》后，加菲尔德高中的高级主任诺曼·威尔森毅然邀请李小龙在该校担任课余活动的客座讲者，并做哲学演讲。当穿着米黄色风衣、戴着礼帽的李小龙挽着从这所学校毕业的艾美出现在长廊尽头时，正在与几个闺蜜聊天的高三女生，尚未满 18 岁的琳达·艾米丽（李小龙遗孀，有着英国、爱尔兰与瑞典血统，退休前为小学教师，与其女李香凝共同创办李小龙教育基金会）一眼就看到了这个英俊、潇洒、脱俗的中国青年，那时的她压根不会料到，她不久后就会与李小龙约会，日后更成了他的妻子。

在听了李小龙的哲学演讲后，琳达突然对亚洲文化感兴趣起来。她想多了解一些什么是中国功夫。于是，一个周日的早晨，琳达在好友祈小安（李小龙早期少数几名女弟子之一）的带领下，来到唐人街那间阴暗潮湿的地下室——"振藩国术馆"，开始随班里的十几个人一起定时上课，学员证编号为 0008，振藩国术水平经李小龙亲自评定为 2 级。

李小龙上课时不失幽默，下课后又和本来就是好朋友的弟子们去自己最喜欢的"大同饭店"吃中式午餐，品尝中式茶点。他除了表演那著名的"硬币游戏"[1]，还会在吃饭时不停地讲笑话，有些已经很老套的笑话经过他的演绎，又变得妙趣横生，这令原本沉闷的午餐气氛变得欢快起来。吃完饭，这个功夫小组有时还会在唐人街的剧院里看电影，通常看的是《座头市》系列电影或《大剑客》之类的日本刀剑片。在观看电影闲暇之余，李小龙也会抓紧这一点时间，借助影院椅子，用双臂将整个人支撑起来进行锻炼，或者会和弟子们稍微练习一会，而在电影放映时他就会全神贯注地看电影。

一次，剧院播放了李小龙在香港时期拍摄的最后一部电影《人海孤鸿》，这时他的大部分弟子们，包括琳达才知道李小龙原来还有着深厚的演艺背景，而他却对此只字未提，这让琳达觉得李小龙比她想象的更有深度，开始对他另眼相看。

1963 年 9 月，琳达进入华盛顿大学就读大学一年级，成了李小龙的学妹。李小龙的许多弟子也在这所大学里读书，这样他们就能继续跟着李小龙练功，次数比之前更为频繁。几乎每天中午，李小龙都会在学生会大楼开课。刚成为医学院一年级新生的琳达尽量从繁重的课程中抽空去上李小龙的课，后来更发展到逃课，成绩更是一落千丈，但她也并不在意。她为自己能成为功夫小组的一分子而感到由衷的快乐。她意识到，自己已经爱上了这个中国男人。但她对自己能否成为李小龙的女朋友很没有自信，因为李小龙身边的漂亮女孩要脸蛋有脸蛋，要身材有身材，既活泼开朗又懂得浪漫，而这些都是自己所无法比拟的。别说是金发碧眼、天生身材姣好的女孩，就是艾美的体型、外表也远比琳达来得丰满、甜美。

随着影响力的扩大，李小龙收了不少新的弟子。此外，他向大学递交的在体育馆表演功夫的申请被正式批准。1963 年 10 月 5

---

[1] "硬币游戏"是展示李小龙那不可思议的速度的一个小把戏。他让参与者手心朝上，放上一个较大面额的硬币，并在对方手掌合拢前，将原来的硬币换成另一枚小额硬币，而对方对此毫无察觉。

日,李小龙的功夫表演首次被列为大学开放日的表演项目。当天晚些时候,"振藩国术馆"搬迁至大学道4750号地下室新址,这里的面积将近270平方米,将所有练功器械都安置妥当后,仍然是空空荡荡,即便后面用来作为卧室的房间放了李小龙特意从香港订购的柚木家具,也是一样的感觉。李小龙曾在此拍下大量自己练习咏春以及与弟子们一起训练的照片及录像片段。李小龙最喜欢那间有着20多平方米的淋浴室里,将所有的莲蓬头打开,看着热气腾腾升起,模拟蒸气浴的感觉。李小龙对这间武馆非常满意,开始以此为家。

这一时期,武馆最多人数曾达到三四十人,可谓颇具规模。李小龙手头开始变得非常宽裕,于是换购了一辆二手的57款福特汽车。

从这所武馆里所拍摄的照片上,我们能清楚地看到,墙上除了挂有巨幅阴阳太极图外,还有一副写着"咏到梅花桩法妙,春生桃李艺林香"的对联。每当看到这副对联,李小龙就会想起师父和与自己交好的部分咏春同门。

李小龙其实对于琳达颇有好感,开馆半个月后,他就给琳达写了一封直白的求爱信。1963年10月25日,在训练课结束后,李小龙在众弟子散去的情况下,单独邀请琳达去太空针餐厅共进晚餐,琳达在犹豫片刻后愉快地答应了。

琳达的生父在她6岁时就因突发心脏病而去世了,她母亲独自带大她和她的姐姐实属不易,而且她又非常反感琳达与小个子黄皮肤的东方人谈恋爱。她要她的女儿按照她的意愿成为一名品学兼优的好学生,毕业后找一份体面的工作,嫁一个如意郎君,当然必须是白人。琳达曾经和一个有着一半日本血统的男孩短暂约会过,但这段恋情因为母亲的坚决反对而结束。因此,为了能和李小龙约会,琳达只能在闺蜜家,穿着借来的裙子和外套,由李小龙开车来接她去用餐。据琳达回忆:

小龙那天完全可以用"帅"这个词来形容。他穿着一套黑色意大利真丝西装，紫色衬衫，打着一条黑色领带，头发整齐地向两侧梳着，前额的一些头发自然卷曲着。他的造型看上去像极了我的偶像乔治·查克里斯在《梦断城西》(*West Side Story*，也译作《西城故事》)里的造型，我当时就陶醉了。

他们很快就陷入了热恋，经常在武馆内的卧室里一起看电视剧《综合医院》(*General Hospital*，60 年代美国热播电视剧，1963年起开播，至今已逾万集)，一起做作业。对于当时的学习情况，琳达回忆道：

> 我的学习成绩持续下滑已是不争的事实，可我对此并不关心。而小龙却一点问题都没有——他在自己的事业之余还能时不时地写上几篇哲学小论文。从语法上看，熟知所有语法规则的他对于英语的掌握近乎完美，这点肯定比我还好，因为他完全把英语当成他的第二语言来学习。当我在功课上遇到问题的时候，小龙会赶来帮我做关于英语课的题目，他对于微积分和化学无能为力，但是他很能写。我告诉他我的学业不好是他的过错，他只是用微笑来表示同意。

李小龙的脑筋动得飞快，初入大学时就选修过演讲、个人领袖才能等科目，大三时又专修哲学与心理学，口才极佳自不待言，谈起哲学问题更是口若悬河、滔滔不绝，极富个人魅力。难怪有人说李小龙如果成不了武术家也能成为一名非常优秀的推销员；而性格含蓄、内敛的琳达恰好是一名极好的聆听者，受过严格的盎格鲁－撒克逊教育的琳达的性格，与李小龙那天生的美式性格形成了完美的互补，正合乎了《易经·系辞》中的那句话"一阴一阳之谓道"。李小龙要的就是具有东方气质，性格顺从、温柔、善解人意的淑女，而外表恰恰不是他所重点考虑的，琳达恰好符合这些特质，这才是他们能走到一起的最重要的原因。

1963 年 11 月 22 日，肯尼迪在达拉斯遇刺身亡，在"空军一号"上火速继任的林登·贝恩斯·约翰逊总统（美国第 36 任总统）上任后的第一件事就是将越南战争扩大化。1964 年，"东京湾决议"通过后，越来越多的部队和资金投入越南，这让美国深深陷入越战泥潭而无法自拔。此时的美国国内民众开始质疑、反思介入越南事务是否是明智之举，是否符合道德准则。与此同时，反战声浪呼之欲出。1965 年，学生运动的爆发正式拉开了长达十年的反战序幕。

2.8 | 长堤武术大赛

1963 年底，李小龙偕琳达前往严镜海处，三人会合后由严镜海驱车前往艾德·帕克在帕萨迪纳（大洛杉矶地区的一个卫星城市）的家小住几日。期间，帕克计划在翌年举办一次空手道国际锦标赛，并口头邀请了李小龙参加。

在结束了短暂的奥克兰武术之旅及谢华亮的柔道年度宴会后，在严镜海的鼓励下，李小龙心中那"连锁武馆"的雄心壮志又被唤醒。当时他在大学的学分仅够升级，同时又分心于武馆与琳达的恋情，如此下去恐怕很难毕业。反复权衡利弊后，李小龙做出了一串令人出乎意料的决定：先从华盛顿大学退学[1]，然后将西雅图武馆全权委托于木村，并任命他为助教。他相信以木村的能力和责任心，完全能把武馆打理得井井有条。他还将自己的拳术要点写成教学大纲《振藩拳道》（*Training Program：The Jun Fan*

---

[1] 李小龙从华盛顿大学退学后，在 1964 年 11 月写给张卓庆的信中说自己在加州大学就读，并将获得一个哲学学位。这里所说的应该是加州大学伯克利分校，毗邻奥克兰。而李小龙的精力主要放在武馆上，那所谓的哲学学位当然也就不了了之了。

Method）交予木村，这样木村就可以严格按照他的要求继续教授拳术。与此同时，他委托严镜海在旧金山和奥克兰寻觅合适的武馆场地，并将自己的全部家具和财产运往奥克兰，连那辆心爱的二手福特汽车也变卖了。

虽然此时已经怀孕的琳达对李小龙的这一切行动完全支持，但是心中总有些忐忑不安，她不知道这个心爱的男人是否会回到自己的身边。她回忆道：

小龙将飞去奥克兰，我送他到了机场，此时的我依然不知道这个问题的答案，甚至连小龙自己也一样。这次的行动把他逼到了悬崖边上……在登机之前，小龙从我的脸上感觉到了我的忧虑，他简单地说了一句"我会回来的"就离开了。那一刻我感觉到有什么东西离开了我的生活。我是不是再也见不到他了？在他变得越来越强壮、越来越优秀的时候，我是否会被他所遗忘呢？我的脑子里全是这些念头……

离开西雅图后，李小龙与严镜海先在旧金山地区的海沃德地区（在加州阿拉米达县，费利蒙附近）开设了一家"中国功夫中心"，不久后，位于百老汇 4157 号的"振藩国术馆奥克兰分馆"才正式开馆。在周裕明的帮助下，李小龙在附近的 Wah Sung 俱乐部内做武术示范，吸引了许多人前来武馆报名。

与此同时，李小龙开始与严镜海、李鸿新、周裕明等人在奥克兰武馆内合作拍摄了大量技术示范照片，准备用在新书《功夫之道》里。在这段时期内，李小龙的武学系统仍然包含了大量的咏春及传统武术技法，他在新设计的证书上，用了"Bruce Lee's Tao of Chinese Gung Fu——振藩拳道"的字样，以表明自身的武学已发展到了一个新的高度，但仍然对习练"振藩国术"的学员们进行资格认定并签发证书。就笔者所掌握的材料来看，在 1967 年 11 月 1

日,李小龙给木村签发了振藩国术 5 级证书后,再没亲自签发任何振藩拳道或振藩国术证书[1]。鲍勃·布莱默虽然于 1968 年得到振藩国术 2 级证书,却是由伊鲁山度代为签发的。

8 月 2 日,李小龙如约参加了由艾德·帕克主持的首届长堤(Long Beach,也被称为"长滩",盛产石油,是加州南部最富有的地区之一)"国际空手道锦标赛"(1964 International Karate Championships)。值得一提的是,李小龙向帕克提出,他需要木村前来与他进行合作示范,帕克看在李小龙的面子上特意以书面方式正式邀请了在西雅图的木村,还寄去了机票。就在前一晚,李小龙在附近的酒店大厅里为那些黑带大师们示范了自己的武技,震惊全场。

帕克还专门为李小龙、木村武之和罗伯特·特里亚斯(在美国最早推广空手道的先驱,"首里流"空手道创始人)开了记者招待会,并与其他参赛嘉宾合影。那时还没有多少人听说过功夫,帕克希望李小龙能在大量的西海岸黑带选手和教练面前示范他的武技并做相应介绍。他认为,李小龙已经可以与这些武术大家们并列进入武术的最高殿堂。他还将李小龙的示范表演拍成了电影,这成了李小龙一生中的重要转折点。表演之前,丹·伊鲁山度应艾德·帕克的要求,陪着李小龙游览长堤,所以他早就见识了李小龙的功夫。日后,在木村武之无法随他出席武术表演的时候,就是由伊鲁山度与之搭档。

那次比赛,李小龙作为 7 名表演嘉宾之一,排在第 5 位出场,与木村武之搭档,在几千名观众和不同级别空手道选手面前表演了寸劲拳、闭目黐手、三指俯卧撑、无影腿等具有高速度、高技巧性的武技,震惊四座。其间,他对各种风格的武术做出了严厉的批判。结束时,与木村一起以从洪拳中发展而来的"振藩礼"向在场

---

[1] 李小龙对于木村完全信任,在华盛顿大学就读时,就将木村列为"紧急联络人"。在离开西雅图后,还继续与木村通信,除问候外,还将最新的武术心得毫无保留地告诉他,或在回西雅图看望岳母时抽空对其进行一对一指导。至 1967 年,木村获得了振藩国术 5 级、振藩拳道 4 级证书,可见李小龙对木村的信任与偏爱。

所有人致意。

表演结束后，众多武术大家对李小龙的身手溢美之词不绝，其中松涛馆空手道大师大岛努（松涛馆空手道创始人船越义珍的弟子，武打明星尚格云顿的师公）对其的示范进行了高度的评价："看过他的示范后，我认为他的武技极为熟练，如此年轻就如此优秀，真了不起。"而艾德·帕克干脆说："我敢说，他能把天空击碎！"

借此次绝佳良机，李小龙得以认识有"跆拳道之父"之称的李俊九、李恺[1]等武术界同人，还结识了包括杰伊·塞伯灵等在内的多名好莱坞高层及著名人士。

那一晚，李小龙真正跨入了顶尖武术家的行列，同时他也让大家知道了，在美国，除了柔道、空手道之外，还有博大精深的中国功夫存在。虽然许多观众在这次表演后成了李小龙的追随者，但是排着队要挑战李小龙，扬言要给李小龙点颜色看看的也大有人在。

中国武术流传到琉球群岛后，与当地的"琉球手"结合后，发展成"唐手"，也称"琉球唐手"（KENPO，也即唐手功夫，意即来自中国的武术，曾有人音译为"肯波空手道"）。17世纪初，日本武力吞并琉球后，将琉球唐手与日本本地格斗技术结合起来，创立了"唐手道"，也即"空手道"（Karate）前身。船越义珍等人将唐手道带回日本，1935年正式改名为"空手道"。艾德·帕克将琉球唐手传入美国，是最早在美国推广空手道的武坛领袖人物之一，被尊为"美国空手道之父"。那时的空手道比赛中，许多都是唐手道选手，因为技术招式与战略战术完全相同，便与美式空手道合称为"空手道"。跆拳道有一段时期被称为"韩式空手道"（Korean Karate）。武术刚开始被美国人知晓时，也被称为Karate，并被报界长期沿用，以至于李小龙不得不在采访时纠正此谬误。

---

[1] 李恺，曾获1948年上海第七届全运会60.5公斤级拳击冠军，但他从未对李小龙说起过此事。在拜入李小龙门下之前，他还向太极拳大家董虎岭学习过一年的杨氏太极拳。李小龙对这个工程师弟子很是看重，将他列为"后院训练对手"并亲自教授截拳道。

2.9 | 喜结连理

　　李小龙在刚到奥克兰的那两个月里一直与琳达保持着热络的书信联系。为了不让这些信寄到家里而引起麻烦，琳达在邮局里租了一个邮箱，确保自己每天都能收到这些充满着爱意、关切和期望的信件。即便如此，在这段日子里，琳达依然对李小龙能回到西雅图与其共度一生并不抱太大希望。

　　李小龙意识到结婚不仅是两个人的事情，还是两个家庭的融合，他完全无法预料在此期间将会产生的各种矛盾，以及日后的生活，也不知道应该怎么去面对这些问题，于是他写了信向父母询问。李海泉在回信中说，李小龙需要承担起一个男人应该付的责任，他的生活必须自己做主。而何爱榆在信中的一句话促使李小龙下定了决心："如果你选择了她，那她就是我们大家的。我们欢迎她加入我们这个大家庭。"琳达回忆道：

　　他希望在组成家庭之前先拥有稳定的事业和充裕的经济基础，我们讨论过结婚的事情，但是很快就因为时机不够成熟而搁浅……我们之间虽然没有任何责任和义务，但是小龙说在没有"确定"自我之前不做任何不负责任的事情。他觉得在娶妻生子之前必须要有坚实的经济基础。现在回想起来，我很高兴他没有坚决地等下去，否则就不会有国豪和香凝了。

　　1964 年 8 月 12 日，一无所有的李小龙飞回西雅图，与心上人结婚。由于事先预料到了琳达母亲会对琳达嫁给一个亚裔持强烈反对态度,李小龙和琳达不得不采取鸵鸟政策——先登记结婚,等飞去香港或奥克兰后再打电话向岳父、岳母大人解释。而为了能嫁给李小龙,琳达也辍学了。两人在金郡法院办理了结婚手续。这对沉浸在爱情中的年轻人以为这样就能较为幸运地获得众人的祝福,不料百密一疏:他们结婚的通知居然被琳达的一位不会放过任何广告的姨妈看到了,她将这件事通知了琳达的母亲,紧接着,亲戚们全从琳达的出生地埃弗莱特赶来了,一场暴风雨即将来临。

结婚是人生大事,古今中外一贯如此,琳达的母亲及其亲属们也不例外。这下,两个年轻人的如意计划泡汤,李小龙不得不硬着头皮前往岳母家接受"批判"。

琳达的父母反对他们结婚的理由有许多。

首先,对于精心培育的女儿,父母自然想她大学顺利毕业,找个白人夫婿,平安过一生。但现在他们心爱的女儿辍学了,跟着李小龙这么一个一无所长,没有经济来源,只会练武的小个子中国人,他们认为这种婚姻毫无幸福可言。

其次,李小龙是中国人,宗教信仰与西方不同。而且,混血子女也容易受到歧视。这种观点自然很荒谬,在李家,只有李海泉是佛教徒,何爱榆与几个混血子女都是天主教徒(至少在童年时是),他们的婚姻在当时已维持三十余年,从没有因宗教问题而发生任何的不愉快或不幸福的事情。就拿何爱榆将李小龙送入天主教学校入读来说,李海泉也一点都不排斥。所以,宗教信仰根本不是问题。

第三,两人之间的感情是否经得起检验,她的家人无法确定。其实,无论是在加菲尔德高中还是华盛顿大学,琳达都有很多东方朋友,她很理解他们的想法,她的性格更像东方传统女子,恰恰是李小龙喜欢的那种类型。但显然琳达一家(除了琳达)不理解李小龙是个有着强烈责任感、重感情、有担当的男人。这是长期根深蒂固的偏见造成的。

最后,也是最可笑的一点,就是他们认为李小龙会把琳达拐跑到中国或其周边的社会主义国家,他们很难想象两人能有幸福的婚姻。

但无论如何,父母希望子女能有幸福的婚姻,这点是毋庸置疑的。所以琳达日后认为,家人们的到来其实是起到了一个"婚前指导"的监督作用。真是可怜天下父母心。

尽管把李小龙骂了个狗血淋头,但鉴于当时的琳达已经怀孕三个多月,琳达母亲及她的继父只能面对现实,于 8 月 17 日下午 15 时 30 分许,在华盛顿大学内的西雅图公理会教堂参加了他们的婚礼。由于婚礼安排得过于匆忙,李小龙只能穿着租来的礼服,并向严镜海妻子凯瑟琳借了一个戒指;而琳达穿的不是结婚礼服,而是一套棕色无袖连衣裙。40 岁的木村武之和大卫·麦卡洛克夫人作为两人的伴郎、伴娘,为这一神圣的时刻做了见证。当时的李小龙 23 岁,而琳达年仅 19 岁[1]。

这对甜蜜的年轻夫妇在婚礼后的当晚便前往奥克兰,寄居于严镜海家。在那里,李小龙夫妇受到了严镜海夫妇的热烈欢迎及悉心照顾,他们与严镜海的一对儿女也相处得极为和睦。他们像一家人一样相处,其乐融融。

好景不长,在李小龙夫妇搬进来不久后,凯瑟琳就因急性癌症去世。严镜海强忍丧妻之痛,继续做他的全职电焊工。这样一来,几乎所有的家务都落在了年轻的琳达肩上,可怜的琳达要照顾包括尚在腹中的李国豪在内的 6 个人的起居生活,日子确实艰苦得很。李小龙有时也会帮着做一些体力活,偶尔也会客串大厨的角色。那时,李小龙每天一早便起来做热身运动,然后与一条称为"鲍勃"的德国大丹犬跑上 6～8 公里(有时还做变向冲刺跑),回到家后再进行肢体和武技训练。到了晚上,严镜海会和李小龙单独进行训练。在不训练的时候,李小龙就会和他的学生们一起前往附近的一家书店,买下大量关于体育运动、武术、拳击等的二手书

---

[1] 此处的年龄以 1964 年 8 月 19 日颁发的结婚证书为准。

籍,带回家去仔细研究。

　　严镜海比李小龙要大 20 岁,算得上是李小龙的叔叔辈了。他的一生大部分时间都是在美国度过的,深知亚裔美国人在美国的奋斗极为艰难。严镜海告诉李小龙,不论发生什么情况,只要能帮得到他的就一定会帮。因此,严镜海总是不遗余力地支持李小龙的事业,且任劳任怨,毫不计较个人得失。

　　年轻时的严镜海曾练过杂技和健美,他将自己多年的健美经验发展成健身训练,毫无保留地教给李小龙,令李小龙的体魄更为强健。而他的好友周裕明曾荣获过北加州健美先生称号,健美有专业水准。他对李小龙的影响也很大,李小龙经常去参观他的健身房。

　　除了严镜海、周裕明外,李小龙在健美方面还受到了冯天伦的影响。1962 年,李小龙首次见到冯天伦时,就被他那健壮的前臂和宽阔的肩膀所震撼。据冯天伦回忆,当时,他送给李小龙一本鲍勃·霍夫曼的《力量与健康》(*Strength and Health*)杂志。不久后再见到李小龙时,他惊讶地发现,李小龙的家里堆满了所有能买到的健美杂志。李小龙从中仔细阅读、研究,制定出了一套适合自己力量的训练及饮食计划。而在此之前,李小龙极少做重量训练,认为肌肉块会使自己的速度受到影响。

　　李香凝在采访时提到了李小龙的饮食习惯:

　　……在我眼中,他在营养搭配方面非常有创意,同时他对于自己想摄入些什么以及日常的饮食十分讲究……比如说有一种他整天都喝的茶,然后他会自己加一些营养品进去,比如说人参、蜂王浆以及蜂蜜,他相信这样的搭配会让他保持良好的状态,一整天做任何事情都精力充沛。我父母当时甚至买了首批上市的商用榨汁机。他们把果汁、蔬菜和水果混在一起,他们总是走在营养搭配和潮流的最前端。他们会一起去营养品专卖店……他们会尝试各种新鲜事物。我父亲还会尝试去吃一些富含矿物质和蛋白质的食物,比如动物的肝脏和肾脏,任何他认为对自己身体有好处的东西。但在所有食物之中,他最爱的还是中餐,比如"蚝油牛肉"……

我父亲对中国菜情有独钟，是因为中国菜中的平衡，菜肴中始终保持着肉和蔬菜的平衡，而非盘中只有单纯的一大块食物。

严镜海还凭借自己的焊接技术，为李小龙打造了不少训练器材，如众所周知的"万法桩"〔1〕等。这些制作略显粗糙的器材在振藩功夫发展初期起到了很大的作用。李小龙还在旧金山开恰恰舞班时，李鸿新（李小龙挚友，奥克兰时期弟子，李小龙个人专用训练器材制造者）便早与他熟识。在奥克兰武馆开张初期，他为李小龙招募了不少学生。

在见识了李鸿新为其所制作的带锁的不锈钢金属盒后，李小龙便请他为自己定制一些私人训练器材，李鸿新便成了李小龙的私人训练器材制造者，他根据李小龙那些充满灵感的设计草图制造了大量做工如艺术品般精美，质量上乘的手靶、脚靶、双节棍、握力器等，李小龙从中获益之余也对其充满了感激，称其为"工艺大师""巨匠"。车库内放满了众多的练武设备，因而被李小龙戏称为"少林寺"。

面对如此多的现代化训练设备和新型训练方式，李小龙有了对传统武术进行改造甚至创建一套新型武术的想法。在搬去奥克兰之前，1964 年 9 月 18 日，他就在写给木村武之的一封信中阐述了他构想中的新式训练方法：

我开始构成一种以咏春原理为基础的新的结构的武学体系。已经有了一个大概的框架——这是一种"在局限中得到自由并超越局限"的方法……换言之，就是一种在保持流畅的自由训练下，以无限为有限，以无法为有法来超越局限的方法。咏春拳很棒，但是它需要改造——从它的外在形态开始进行改造……连同黐手在内，这种方法将把两个不完整的一半合成一个完整的一体。我只

---

〔1〕"万法桩"，顾名思义就是练习者对这个桩可以有着无数种的练习方法。而严镜海之子的中文名就叫"严万法"。

能说——这种武学体系将是最颠覆性的。

尽管如此,李小龙当时尚未来得及将此惊人抱负付诸实施,直到 1964 年 12 月的那场极具争议的比武后。

由于李小龙在长堤大赛上的惊人身手,吸引了许多人来学武,奥克兰武馆一开始还是非常成功的,每个月能赚得几百美元,足以应付日常家庭开销。同时,木村坚持定期从西雅图寄来一定额度的补贴,这也大大缓解了严镜海的压力。

8 月 31 日,邵氏性感女星,被称为"最美丽的动物""喷火女郎"的张仲文抵达旧金山,开始为自己的《潘金莲》《花田错》等几部作品做宣传。刚结婚不久,还在蜜月期的李小龙担任她的保镖,在新声戏院做了武术表演,还与张仲文一起合跳了恰恰舞。

11 月 21 日,李小龙致函远在澳洲的张卓庆,连同《基本中国拳法》也一同寄给了他。在信中,他提及自己正在写《功夫之道》,并打算于 1965 年与琳达一同回港。

2.10 │ 比武黄泽民

大约在此时,旧金山精武分会迎来了一位从香港来的名叫黄泽民的青年武师,虽然此人默默无闻,却是清末少林派武术大师顾汝章的徒孙,练过少林拳、太极拳、形意拳、罗汉拳等。

黄泽民被当地武术界人士认为是响当当的人物。他们把这个与李小龙同年的武师的武技吹捧得非常之高。而这位刚来不久,住在唐人街的"大师"不过是在杰克逊街 640 号的咖啡馆里(现为"上海饭店")做服务员端盘子。而这间咖啡馆与李小龙刚来旧金山时所居住的公寓近在咫尺。

这时,李小龙带着几个弟子应邀来到旧金山格兰特大街1021号的新声戏院(现为购物中心)做了一次表演,免不了对传统武术会有一些批评和嘲讽。观众中有黄泽民的弟子,他们把所见所闻都添油加醋地告诉了黄泽民以及当地武术界的武师们。这些武师们听说李小龙不但是个武术名人,还在未经他们同意的情况下私自开设了武馆,出版英文武术书籍,等于将武术的秘密泄露给外国人,还敢肆意批评传统武术,简直是一点江湖规矩都不懂。于是,他们一致授意黄泽民去挑战李小龙。一旦李小龙输了,就要立即关闭武馆,不得再教授外国人功夫。这样,武术的秘密将得以保留,当地武术界与黄泽民的名头也会因为打赢了这么一位功夫名人而更为响亮。尤其是黄泽民,将会成为当地武术界的一张名片、一块金字招牌。

无论当时黄泽民是否自愿,他都必须与李小龙比武。于是,黄泽民先让自己的一个朋友,功夫教头大卫·陈在他与李小龙之间来回传话,想让李小龙接受挑战。李小龙一开始百般拒绝,并告诉他:"如果一个白人真的想打败中国人,未必要用武术,他们还有其他的办法来做到这点,因为他们的个子生来就比我们大,体格也比我们强健。"但是旧金山武术界执意要比武,大卫·陈也趁机火上浇油,挑拨是非。最后李小龙实在忍无可忍,接受了挑战,并让大卫·陈转告黄泽民,让他来奥克兰,把这件事做个了断,但是当时并未定下确切比武日期。

临近年底,李小龙接受了好友艾德·帕克的安排,带着伊鲁山度一连4天进行了20场表演,等回到奥克兰时已是疲惫不堪,还患上了伤风感冒。比武当天,回到奥克兰的李小龙与琳达、严镜海一起为武馆做了大扫除。就在准备一起外出用餐时,黄泽民带着6名弟子闯入了武馆。不是冤家不聚头,两条出生于同年的"龙"竟然不期而遇,那以下事情的发展也就顺理成章了。

在武馆里,穿着功夫衫的黄泽民在重申了比武缘由后,递给李小龙一幅华丽的中国式卷轴,上面签满了中国武师的名字。他想以这种形式让李小龙退缩。谁料李小龙根本就没上他的当,当即要求比武,这反倒把黄泽民吓到了,于是他推辞说自己不过是代表旧金山武术界而来,并提出,在比武时不得攻击某些部位,设立了种种规则,这样无论胜负,谁都不会受太大的伤。李小龙火气一下子就上来了:"是你们向我挑战的,那就应该由我来制定规则,那就是——没有规则,放开了打! 来吧!"骑虎难下的黄泽民只能摆出架势,准备开打。

考虑到李小龙身体状况欠佳,竞技状态也大打折扣,严镜海便提出欲代师出战,但被李小龙断然拒绝。于是,严镜海便自觉地担任起了琳达的贴身保镖,关注着馆里那些不怀好意的家伙的一举一动。

李小龙向对手发出一通连环快拳,黄泽民被打蒙了,他的那些弟子见状不妙,立刻要求比赛中止,但被严镜海严词拒绝,并示意比武继续。突然间,丝毫没有接招的黄泽民转身便跑,从一间房间跑进去,又从另一间房间跑出来,李小龙不得不满屋子追着打他,这让比武变成了一场闹剧,李小龙的大部分的拳只打在了对手的背上,有一拳打在了黄泽民的后脑上,李小龙的手立刻就肿了起来。而黄泽民在跑的时候挥舞着的双臂划破了李小龙的脖子,这也是李小龙在此次比武中唯一受的伤。黄泽民曾有几次转过身来,似乎想摆出架势,但旋即又跑。

长达3分钟的"马拉松赛跑"过后,双方都已筋疲力尽,李小龙使出最后的一点力气,终于追上了这个一米八的瘦高个,用锁技将其摔倒压在地上,举着拳头用粤语怒吼道:"认不认输?""我认输!"黄泽民用粤语回答。李小龙又让他在大家面前重复了一遍,这才揪着他的衣领,强行撵出了武馆。黄泽民的那些所谓的弟子们也一言不发,沮丧地离开了奥克兰。

多少年后,琳达在她的回忆录里不无鄙夷地描述黄泽民当时的狼狈样:

> ……小龙依然很愤怒,他拖着黄泽民,把他撵出了武馆。我认

为在这之前还没有一个武者被吓成那样。从那以后，旧金山的武术社团再也不敢威胁小龙。

这场对李小龙具有历史意义，甚至是他一生转折点的"比武"，发生在 1964 年 12 月。

李小龙双手抱头，坐在武馆后门的楼梯上陷入了沉思。这次比武，虽然自己表面上看起来的确是赢了，但其实并不那么令人信服和满意。他意识到，他没能在数秒内就一鼓作气打败对手，这说明他的身体状态远远不够理想，耐力也不够。他开始认真分析这次比武，寻找各种能提高效率的方法。最后得出的结论是咏春拳的单一风格和技术上的局限性限制了他的发挥。更重要的是，他那容易暴躁的脾气直接导致了心态失衡，在比武时分析局面的能力下降。1965 年 8 月 7 日，李小龙在香港写信给严镜海：

……至于"奔跑者"的武馆，那只是另外一种形式的浪费时间——那是健美体操！我越是想到我没有把他打死，就越是气愤！如果我不着急，没有被愤怒冲昏头脑——那个家伙就什么也不是！

琳达同意这种说法：

实际上，挑战者和他的武术前辈们是鼓起勇气来挑战小龙的，他们要求小龙停止向外国人授武，小龙气得快发狂了。他比武时满怀怒气，心烦意乱，非常愤怒，他并没有平复怒气并去把对手打败，只是一味猛攻。这也是他从战斗中学到的一节哲学课，如果你的心中充满怒气，就会被它打败。所以你必须让自己冷静下来，并对"是什么"做出反应，不要被接下来的动作是什么，战斗将如何继续，以及一切的情绪所困扰。

当他明白了这个道理后，他开始探索各种新的步法，对传统武术进行反思，开始逐渐摒弃咏春。

被吹捧得过高的武师与李小龙比武居然输了，这让旧金山武术界很没有面子。为了挽回声誉，黄泽民去了一家中文报社，刊登李小龙比武失败的声明，同时将比武经过黑白颠倒，混淆视听。甚至有报纸登出了李小龙被杀的消息。很快，李小龙与黄泽民比武的消息就流传开来，一开始，李小龙否认有过此事，黄泽民也否认自己失败。但纸包不住火，坊间某报纸则报道说，黄泽民不希望此事再出现在报纸上，如果一定要重赛，那必须是"举办"一场公开比武，让大家自己亲眼看看结果。

手下败将居然还敢口出狂言，看到报纸的李小龙气得怒发冲冠，跑去报社要求撤下这篇报道，还直接驱车前往黄泽民工作的咖啡店。当李小龙推门进去的时候，正在给客人倒咖啡的黄泽民见到李小龙，吓得把咖啡全洒了出来，扭头便跑到厨房里躲了起来。

许多唐人街武师们得知消息后，纷纷质疑这场比赛：一个刚来美国的中国移民，之前连李小龙一面都没见过，就去挑战他？凭什么？

冯天伦开车来到奥克兰需要两小时，所以他当天错过了比武。事后，严镜海就此事专程致电冯天伦，诉说了比武经过。李小龙接过电话，对冯天伦说："伙计，我需要更多的角度，直线攻击的效果对于移动的目标实在有限。"冯天伦则对李小龙提出建议："小龙，去练练勾拳，上勾拳和交叉拳，这对你有帮助。"

一直对拳击怀有浓厚兴趣的李小龙被冯天伦的话点醒了，3个月前的宏伟构想此刻被极速推进。几天后，当冯天伦到奥克兰进行每周的日常训练时，他发现李小龙在严镜海的地下室里戴上拳击手套，对着一根悬挂着的铁链进行步法训练，他就像穆罕穆德·阿里那样进行着移动。在此之前，李小龙用的一直是咏春拳的警戒式，而这一刻开始，李小龙的警戒式开始逐渐由咏春改成了拳击，一个崭新的李小龙以及他那独特的武术体系开始孕育，不久便会破茧而出，震惊武坛。据杰西回忆，李小龙在西雅图岳母家的一次生日聚会上，曾花了三四个小时与他讨论这次比武以及最新的训练方法。

　　冯天伦很快便明白这件事是大卫·陈在从中作梗，因为这家伙和一个叫威廉·陈的人是好朋友。大卫·陈还曾来到萨克拉门托，想挑战冯天伦，但冯天伦只是淡淡的一句"你想干什么?"就把他吓得临阵退缩。冯天伦将两件事情联系起来，向李小龙分析了一遍，两人随即准备一起去旧金山找他算账，但这家伙听到风声就躲起来了。多少年后，大卫·陈开始赞同李小龙当时对于传统武术的观点，也对比武做出了另外的回忆，认为当时"整件事"不过持续了7分钟。同时，他也不得不承认当时黄泽民是认输的。

第三章

『加藤』

3.1 | 悲喜两重天

1965 年 2 月 1 日，李小龙长子李国豪在奥克兰医院降生，李小龙第一时间发电报将喜讯传往香港家中。同时，李小龙也通过信件，将这一喜讯告诉了木村。因为外孙降生，琳达的母亲也逐渐接受了李小龙。琳达在回忆录里写道：

> 随着岁月的流逝，她开始喜欢上了小龙并最终接纳他成为家庭的一员。当我们居住在洛杉矶和香港时，她经常会来看我们，并为国豪和香凝的出生而欢呼雀跃。现在我可以肯定她早已忘记了当时她是如何阻止我们的幸福的了。

杰伊·塞伯灵是好莱坞知名的发型设计师，许多好莱坞要员和明星都是他的常客。一天，二十世纪福克斯公司的制片人威廉·杜西亚（《蝙蝠侠》《青蜂侠》等剧集的制片人）来到他处理发，说自己正筹备开拍一部名为《陈查理长子》（*Charlie Chan's Number One Son*）的剧集，需要一名有着东方血统的演员来扮演，但是还未找到满意人选。

塞伯灵听完他的这番话，立即向杜西亚推荐了李小龙，好似抓到救命稻草的杜西亚赶紧让他联系艾德·帕克，并在工作室内观看了长堤武术表演电影后，立即兴奋地打电话通知李小龙来公司面试。

杜西亚打来电话时，李小龙正好有事出去了，是琳达接的电话。当李小龙回到家时，琳达对他说"有个家伙说他是制片人，想和你谈谈"。李小龙立刻给杜西亚回电,两人在电话中进行了短暂的交谈。李小龙一开始对此非常谨慎,他对杜西亚说:"如果你签下我只是让我去演一些拖着辫子,长着尖细、歪斜眼睛,对洋人唯唯诺诺的中国人形象的话,那还是算了吧。"事实证明,结果比他想象的要好得多。一旁的琳达敏锐地感觉到,这件事很有希望。挂了电话,李小龙夫妇都很兴奋,尤其是李小龙,他怎么也想不到,在阔别水银灯 6 年后居然又有机会在美国当上演员。

在李小龙之前,美国银幕上的华人不是像傅满洲这样拖着长辫子,阴险狡诈、狠毒冷血、性格行为怪异的"黄祸"形象,就是唯唯诺诺的仆人、贫穷落后的华人苦力等低贱角色。20 世纪 30 年代,改编自著名作家赛珍珠的《大地》一片虽然依旧是由白人来主演主要角色,但是传达出了相对真实的华人形象,可谓是一大突破。之后,《陈查理》[1] 系列电影也开始展现虽然不乏偏见,但更多的则是积极正面的华人形象。1940 年,华裔演员陆锡麒[2] 主演《唐人街魅影》(*Phantom of Chinatown*)。但美国观众们对一名华人演员在一部好莱坞电影中担纲主角有着很强烈的抵触情绪,结果票房一败涂地。从此,好莱坞便开始对华裔演员的演技及影响力缺乏认同感和信心,这也是在很长一段时间内,好莱坞宁愿用白人来扮演中国人(亚洲人)的原因。

再怎么说,机会来了就要抓住,李小龙当即飞往洛杉矶,早早来到二十世纪福克斯公司参加试镜[3]。

李小龙为了照看李国豪已经 3 晚没有好好休息了,穿着并不是很合身的西装,一开始面对镜头略显疲惫,甚至还有少许紧张、

---

[1] 陈查理是美国作家厄尔·德尔·比格斯(1884—1933 年)以传奇华裔警探郑平(1871—1933 年,曾译张阿平)为原型而虚构的人物。陈查理的探案故事就是根据郑平破案的新闻报道与民众传说改编加工而来。

[2] 陆锡麒出生于广东,在西雅图长大,曾在所有 47 部陈查理电影中扮演过 10 次的陈查理长子陈利(音译,Lee Chan),所以李小龙当时面试的这个角色,也确有接棒陆锡麒的意味。

[3] 1975 年 6 月,《青蜂侠》电影版在香港公映,同场加映李小龙于 1965 年在二十世纪福克斯公司的试镜片段,弥足珍贵。面试全片由嘉禾公司于 1988 年以 70 万美元购得。

拘谨。不过好在他很快就调整了过来，以一口流利的英语回答了各种问题。当问及武术时，李小龙立刻来了精神，神采飞扬、滔滔不绝地谈论起了他眼里的中国功夫、东西方武术的特点及独特的东方哲学，并应要求讲解、表演了粤剧人物的姿态、步法。当与面试人员合作讲解示范武术的时候，他表现出了一名老练的职业演员对于镜头、站位的良好感觉。而他的动作太快，摄影机无法完全捕捉到，即便摄影师随后在面试人员的提醒下改变了拍摄速度，李小龙的动作依然无法完全看清。

经过长时间的反复思索与实践，他对自己的武术改革之路有了个大致的方向，在 1965 年 2 月在写给木村的另一封信中，他写道：

> 我的想法是建立一个属于我自己的武术体系——我是指一个完整的体系，包含一切，指导思想简单明了。专注于事物的根源——节奏、时机、距离——包括攻击五法……咏春是起点，黐手是核心，它们是五法的补充。整个系统集中在不规则的节奏以及最有效率的方法上……

此时，李小龙被告知，由于高层更看好《蝙蝠侠》剧集，所以《陈查理长子》被搁置。

告别舞台多年的李海泉生活安乐悠闲，每天依然坚持晨练，经常步行到京士柏山上练太极，以保持身体强健。1964 年除夕夜，李海泉突感不适，知觉昏迷，情况严重，先请名医诊治，再送医院后，病情也不见好转。1965 年 2 月 8 日上午 8 时，在九龙圣德勒撒医院终告不治，享年 63 岁。鉴于习俗，讣告上写明"积闰享寿六十有七"[1]。

在李海泉弥留之际，何爱榆发出急电，通知在海外的子女们速

---

[1]"积闰享寿"是民间习俗，因为人的一生将度过 36 个闰月，也即 3 年。因此，讣告上，逝者的年纪要加上这 3 岁。如果遇上过年或过完了生日，还要加上相应的虚岁，李海泉去世前刚度过 63 岁生日，还要加上 1 年的虚岁。所以，李海泉讣告上的"积闰享寿六十有七"是完全可以理解的。

速回港协助料理后事，为了等待几名子女归港，李海泉的遗体停留九龙殡仪馆数日。初为人父的李小龙闻此噩耗大惊，安排好家中事务后于 11 日抵港，李忠琛与李秋凤也在第二天到达。

李秋源至今还清楚记得当时李小龙悲痛欲绝的情形：

1965 年，父亲在香港去世，李小龙从美国赶回来，一到九龙殡仪馆门口就跪了下来，一路跪磕到爸爸的棺材前，几个兄弟姐妹，只有他这样做。

他伤心地号啕大哭着，对着爸爸的棺材哭喊道："爸爸，我今日成功了！你为什么不再看看我？"其情真意切，感动和感染了所有在场的亲人、朋友。

2 月 14 日下午 2 时，李海泉于九龙殡仪馆大殓，粤剧界、电影界同人逾百人到场祭奠。随后被安葬在长沙湾天主教坟场，墓碑上书"李海泉圣名若瑟之墓"，墓碑顶部刻着祖籍"顺德"二字，并有李家兄弟姐妹落款，琳达及李国豪的英文名字也赫然在列。当晚，叶问来到李家，为故去老友守灵。

李小龙在香港的 25 天时间内，除了为父服丧，照看伤心欲绝的母亲之外，还需去律师处获取遗嘱。时刻想念妻儿的李小龙，不停地写信给琳达嘘寒问暖。父亲的去世让李小龙更深刻地明白了亲情的可贵。他想到，自从结婚以来，琳达跟着他不仅未曾享过福，相反还吃了很多苦，连结婚钻戒都是借的，这两件事始终是李小龙的心病。为此，他在曹达华夫人曹朱绮华的陪同下郑重地在珠宝商处购买了一枚钻戒与一对玉耳环，并劝说琳达携小国豪来港住上一段时间，作为对蜜月的补偿。他还特意给琳达买了几本粤语快速入门之类的小册子，定做了一款头套。

在二十世纪福克斯公司的面试让李小龙有了恢复演艺事业的想法，虽然他感觉到短时间内未必能在美国成功，但在香港或许依然有发展空间和潜力。于是回港期间，李小龙拜见了几位电影界前辈，想让他们为自己在香港铺路，重新进军电影界。

3.2 | 再次返港

　　1965 年 3 月 6 日晚, 李小龙乘坐美国西方航空公司 624Y 次航班回到西雅图, 将妻儿从丈母娘家接回奥克兰。

　　此时, 李小龙从杜西亚处得知了一个好消息和一个坏消息。坏消息是:《陈查理长子》一片已被取消;好消息是:他被安排进《青蜂侠》[1]剧集, 饰演加藤一角。不过杜西亚也表示, 高层对《蝙蝠侠》的反响出奇的好, 因此, 将先行开拍《蝙蝠侠》,《青蜂侠》剧集将延后至明年, 而李小龙无需再做进一步的试镜。除此之外, 杜西亚还付给了李小龙 1200 美元, 以示对《青蜂侠》一片延迟开拍的歉意。眼见如此, 李小龙提出想带着妻儿回港探亲一年, 增进彼此之间的了解。同时写信给经纪人申请了一笔 1800 美元的预支款项来购买机票。

　　从 1964 年开始, 美国暴力问题丛生, 几乎每个人都想学习一点防身自卫术。如果李小龙借此发上一笔财来改善生活状况本也无可厚非, 但他认为这么做是在贱卖武术与他的思想。况且他只愿意教给那些真正愿意学且有天分的学员, 加上他一如既往的严苛, 奥克兰武馆学员陆续减少。那时电视剧尚未开拍, 收入很快就捉襟见肘。这样一来, 李小龙只得关闭武馆, 让剩下的学员前往严镜海家中那 50 多平方米的"少林寺"车库内继续练习。其中最年轻学员是年仅 15 岁的霍华德·威廉姆斯。日后出演《精武门》中俄罗斯拳师的罗伯特·贝克与李小龙情同兄弟。

―――――――――

〔1〕《青蜂侠》剧集是以 20 世纪 30 年代颇受欢迎的同名广播剧为蓝本改编而成, 主角青蜂侠——布莱特·瑞德, 白天是一家报社的编辑, 夜晚便是戴着绿色青蜂面具的侠客。1940 年, 该剧首次被拍摄成每集 20 分钟左右的电影系列短剧, 其中青蜂侠的助手、司机兼奴仆加藤由美籍华人演员陆锡麒扮演, 前后 2 季共 28 集。剪辑自电视版《青蜂侠》的电影版于 1974 年在美国公映。

虽然离开了奥克兰,但是李小龙一年要回来过4次生日——除了他,还有严镜海、李鸿新、周裕明三人。李小龙一般会提前开车回到奥克兰,他的一帮弟子会以电话相互告知的方式迅速聚集起来,在饭店举行热闹的生日派对。他也会抽空去严镜海的"中国功夫中心"去授武或监督进度,那里的学员绝大多数是中国人。

1965年5月初,李小龙一家三口乘坐美国总统轮船公司的慢船,从美国返回香港。在居住的3个多月时间里,香港那闷热潮湿的天气让琳达很不适应,小国豪还频繁生病,经常哭闹不止,为了避免干扰到家人的休息,琳达只能抱着小国豪在房中哄他入睡。李小龙和她也因此经常睡眠不足甚至患上感冒。不过,由于国豪这个被李小龙称之为"世界上唯一一个长着金色头发的中国人"的到来,李家那压抑的气氛也为之缓解、活跃不少。曾有传记描写琳达与李小龙家人的关系多么融洽,但据林燕妮的回忆:

> 琳达是美国人,美国人长大了多半不与父母同住,相见亦少的,跟中国的伦常关系完全相反。见了整屋子人,她不习惯。她爱的只是她的丈夫李小龙,而不是中国人。

> 李太何爱瑜(笔者注:应为何爱榆)是何金堂(笔者注:应为何甘棠)的女儿,混血儿模样,英语流利,但琳达不跟她聊天的,连"妈妈"也没叫过一次,李太很不开心。后来李小龙大红了,对妈妈很好,不过琳达仍然没改变态度,李小龙死后,听他的弟弟李振辉说,琳达并不供养李太,每年给她的只不过六百美元。

虽然妻儿并没有受到家人的任何歧视和偏见,但李小龙还是让只会几句粤语的琳达尽量多与大家聊天,并让她一展厨艺,尽快融入家庭。而琳达只能在缺乏沙司、不会使用煤气炉的情况下勉为其难地为全家人做了意大利面,结果手忙脚乱的她把面条烧煳了。在此期间,她也学会了做一些简单的中餐。

　　经过与黄泽民一战，痛定思痛的李小龙开始在克强健力学院根据在奥克兰时严镜海等人教授的健身方法进行了 43 天严格的健美训练。回到美国前，李小龙的体格与肌肉质量比之前有了大幅度的提升，那令所有健美爱好者艳羡的"V"字形背阔肌也是在那时初步练就的。

　　同时，叶问通过李小龙，赠予木村和严镜海各一幅他本人"身着唐装，端坐椅上，惬意闲适"的全身肖像。李小龙请师父在照片上签名题字，叶问欣然应允，立即提笔在两张照片上分别写下简约朴素而又蕴含劲力的字体：

　　严镜海（木村）徒孙惠存，师公叶问赠[1]

　　鉴于对黄泽民的那场比武的深刻教训，李小龙从训练方法、训练设备到武学思想，企图针对咏春的弊病进行彻底改良，大幅度地摒弃、削减不实用的咏春或其他传统武术技术。在见到冯振与他的偏身咏春后，他便不失时机地不时向冯振请教。偏身咏春没有套路，只有十二式散手，架势、打法与自由搏击或拳击大同小异。在 1965 年 5 月至 7 月的 4 封写给木村武之和严镜海的信里，他明确表示，他开始逐渐建立起了一套属于自己的拳术，以咏春、拳击、击剑为主，这种拳术简单有效，讲究对时机和距离的把握。

　　李小龙还将螳螂拳中戴着 4 个铁环练摊手、伏手，用藤环练习黐手、拳击中以击打拳靶来练习精确度等中西方先进的科学训练方法推荐给了叶问，这些都得到了在青年时期就在香港圣士提反书院学习，喝过洋墨水的叶问的高度认可。叶问同时还应小龙要求，在拳馆和"泰山影楼"处与陈炳炽（李小龙好友，健身教练，曾参

---

[1] 李小龙曾答应将木村的名字写入咏春族谱。1996 年，木村委托专程赴美进行短期交流学习的郝钢与陈琦平带一封信去香港，以实现自己入咏春族谱的凤愿。最后，由陆地博士凭借社会影响和资源优势将此事办成。1997 年 6 月 8 日，时任咏春体育会会长的叶正亲自为木村签发了永久会员证书。

演《猛龙过江》《龙争虎斗》)进行了咏春对练示范,李小龙将之拍成照片,准备用于新书编写[1]。

同时,李小龙也找到师兄徐尚田,托他找了一位木匠师傅定制了 3 套由自己设计的木人桩,样式与传统咏春木人桩略有区别,功能也各不相同,以便自己能在美国进行针对性练习。

李小龙原来准备在香港居住一年,但原先的那 1200 美元已被用得所剩不多,因此,他不得不将原定居住时间缩短为 3 个月。同时还焦急地等待着《青蜂侠》的开拍通知,而香港电影公司方面则毫无音信。虽然经纪人在信中一再强调加藤一角非他莫属,不过因为剧本及其他演员未定,所以他不得不耐着性子在香港继续住下去。

李小龙按例拜访过影视界及武术界前辈后,每天除了各种训练、看书、思考及撰写武学笔记外,还在信件中请严镜海和李鸿新为自己打造一些他所构思的独特练武设备,便于自己进行针对性训练;他列出书籍清单,请木村代购,同时空出时间在家里教朋友和兄弟们练武。离港前,警务督察郭振强、建筑师陈国光以及克强健身院其他五名挂名弟子,为了表达对师父的真诚谢意,合资请人裱了一幅书法卷轴,上书"小龙先生潜修咏春拳道心得:以无法为有法,以无限为有限"。这幅颇能代表李小龙武学思想精髓的卷轴被李小龙带回美国后挂在位于巴灵顿大厦家中客厅的醒目位置,其多张与妻儿的合照中都能见到这幅卷轴的身影。

---

〔1〕李小龙于 1963、1965 年间拍摄的大量练功照片,原本准备用在新书《功夫之道》里。1967 年截拳道正式创立前后,这本书的书稿已接近全部完成。但是随着自身武技及武术境界的提高,并且为了防止有人拿着这书以他的名义来骗钱,李小龙并没有急着将这本书出版,转而开始撰写今天我们所能看到的《李小龙技击法》一书,并和几个弟子在《黑带》杂志社的帮助下拍摄了大量照片,原来只准备印刷 200 本。据李恺回忆,书中 80%～90% 是当时所传授的最基本、最经典的内容。1972 —1973 年间,李小龙重新开始修改并考虑出版这本书。这两本书,均在其死后由后人编辑出版。

3.3 │ 闯荡好莱坞

　　1965 年 9 月，在回到美国后，李小龙特意带着妻儿去西雅图看望了岳母，并在岳母家住了 4 个多月。期间，李小龙正式与二十世纪福克斯公司签订演员合约。

　　告别岳母，李小龙一家回到奥克兰，不久后便收到杜西亚回函，正式通知他出演《青蜂侠》的内部样片。数天后，李小龙全家迁往洛杉矶，在城西西木区的维尔雪大道租了一套公寓。罗伯特·贝克还开着车，将先前李小龙委托严镜海重新制作的训练器材运到李小龙家中。

　　"加藤"这个角色在最初被创造出来时，被设置为日本佣人，但当珍珠港事件爆发后不久，他的身份就被改成了菲律宾佣人或不清楚自己身份的东方人。不过在拍摄成剧集时，还是被恢复成了日裔。

　　虽然李小龙能够理解公司的苦衷，但是想到自己要接受杰夫·科里一周三次、为期一个月的正规演技训练就很不爽，因为这些他早就会了。

　　在培训结束后，杰夫·科里及相关的专业人士对李小龙的演技评价为"非常自然"。而在剧集播映后，杜西亚在接受记者采访时也表示"李小龙是我在演艺圈这么多年所见过的演技最棒、表演最为自然的演员之一"。言语中颇有慧眼识珠的自豪感。

　　或许是受到师父叶问收下私家门徒的启发，也可能是岳母或赛伯灵的提议，总之，在李小龙刚搬来洛杉矶后不久，便以每小时 25 美元的价格来为好莱坞名人做私人教学，随后开始逐步提高授课价格。在听取了《青蜂侠》监制、副总裁查尔斯·费茨西蒙斯(也称费茨蒙)的建议后,收费价格便迅速飙升至每小时 150 美元,10 节课 500 美元。到了 1970 年,李小龙收费为每小时 275 美元,10 节课 1000 美元,海外授课另算。

不久,塞伯灵便为李小龙找来了许多好莱坞名人[1]。但李小龙择徒是有标准的,那就是这些名人弟子愿意将武术推广出去,而不仅仅是作为有钱人的一种消遣娱乐或沦为一种有趣的体育运动。为了招徕更多的名人弟子,李小龙也只能暂时按捺下他那火爆的脾气,参加一些好莱坞宴会。同时,他的岳母协助他贷款买了一辆 1966 款雪佛兰 NOVA Ⅱ 型跑车。在洛杉矶,没一辆像样点的车打点门面可不行。

4 月 20 日,李小龙一家搬到了豪华的高档住宅:27 层高的巴灵顿大厦的 A－2308。新公寓配备齐全,小区内从门卫,洗车员,洗衣店到奥运会标准的泳池、全自动厨房、电梯等一应俱全,还有许多小商店,各类物品应有尽有。但每月 300 美元的租金并不便宜,况且这种高档公寓的租金是楼层越高越贵。恰巧这里的业主想跟李小龙学武,于是李小龙乘机将租金还价到 140 美元一个月。巧合的是,扮演蝙蝠侠助手罗宾的波特·沃德也住在这幢公寓里,他们成了邻居,两人的妻子也成了朋友。

1966 年 4 月 30 日,《蝙蝠侠》第一季的播映已接近尾声,李小龙与二十世纪福克斯公司正式签订了 30 集电视剧集《青蜂侠》演出合约。

眼看开拍在即,可主角"青蜂侠"布莱特·瑞德的演员人选却迟迟未能选定!幸运的是,他们最终选中了被称之为"好莱坞金童"的范·威廉姆斯来出演这一角色。

虽然李小龙对改编自漫画的《蝙蝠侠》剧集嗤之以鼻,但该剧集却因为幽默、滑稽、夸张、轻松的表演而倍受观众青睐,前后共播

[1] 1966 年起,李小龙在致友人的信件中提到的报名学习功夫的好莱坞明星、名人有:史蒂夫·麦昆、保罗·纽曼、詹姆斯·加纳、唐·戈登、维克·达蒙、汤米等。

出了 3 季共 86 集。而《青蜂侠》也沾了《蝙蝠侠》的光而风光无限。

在开拍前，李小龙每天都要应公司要求，接受许多媒体的采访，为剧集造势，忙得不可开交。

1966 年 6 月 1 日，电视剧集《青蜂侠》正式开拍。按照剧本的设定，晚上与青蜂侠搭档惩恶除奸的加藤是戴着帽子、面具的，这意味着观众在大部分时间里只能看到他那冷峻的眼神，而无法见到他的真面目，这也让李小龙觉得很郁闷。而且，加藤被设定为青蜂侠的佣人，这也让李小龙颇有微词。在拍完了第一集后，他即刻致信杜西亚：

……我希望"青蜂侠"和"加藤"能表现出他们之间的关系。准确来说，"加藤"是布莱特·瑞德的佣人，但作为一个反黑斗士，他是一个"积极的拍档"，而不是"沉默的追随者"……我不是在抱怨，但是我觉得和"青蜂侠"的"积极的拍档关系"一定会更加有效，"加藤"也会更高效。我的目的是为了让这套剧集获得更好的收视率，因为你是最通情达理、善解人意的。

监视器中的回放显示，在第一次的拍摄时，演员扮演的歹徒们相继倒下，包括李小龙自己在内的任何人都没能看到他是怎么出击的。导演想让李小龙在镜头前尽量延长打斗时间以提高收视率，而李小龙反对那么做作的表演方式，认为这与实战不符而严词拒绝。双方争执不下，最后由高层出面调停，采取了一个折中方案：提高摄像机的转速，同时李小龙放慢打斗速度，尽量加入一些较为花哨的表演性动作，这样既可以延长打戏的时间，又能增强观赏性，让观众可以看得尽兴。大家都各让一步，皆大欢喜，于是剧集得以顺利地拍摄下去。

拍摄期间，李小龙每周得到 400 美元的报酬，扣税后能到手 313 美元。根据琳达的回忆，在这笔钱到手之前，李小龙甚至无法支付房租及其他开销。虽然"加藤"这个角色是最先被定下来的，却是主要演员中薪酬最低的，特技人也是这个价钱，但是如果算上加班费，一周结算一次的特技人的总体薪酬都超过了李小龙。威廉姆斯的薪酬是李小龙的 5 倍，为演员中最高。即便是扮演秘书的温迪·瓦格纳，薪酬都差不多是李小龙的 2 倍。

为了争取到更多的观众，同时也是应年轻人要求，李小龙与威廉姆斯经常以"青蜂侠"与"加藤"的造型搭档出现在各种综艺娱乐节目中。他们还在《蝙蝠侠》剧集中客串出演了 3 集，而《蝙蝠侠》的摄影棚就在《青蜂侠》摄影棚的隔壁。李小龙也邀请严镜海一家、周裕明、李鸿新及其他好友们来参观片场。大家在这里见到了很多身着各式戏装的明星，大开眼界。

在拍摄《青蜂侠》期间，为了赚取收视率，制片人让青蜂侠和蝙蝠侠这两组超级英雄切磋一场，结果闹出了一场不大不小的风波。威廉姆斯回忆道：

> 李小龙不喜欢空手道……因为他不相信所谓的黑带、黄带、红带这样的分级制度……然而，当他或许认识到了空手道的缺点时，依然对那些通过重重考验而得到各种带子的伟大的个人表示极大的尊敬……由于这个原因，他当然会讨厌那些冒牌货，那些人声称自己是黑带，其实他们根本不是。

> 《青蜂侠》的制片人莫名其妙地让我们去参加《蝙蝠侠》的节目录制，希望从中获得一些《蝙蝠侠》的观众支持……原剧本中，我们要和蝙蝠侠与罗宾卷入一场打斗中——最后还被打败了——因为这是他们的主场。李小龙离开了拍摄现场，他说，"要我和罗宾打还要被打败，没门！那样会让我看上去像个白痴！"于是他们安慰了李小龙，我认为最后的结局是"平局"……波特·沃德声称自己是黑带（我想他可能是活腻了，不过我也认为他得到了教训）……

> 不过据说李小龙恐吓了那个混蛋罗宾……很明显，罗宾被吓得屁滚尿流。我想这个该死的混蛋害怕李小龙会把他揍扁，所以他让所有人都看着他自己，以防李小龙发起火来揍他……大家都认为李小龙会这么做。我现在告诉你，他快把那家伙吓死了！

3.4 | 短暂的辉煌

　　经过几个月的后期制作，26集的《青蜂侠》剧集终于在9月9日，由ABC广播电视网播出，每周五晚播出一集，但是该剧总体反响不佳。观众们认为这部剧集华而不实，制作粗糙，过于做作。琳达认为，这是美国电视史上最为失败的剧集之一。

　　尽管这套剧集几乎被批评得体无完肤，但是李小龙所扮演的加藤以及他所展示出的功夫却堪称全剧最大的亮点。报纸上到处都是关于他的大篇幅报道，媒体一致认为，他虽然是东方人，但是看上去更像专业的美国演员，还烟酒不沾，生活方式很健康，令人印象深刻。尽管新闻标题通常会有"青蜂侠"字样，实则内容大同小异，多是突出李小龙及他现在的家庭生活，尤其是他的跨国婚姻和李国豪的混血背景。大多数时间，男主角威廉姆斯反而被忽略。虽然这些报道多有不尽不实之处，但同时也意味着李小龙得到了美国观众的广泛认可。同为东方人的美籍日裔前柔道冠军海沃德·西岗对李小龙在剧中的表现赞不绝口：

　　他在剧中的表现实在是太精彩了！他所能做到的是大多数体操运动员都无法做到的事情。他会突然高高跃起踢碎吊灯，极其快速地从一处移动到另外一处，会当着一些人的面起高腿，然后将踢出的腿收回后离开。在美国史上，这是所有美国人第一次看见一名亚洲人能够如此优秀，他真是不可思议！

　　《青蜂侠》剧集还卖出了日本、泰国、阿根廷、波多黎各、加拿大等海外版权，并在美国国内一再重播，稍后还在香港电视台配音后播映，这些是李小龙日后成为国际影星的基石。

　　年轻人为李小龙的表演而疯狂，孩子们很喜欢李小龙，当李小龙以"加藤"的打扮出席各种活动,为影迷们签名时,孩子总是最多的。李小龙曾预约了一名高校的著名验光师为其配制隐形眼镜。不过这位验光师口风不严,致使李小龙当日来校验光时,该验光师的办公室内挤了20名女孩,只为一睹"加藤"风采。每周更有大量狂热的青年男女们写信给李小龙,其中不乏年轻女孩写来的情书。

李小龙的崇拜者们越来越多,他们迫切地希望和李小龙近距离接触,观众们都想碰触到他,结果却变成了抓扯。李小龙对《黑带》杂志的一名记者说:

这样的经历有时令人恐惧。我曾以个人身份出席了在麦迪逊广场花园举办的空手道比赛,赛后,有3名空手道武士护送我离开。他们向我靠近,几乎将出口处围了个水泄不通,我只能通过一扇边门匆匆离去。在加州的弗雷斯诺,我被狂热的影迷们抓伤、踢到、挖伤,我无法保护自己,也没有伤害我的影迷,毕竟他们的目的并不是想伤害我。

尽管高层曾开会决定在下一季中做出将剧集的时间延长,演员减少等措施,但第二季因收视率不佳而没有开拍,李小龙的风头盖过剧中所有其他白人角色也是一个重要原因。负责管理服装的工作人员干脆把"加藤"的那套行头全给了李小龙,理由是:再也不会有这么小个子的演员能穿这套衣服了。

李小龙除了微薄的私人教学所得外,只能依靠着以"加藤"的身份参加公开活动及一再重播的追加酬劳作为经济来源。他以私人身份在博览会、公园、俱乐部会议或出席剪彩时,每次能获取2000~3000美元不等的酬劳。

《青蜂侠》第二季取消后,温迪·瓦格纳和威廉姆斯也不过是在一些剧集或电影里出演一些较小的角色,而李小龙比他们有更多的上电视节目的机会。但由于过于执着原则,使得自己在经济上失去了稳定的来源,难以长时间维持庞大的日常开销。于是,他们在威尼斯(位于加州)短暂住了一段时间后,又搬到了位于英格伍德的霍桑。

李小龙也希望自己能演出更多的影视作品，将功夫和自己的武学理念发扬出去。但事与愿违，他在很长一段时期内无戏可拍。教授那些好莱坞明星学生成了他的主要经济来源。当着"空中飞人"去各地做功夫表演，以此赚得一些快钱，也足以让他疲于奔命。

二十世纪福克斯公司还与他洽谈了至少3部电视系列剧集，但是这些计划最后都因为李小龙始终坚守自己的原则而没有谈拢：

我不愿贱卖自己，如果为了一个角色而辱及我、我的民族和武术，我宁愿饿死！

大部分都是想让我扮演拖着辫子的角色，我拒绝了。我不在乎报酬，但扮演此类角色是真正的侮辱！

不得不说，李小龙是真正的爱国者。不过也正因为他的这一根本性原则，所以除了7月14日在电视剧集《无敌铁探长》(Ironside)中客串演出其中一集的一场戏外，可说是全年并无其他演出机会。

比李小龙大6岁的威廉姆斯曾在夏威夷担任过跳水教练，他是被伊丽莎白·泰勒的第三任丈夫麦克·托德发掘的。他并不像其他影视明星那样热衷于在影视界追逐名利，因为他本身有好几处房产以及一家属于自己的银行，在没戏拍的时候就去银行担任办公人员，不与影视界产生过多的瓜葛。他体格健壮，生性随和，与李小龙关系极其密切，他们喜欢开着摩托车去海滩游玩，捕鱼抓虾，"切磋"武功。李小龙的前臂力量非常强大，与人掰手腕从未输过，只有威廉姆斯是个例外，因为他太强壮了。在《龙争虎斗》拍摄前后，块头与威廉姆斯不遑多让的"香港健美先生"杨斯与李小龙掰手腕输了，而那时的李小龙体重和身体状态比拍摄《青蜂侠》时要差不少。

当时能在体育用品商店买到的训练器械很匮乏且昂贵，李小龙早期使用的器材是严镜海所制造,但比较粗糙。在洛杉矶居住时期,李小龙自己设计出草图,交由李鸿新制作。尽管这名"巨匠"交出的作品已是精美之至,但李小龙同样要求尽善尽美,一件器材需要不停修改,直到他满意为止。这些器材里,有许多是针对前臂练习而专门制作的。比如,单头哑铃、卷腕器、握力器等,这些训练器材都可以随意增减重量。因此,李小龙有着如此强壮的前臂,李鸿新制作的器材功不可没。

除了严镜海及李鸿新曾为李小龙制作过大量训练器材外,赫伯·杰克逊(李小龙在洛杉矶唐人街时期的私教弟子,李小龙的训练器械制造师之一)也曾为李小龙做过一个手靶。他除了接受李小龙的私教外,还在李小龙家中做些家务,为李小龙维修那些被用坏了的设备。李鸿新回忆,由于杂志报道及配图的错误,使得杰克逊莫名其妙地成了李小龙所有训练器材的制造者。为此,在与李鸿新私下交谈时,杰克逊曾向李鸿新郑重致歉。

3.5 | 明星私教弟子

由于各种原因,直到 1967 年,史蒂夫·麦昆才与搬至霍桑的李小龙见面。这位在银幕上一向以饰演硬汉而闻名的大明星由于童年时家庭屡屡多变故而性格古怪,连李小龙都一度觉得此人难以理解。不过很快,他们就因为性格相似而成了好朋友。

麦昆在李小龙眼里是个非常优秀的学生,他训练很刻苦且全身心投入,没有一刻停歇,直到精疲力竭为止,这点和李小龙很像。更有甚者,李小龙不得不坐上 4 小时飞机,飞赴密西西比州,为正在拍摄电影《流氓好汉》的麦昆进行私人教学。李小龙就喜欢这样的学生,两人之间的友谊甚至超越了师徒情谊。在训练后,两人会一起探讨人生与哲学。1967 年 9 月，麦昆得到了李小龙亲笔签名、盖章的振藩拳道 1 级证书[1]。

在一次好莱坞聚会上，李小龙为维克·达蒙授武的一则传闻迅速在好莱坞内部传播开来。李小龙的好友兼名人学生斯特林·斯利芬特（好莱坞著名奥斯卡金像奖剧作家）回忆道：

……我所听到的故事，讲的是歌手维克·达蒙曾经邀请李小龙去拉斯维加斯。当他的演出结束后，维克邀请李小龙来到了他的套房……当时，维克对李小龙直言不讳地表达了他自己的看法，那就是许多武术的实用性被夸大了。他强调，一个优秀而又强壮的街头格斗家，能够一直打败空手道家，尤其是亚洲人，因为亚洲人个子瘦小，基本上很难和一个大个子的美国人在街头进行打斗……当时，维克聘请了两个大个子的武装保镖，这是对武术家能力的一种蔑视。李小龙很快就对当时的情况做出了判断，并且提出了一个能证明武术的有效性，同时又不伤害任何人的方法。

"我会告诉你，我能做什么，"李小龙说，"让你的一个保镖站在门前。然后，我会从这扇门走进来，"接着，他向那名保镖解释道，"阻止我进门，如果你能做到的话。"另一名保镖被李小龙安排在了离第一名保镖五英尺（1 英尺约为 0.3 米）远的地方，然后让他把一支香烟放进嘴里。"我们假定香烟就是放在枪套里的枪，"他继续说道，"维克，我希望当我进门的时候，你就开始数五下。在你数数的时候，我会突破第一位保镖的防卫，并从第二位保镖的嘴里踢走香烟。当然，香烟在这里等同于他的枪。当我进门的时候，第二位保镖应该设法在我把他的烟踢走前，将它从嘴里拿出来。现在的形势对我不利，因为我提前告诉了你我要做的一切。如果我成功了，那你就会知道武术能做什么，你对这样的一个教训，还是可

---

[1] 李小龙于 1967 年 7 月正式将自己的拳法称之为"截拳道"，并在几个月后拜访了一位语言学教授，得以正确拼写截拳道的英文名称 JEET KUNE DO，但是发给麦昆的证书，依然是"振藩拳道"（Bruce Lee's Tao of Chinese Gung Fu）。且武技系统中依然有不少咏春武技。

以接受的吧?"

他们都说,"当然……哦,伙计!就这样!"于是,李小龙离开了房间……大家都在等着,突然传来一声巨响,像爆炸声一样摄人心魄,门不但被打开而且还飞了起来,因为它已经完完全全地从墙上被撕裂开来!李小龙把门上的铰链都踢得脱落了!门结结实实地猛烈撞击到第一位保镖,他被撞翻了,脸上也被门碰伤了。最多两秒钟,香烟从第二位保镖的鼻子前面飞过,李小龙把它从他的嘴里直接踢飞了,而这位保镖还呆若木鸡地站在原地。李小龙转过头来看了看维克,维克睁大了眼睛,半天才说出话来,"天啊!"

现在,无论这个故事是真是假,我可能永远都不会知道,但这个故事是从好莱坞的聚会上听来的,事实上,当时这个故事在好莱坞圈内人士中一直流传着。这对我来说已经足够了。我明白李小龙是我生命中的重要人物,我想和他一起进行训练。

那时的斯特林已经 50 岁,因为工作关系,他被带有神秘色彩的东方武术所吸引,在其众多的作品中皆不同程度地加入了武术元素。他一直想和李小龙一起训练,可是等了三个月也没能见到他。于是他辗转要来了李小龙的电话,主动要求见面。当李小龙风尘仆仆地来到他的办公室后,曾为美国前国家击剑队成员的斯特林说出了自己的击剑背景,并向他展示了依旧灵活的欧式击剑步法。李小龙对他这么大年纪仍然保持着良好的体型和反应能力而感到惊讶,在简单地对他做了出拳和踢腿的测试之后,便收为弟子,并让他与之前不久加入的、水平相近的乔·海默斯(好莱坞专栏作家、好莱坞明星传记作家)一起在卡尔弗家的车库里训练。经过大约两年的训练,已在悄然间脱胎换骨的斯特林让李小龙在贝弗利山上的自购住宅的车库内与几个香港来的咏春拳手切磋,大获全胜,而自己毫发未伤。

对东方武术和哲学颇感兴趣的影星詹姆斯·科本在拍摄完《谍海飞龙(续集)》(*In Like Flint*,1967 年 3 月 15 日于全美上映)后,通过斯特林的介绍,也成为李小龙的明星弟子。他和麦昆是两种截然不同类型的人，麦昆是不折不扣的硬汉，而科本则是一个和平主义者，说的话很有哲理。李小龙经常说，如果把他们两个的特质综合一下，就会是一个优秀的武术家。

李小龙非常宠爱国豪。在他 3 岁左右，就开始教他打拳踢腿，示范一些武术动作给他看。小国豪也非常有悟性，学得很快，展现出了非凡的武术天赋。小国豪的大多数朋友并不来他家玩耍，因为后院传出的打斗声、叫喊声让他们觉得害怕。倒是小国豪，在父亲在后院对私教弟子进行指导的时候会非常自觉地加入"训练"的行列。

李小龙的德国大丹犬"鲍勃"与他体重相同，这条狗很滑稽，会跟着客人到处走，谁的话也不听，走起路来横冲直撞，但李小龙夫妇从不去管它。琳达通常会去遛它，但一旦它跑起来，就成了它在遛琳达。李小龙夫妇曾将它送入一所犬类培训中心，结果它成了这所培训中心唯一被开除的狗。

1967 ○

○ 1970

第四章

好莱坞

4.1 | 洛杉矶武馆

　　1967 年 2 月 5 日，在《青蜂侠》即将播映完毕之际，李小龙在洛杉矶唐人街学院街 628 号地下室的"振藩国术馆"悄然开张，助教为伊鲁山度，墙上挂着李鸿新精心制作的太极标志[1]。伊鲁山度给李恺打了个电话，告诉他李小龙开了家武馆，问他是否有兴趣过来一起训练。李恺在 1964 年的长堤大赛上就结识李小龙，当时就想随李小龙习武，奈何路程过于遥远，只得作罢。现在这个天大的喜讯传来，他自然不会放过。于是，他和杰瑞·波蒂特、皮特·雅各布斯、史蒂夫·戈登、鲍勃·布莱默等 5 名艾德·帕克的黑带弟子一起转投李小龙门下。而见过李小龙两次面，却不敢与之结识的黄锦铭[2]，在武馆附近徘徊了半年后，才在朋友的告知下于武馆开张当日报了名，并于 5 个月后，亲眼见证了"截拳道"的诞生。

　　出生于二战后"婴儿潮"的一代（出生于 1946—1964 年的孩子）是在美国的黄金时期长大的，经济高速发展带来生活水平的大幅度提高，使得他们沉浸在消费主义、享乐主义中，蔑视权威、冲破旧范式、否定既存制度与秩序、否定传统价值、探索新型文化、追求个性解放、认识自我、追求自我价值的实现、对人性的追求、超越自

　　〔1〕李小龙请李鸿新做了一套 3 个太极标志悬挂在武馆墙上，象征着习武人的 3 个必经过程：偏颇、流畅、无形无式。
　　〔2〕黄锦铭，李小龙洛杉矶时期私人弟子，忠实地保留了李小龙在 1967—1970 年这段时间的武学思想及技术，见证了截拳道的诞生与发展轨迹。李小龙生前确实认真考虑过让他作为自己的衣钵弟子。

我是那时的普遍文化思想。在 20 世纪 60 年代,美国社会的主流是呼唤"解放"。转型期间的美国观念恰好与李小龙的性格吻合。他对传统武术的批评,一半是性格使然,一半或许是出于推销他的武学思想的立场。他创立的独树一帜的"截拳道"受到大众热捧,可谓是时势使然。

据李恺透露,洛杉矶武馆时期最初的学员最多时约有五六十人。武馆每周训练两天,每次进行一小时的热身及体能训练,两小时的技能训练。学员们必须进行为期两个月的体能训练,通过者才能留下深造。结果最后只剩下二三十人。

虽然剩下的学员不是很多,但李小龙依然是手把手,一丝不苟地教,直到他认为学员们把那些动作做到正确了为止。对于那些上课态度不认真的学员,李小龙就会毫不留情地把他们赶出去。而对那些练习得很刻苦、认真的学员,李小龙便会时刻注意他们的练武进度。他就曾给波蒂特开出过一份长长的阅读清单,其中包括了《孙子兵法》与《五轮书》。不过那些藏书只有经过他的允许后才能翻阅,还不能借阅。洛杉矶武馆的教学内容和在西雅图、奥克兰时期几乎完全相同,以咏春拳为主,但是比重相对减少。而李小龙自己早就抛弃了传统咏春拳的训练方法。

李小龙需要做私教、演出,绝大部分时间不在武馆。伊鲁山度作为助教,严格按照李小龙的规定和那本于 1967 年 9 月 19 日写就的《截拳道 6 周教学计划》(*Six Weeks Lesson Plan For Jeet Kune Do*),只教授学员们 10% 的截拳道内容,剩下 90% 的内容是李小龙自己当时正在练习或研究的。李小龙只是偶尔来视察教学进度,纠正一下学员的动作,并对以击剑、拳击为核心的截拳道做出进一步的修改。当李小龙在卡尔弗城居住时,每周三晚,黄锦铭、赫伯·杰克逊等人会在李小龙家的厨房里集合,接受李小龙的私下教授。他们在屋子里进行体能及技能训练,在后院进行实战对抗训练。后院训练内容以黐手为主,而黐手练习只在武馆内教授了极短时间。当伊鲁山度有事而无法前来武馆教学时,便由李恺来指导大家训练,李小龙还给李恺设计了专门的名片。伊鲁山度与木村武之、严镜海三人,是仅有的经李小龙亲自签署过证书的助教。而伊鲁山度也先后获得了由李小龙亲笔签发的"振藩国术""振藩拳道"和"截拳道"三个不同功夫阶段的三张证书。

1969 年,水户上原在拜入李小龙门下后不久就把在加州大学洛杉矶分校就读的卢·阿尔辛多,也就是日后湖人队的当家中锋,NBA 史上的超级中锋"天勾"贾巴尔介绍给了李小龙。李小龙对贾巴尔很感兴趣,便收下了这个极为特别的弟子,他曾开玩笑说要研究怎么打倒这么高个子的人。

在结识李小龙前,贾巴尔学过一年合气道。由于李小龙在洛杉矶的家离大学很近,贾巴尔每次都能很快从武馆走到李小龙的家中。他曾单独在李小龙的后院与车库中与李小龙一起进行重量练习,打木人桩,练习黐手,也经常在一起跑步。贾巴尔很喜欢小国豪,经常把他举起来放到屋顶上。李小龙针对他独特的特点,为他的训练和技巧做了调整,这些训练方法和技巧对贾巴尔的职业生涯很有用,贾巴尔后来又练习瑜伽,以冥想来放松、调整呼吸,保持头脑冷静,以此让竞技状态尽量维持在巅峰,这让他的 NBA 职业生涯达到了惊人的 20 年。

4.2 | 冠军之师

前文说过,李小龙早在 1964 年就认识了李俊九并见识了跆拳道犀利的腿法。为了练好侧踢,李小龙曾将自己关在车库里,只让琳达送点吃的进来。当李俊九再度来访时,发现李小龙的侧踢完成得比他还棒,踢碎的木板比他还多。

1967 年 5 月 6 日,李小龙应李俊九之邀,前往华盛顿,以"加藤"

的特邀嘉宾身份出席由李俊九举办的国际空手道锦标赛。比赛在能容纳 20000 名观众的美国华盛顿军工厂内举行。这次比赛吸引了 8000 名观众，人数之多也创造了一个纪录，这让李俊九很是高兴。

李小龙的一系列表演还是引起了轰动。表演结束后，李小龙为冠军乔·刘易斯[1]颁奖。当他与同行的艾德·帕克离开时，疯狂的观众们把他们围了个水泄不通，他们不得不在几名黑带保镖的保护下才得以从后门离开。

自 1967 年到 1970 年，李小龙一直出席李俊九所主办的空手道比赛，拉拢人气，更为他穿针引线，让水户上原经营的彩虹出版社为其出版跆拳道书籍。李俊九能成为"美国跆拳道之父"，李小龙功不可没。

6 月 24 日，李小龙在纽约麦迪逊广场花园举办的"全美空手道公开赛"上，继续以"加藤"的身份做特邀表演嘉宾，为击败了乔·刘易斯而获得总冠军的查克·诺里斯[2]颁奖，两人就此结识。赛后，两人在同一家下榻的酒店内巧合地再次见面。在 8 小时的长谈后，诺里斯被李小龙的武技与学识深深折服，回到洛杉矶后便拜入李小龙门下。而落败的刘易斯随后在麦克·斯通[3]的介绍下也拜李小龙为师，在李小龙后院进行训练。至此，三大空手道冠军：麦克·斯通、查克·诺里斯、乔·刘易斯都成了李小龙的学生。此外，空手道冠军路易斯·德尔加多、鲍勃·沃尔也是他的私教学生。李小龙在武术界内也因此而声名大噪。但某些空手道冠军弟子们因为自己那点可怜的"武术家的自尊"，纷纷表示自己从未受

---

〔1〕乔·刘易斯，李小龙洛杉矶时期的私教空手道冠军弟子，他将截拳道搏击理论与技术完美融入空手道中，形成了自己的强烈风格。

〔2〕查克·诺里斯，1940 年生，李小龙空手道冠军弟子之一，曾获 6 次中量级空手道冠军。1967 年结识李小龙。1968 年在《破坏部队》中饰演打手，开始了他的演艺生涯，他因主演《猛龙过江》而被中国观众所熟悉。

〔3〕麦克·斯通，李小龙空手道冠军弟子之一，是出生于夏威夷的美籍菲律宾裔，有"擂台战神"之称。1963 年起，开始夺得多项空手道冠军及奖项。到 1966 年，他在连续 90 场空手道比赛中保持不败，可谓竞技体育的王者。现定居菲律宾。1964 年结识李小龙。

教于李小龙，或是接受过李小龙私下传授武艺，只是在一起训练，各取所长，甚至声称自己教了李小龙某些技艺。对于这种在中国人眼里"忘恩负义""过河拆桥"的行径，李小龙一笑了之，并对水户上原解释这一现象背后的原因。

这些家伙，只是因为被冠以冠军之名，就不愿意承认是我的学生。他们想从我这里学到东西，但是想让别人认为我们是平起平坐的。他们希望说我是和他们一起训练。对我来说，训练只是对他们有益而对我则没有，这全是单方面的奉献。我是教导他们而不是和他们一起训练。

和李小龙进行实战对练练习，你可千万要小心、注意，因为碰巧或"不小心"打到李小龙，那你就有得受了。在一次练习中，李恺就两次打中了李小龙的下巴，他回忆道：

……中了那拳之后，暴怒的李小龙开始不断向我施以重拳，直到他精疲力竭为止。我明白以后再也不能那么做了……当时是打一下，就是轻轻地碰到了师傅的脸。师傅很惊奇，说"哦，技术不错啊"，后来又来了一下，我从一方又打到了，他又说"哦"。但这样两次一来，他就火大了，他就不再客气，啪啪啪啪地打我了……我就退退退退，退到了书房的桌子旁边，两手向后撑在了桌沿上，这个时候应该停了嘛，但是小龙师傅还是没有停，一拳打在了我左边的下巴上。这样他一拳打完就停了下来，我也没动，事情就这样结束了……第二天，在家里面，我打了一个哈欠，一打哈欠，发觉嘴巴张大关不住了，怎么回事啊，我用手把下巴摇了下，关住了。我想，哇，师傅这一拳可厉害，打到我的牙床里面，受伤了。后来X光照出来，一看，果然缺了一小块。

事后，李小龙也有些后悔，就此事问及当时在场的伊鲁山度："我是不是太认真了？"伊鲁山度说："你当然认真，你太认真了！"

有着电视剧带来的名人光环,许多人建议他在全美开连锁武馆,可他依然坚持着自己的理念:小班教学才能保证质量。他也反对武馆被商业化,因为有些学员打着他的幌子开武馆。

学员不在于多,每个加入的人都要经过严格的筛选,这样会让武馆更具影响力和名望。如果太多的人加入,大家就不会对武馆的教学质量有很高的期望。此外,我不希望某些学员在外面以截拳道的名义公开办学,尤其是用我的名字来吸引学员的加入。

在经过了李小龙一年的极为严苛的私人教导后,乔·刘易斯逐渐掌握了截拳道的原则与技巧,同时融入了自己的格斗技巧,熟练运用在各种空手道比赛之中。1967—1968 年里,刘易斯在各大比赛中横扫所有对手,拿了 11 个冠军,未尝败绩。1968 年 6 月 23 日,他获得了华盛顿空手道锦标赛冠军。在登上领奖台,毕恭毕敬地从李小龙手中接过冠军奖杯和锦旗后,他郑重地向众人宣告:李小龙是自己所遇到的最好的老师,自己所得到的一切荣誉都归功于李小龙!这一举动让那些嘲笑李小龙不比赛只做表演的无能之辈们瞠目结舌、哑口无言。刘易斯以实际行动证明了,融合了截拳道原则和技巧的格斗术远胜于传统空手道!那年夏天,刘易斯将自己的武馆卖给了诺里斯,同时接受了李小龙的建议,为那些好莱坞的富人们做私人授武。

4.3 ｜ 创立截拳道

1967 年 7 月 9 日,李小龙正式将自己的拳术命名为"截拳道"，英文拼写为"Jeet Kune Do"[1]，字面意思为"拦截拳头的方法"。

在事事都讲究规矩的美国武术界里，居然有人创立了一种风格独特的新颖拳术，这可是武术界的大事。第二天中午 12 点，《黑带》杂志记者麦克斯威尔·波拉德专程来到洛杉矶武馆，对李小龙进行了采访。李小龙一边在记者面前与李恺进行示范练习，一边回答提出的问题，借此机会宣扬自己那极具颠覆性的截拳道理论与技术。他对传统武术的弊端提出了激烈的批评和嘲讽。

美国武术界内众多保守派对李小龙创拳，对传统武术的辛辣批评、讽刺等举动极为不满。1968 年《黑带》杂志 1 月号上，编辑用了 3 个页面刊登了武术界与李小龙的笔战。李小龙从容不迫、见招拆招，那群迂腐之徒自然讨不到什么便宜。而冯天伦力挺李小龙的信也被刊登出来。

李小龙名气日盛，自然引发了不少武术界人士的强烈嫉妒。某些不自量力的"三脚猫"更会自告奋勇地去挑战李小龙，李小龙对这些不够资格的滥竽充数者采用了极为聪明、理性的策略。李恺回忆道：

有一天，我们正要开始训练时，突然进来了四个人高马大的黑人，态度十分傲慢，虽然口称想了解一下，但挑战意味十足。小龙师父请他们稍坐一下，先看看我们的训练。然后他把我安排到第一排靠近门口的位置，因为我们的馆是长方形的，坐在门口只能看到靠近门口的这部分人，里面的被挡住了。我知道小龙师父的用意，于是更加努力地练习。没多久我们就暂停休息一下，当时那四个黑人最初的嚣张气焰已然消失殆尽，露出了怯意。小龙师父走过去问他

---

[1] 李小龙并不愿给自己的拳术起一个名字，他觉得那样会束缚住这门武技和哲学思想的发展而成为另外一种门派的武术。但是如果没有名称，这种拳法就无法被推广。为此，李小龙绞尽脑汁地想了各种名字，最终还是选中了现在这个能体现他那独特武学思想的名字。而李小龙虽然多次对该名字做出各种解释与定义，但始终无法自圆其说。在死前，他曾对水户上原透露过不想再用"截拳道"这个名字。

们要不要切磋一下。他们连声说不用、不用,然后灰溜溜地走了。

《黑带》杂志从 1962 年创刊开始,对中国传统武术也偶有报道,但是绝大多数文章限于空手道、唐手道、柔道、跆拳道等源于中国的日韩式东方武术。《黑带》杂志对李小龙进行了连续两期的连续报道,引发了一波"中国功夫热"。此后,"GUNG FU"[1]一词便开始频繁出现于《黑带》杂志上。借助于权威媒体的传播力,李小龙为推广中国武术可谓不遗余力。1968 年 2 月号的《黑带》杂志,以"武术在中国"(The Martial Arts in Today's Red China)为封面标题,将李小龙提供的鹰爪拳、咏春拳、醉拳、查拳、北派螳螂、南派螳螂、华拳、罗汉拳等 8 种国内较为有名的拳种做了简略的介绍。在介绍咏春拳时,叶问的照片赫然在目。1969 年 7 月,李小龙致函邵汉生,称已将其向《黑带》做了推荐,可代为翻译文章并在杂志上刊登。1972 年 9 月,《黑带》杂志刊登了两篇与咏春拳有关的文章,除一篇附有叶问个人照外,还有他与李小龙对练的 3 幅技术示范照片。另一篇介绍了严镜海刚出版的《咏春功夫》,刊登了近 20 张由严镜海与黄锦铭对练的技术示范照片。

在 7 月 30 日举办的长堤空手道锦标赛中,作为特邀表演嘉宾的李小龙在做完二指俯卧撑后,展示了"一英寸"与"六英寸"寸劲拳的威力。一位空手道黑带选手被李小龙的"一英寸"寸劲拳击出将近两米开外;而配合李小龙演示"六英寸"寸劲拳的罗伯特·贝克则被击倒在身后的一把椅子上,拳靶也被击飞。因惯性作用,椅子和他一起在地板上后滑了三四米远。脖子还因为过速后仰而扭伤,不得不请假看医生。

为了显示自己的速度,李小龙与主办方安排的黑带高手维克·摩尔(松涛馆空手道黑带十段,4 次空手道世界冠军得主)做

---

[1] 李小龙是广东人,所以"功夫"一词的英文 GUNG FU 一开始是按照李小龙的发音习惯来拼写的。但是收录在《英汉大词典》里的 KUNG FU 是用"威妥玛拼音"拼写而成,更符合当时美国人(西方人)的拼写阅读习惯。

了一个"出击拦截"的表演。即使事先被告知击打部位,维克依然在连续 6 次的同一动作下无法成功拦截到一次李小龙的拳头,这让他有很强烈的挫败感。

李小龙还和木村搭档表演了"蒙眼黐手",在什么也看不见的情况下,仅靠手腕的接触做出相应的快速攻防,木村完全无法抵挡,数度被击倒,这显示了李小龙那异于常人的敏感度和反应速度。而他与伊鲁山度穿戴好由李鸿新特别制作的训练用头盔,分指拳击手套、全套护甲,将与弟子们日常训练的内容完全照搬,却似乎没有引起观众多大的兴趣。

李小龙虽然以表演嘉宾的身份出席过多次空手道比赛,但自己根本不参加这种不入流的比赛,并不屑地称这种比赛为"装模作样的骗局"。他认为这种比赛虽然在很大程度上保护了选手的安全,却也限制了选手的技术发挥,大大削弱了选手的实战能力。

如果没有实战训练,你怎么知道你的武技是否有效？这就是我不相信空手道比赛的原因。空手道教练们声称赤手空拳的对练(寸止)是最真实的,但我并不这么认为。当攻击被终止时,说真的,你其实并不知道自己是否击中了对手。我相信戴上拳击手套与对手大打一场更真实。这样的话,你会学习到如何有分寸地出击,你会发现自己的出拳是多么有力,对我来说,这么做才有意义。

李小龙一直强调,最好的训练是戴护具进行模拟实战练习。

在击打时戴上合适的护具,再全力进行练习,你才会真正理解如何控制打斗的步调及掌握踢击的距离等。应该与各种人进行对打,无论对方是高,是矮,是慢,还是快。有时动作迟缓的人往往比动作快的人有优势,因为他打破了那种节奏。当然,最佳的陪练还是动作迅速、身体强壮些好,你可以像发了疯的人那样全力踢、击。

事实上,在李小龙之前,在美国,可以说根本没有任何习武者想起来将美式橄榄球护具用在全接触式训练上。在 20 世纪三四十年代黄埔军校的训练中,学员们也是穿着护具进行拼刺训练。李小龙1965年底便让李鸿新制作相关护具,1966年时已开始穿戴全套护具进行此种训练。通过训练,他开始重新审视传统武术。

尽管对李小龙的质疑声不断,其中还包括对其独特的训练方式的嘲弄,比如质疑击打木人桩(空手道中其实也有击打木人桩的练习)的有效性等。但是《黑带》杂志于1968年7月、10月也分别刊发了关于自己制作柔道模拟人、将空手道与欧式击剑这两种不同的风格做简略比较的文章。1968年3月的《黑带》杂志刊出了一张圣地亚哥某武术学院培训军官的照片,军官们所穿戴的护具已与李小龙在1967年的长堤空手道大赛中示范自由搏击时的护具极其类似。此后,柔道、空手道、跆拳道等流派也纷纷将李小龙训练用设备——人形沙袋、手靶、梨球、速度球、墙靶、卷腕器等经过参差不齐的商业改造后在《黑带》杂志上进行大肆推销。1970年左右,东南亚逐渐开始让搏击选手穿着护具进行比赛。1973年,踢拳比赛(kick Boxing)大行其道时,分指拳套也开始正式进入人们的视线。这些设备虽然不能说全是李小龙所发明,许多只是经过某种程度的改造,但是在短时间内就被美国武术界所广泛采用,说明美国武术界已经接纳了李小龙那务实而又超前的武学思想和先进的训练方法为武术界所带来的益处,只是死要面子不愿意直接承认罢了。

罗伯特·沃尔表示,那时的美国武术界其实很喜欢李小龙,也非常欣赏他的武术理论。但这些人对李小龙批判传统武术时那咄咄逼人、自以为是的态度极为不满。不少已报名参赛的武术团体听说李小龙要以表演嘉宾的身份出席比赛,便以退赛来抵制。虽然李俊九和艾德·帕克也属保守派,对他的理论以及对待传统武术的态度有很大分歧,但依然始终力挺李小龙。

1968年起,由于武术界的抵制,李小龙出席的武术活动锐减,但是《黑带》杂志利用自身的影响力,同时也利用武术与动作电影的微妙关系为李小龙助威。虽然《黑带》不是娱乐杂志,对含有武打场面的电影报道并不与拍摄进程同步,不过就在《丑闻喋血》拍摄完毕后,《黑带》杂志也不失时机地为李小龙和他的影片做宣传。甚至在刊登宣传海报时,用大号字体突出李小龙的名字。

4.4 ｜陷入困境

1968 年的一天,李小龙接到了吉恩·勒贝尔打来的电话,让他为迪恩·马丁主演的《破坏部队》(*The Wrecking Crew*)做武术指导。李小龙将艾德·帕克、麦克·斯通、查克·诺里斯、乔·刘易斯这些空手道大师级人马汇聚起来,参与到影片的拍摄中。由麦克·斯通担任迪恩·马丁的打戏替身。

李小龙设计的打斗动作非常简单,塞伯灵的前女友莎朗·塔特以及影片第二女主角关南施的柔韧性和协调性都不错,做出的武打动作除了力度稍显不足外,倒也算得上干净利落,李小龙对她们所完成的侧踢相当满意。关南施曾想追随李小龙学武但被婉拒,因为她支付不起这么昂贵的酬劳。

由于拍摄地点在沙漠,李小龙不得不驾车往返于家和剧组之间,每天凌晨 4 点就要出门,花上 2 个小时的路程来到剧组,晚上很晚才能到家。而这部影片的酬劳只够支付账单。

1968 年 8 月,李小龙在斯特林编剧,詹姆斯·加纳主演的《丑闻喋血》(原片名为 *Little sister*,后改为 *Marlowe*,米高梅公司出品,1969 年 10 月 31 日上映)一片中扮演一名名叫温斯洛·黄的华人同性恋打手,在影片中只有 2 场打戏。这是他第一次,也是在美 12 年中唯一一次在美国电影银幕上出演角色。他只身闯入侦探办公室的那场破坏性的打斗场面堪称精彩绝伦,也可视为他对自己这些年在美国事事不如意的一种宣泄,最后还被安排在酒店天台与詹姆斯·加纳的打斗中,因被揭穿自己是同性恋的身份而恼羞成怒,失去理智地盲目以飞踢进攻而失足坠楼,亡命街头。若不是生活所迫,李小龙断然不会扮演此等负面角色。

11 月,李小龙在美国系列电视剧集《新娘驾到》(*Here come the Brides*)中的一集中国式结婚里饰演一名林姓中国男子,这或许是李小龙在美期间的唯一一部文戏。扮演他中国未婚妻的是美国女演员琳达(美国旧金山地区原住民,影视、舞蹈演员)。

故事的时代背景设置在 1870 年的西雅图某个小村庄里,剧中的中国人形象除了李小龙是身着三件套的西服外,其他人都是一副美国人眼中的清朝人打扮。该片中,李小龙必须临时克服骑马、怕水[1]的心理阴影,才得以将拍摄任务完成。

自从结婚以来,由于经济问题,李小龙就没有过属于自己的房子,从奥克兰到洛杉矶,总是租房子住。不停地搬家,任谁都会有怨言,这也是李小龙的一桩心事。自从为那些明星弟子做私人授课后,手头明显宽裕,于是李小龙决定定居洛杉矶,第一步就是买房,这对已经怀着李香凝的琳达来说可算是一个天大的好消息。李小龙的岳母为支持他们的购房计划,将西雅图的那套自家住宅以 28000 美元售出。

李小龙和琳达都简单而纯粹:李小龙除了训练和拍戏,不参加任何应酬,而琳达完全就是家庭主妇,俩人对房地产行情知之甚少。他们原以为 28000 美元能买到一套不错的房子,但是琳达与房地产商接触后才知道,这笔钱买不到什么好房子。那时,李小龙看中了罗斯高蒙路 2551 号的一套豪宅,他很喜欢这套房子,但是售价远远超出了原先的预算。麦昆也来看了这套房子,还派自己的助手与李小龙一家一起"协商处理"。最后李小龙一咬牙,以 47000 美元的价格买了下来,但这样几乎花光了他所有的积蓄,所以未加装修就搬了进去。1969 年,到美国念书的李振辉和母亲来

---

〔1〕童年时,李小龙就将姐姐李秋源的衣服故意弄坏,于是李秋源在为小龙洗发时强行将他的头按入水中施以报复,这让李小龙产生了"怕水"的巨大心理阴影。

到美国探望李小龙一家，并在此短住。李振辉回忆，李小龙每天7点起床，进行热身活动，在早餐前进行重量训练，早餐后进行阅读、看电视，与子女们玩耍或是联系拍片业务。在进行了大量的书籍阅读后吃午餐，晚上还要进行严格的训练。还要把前一天所录制的磁带进行回放，并把第二天所要做的事情录进磁带后才休息。

除了把全套健身器械安置在新家内，李小龙在后院里、屋檐下也挂满了各种各样的沙包及其他训练设备。尤其是鲍勃·沃尔[1]送来的那个300磅（一说350磅）的重型沙袋，是李小龙的重点训练目标。谢华亮、李俊九等多人就目睹过李小龙将这个庞然大物用拳或腿击打得飞起来并晃到几乎碰到天花板，而这些见证者们几乎连推都推不动。而鲍勃·沃尔更是亲眼所见李小龙这一令人匪夷所思的举动：

> 我们把沙包挂在他的车库里，李小龙不知道这个沙包究竟有多重，于是他用了全身的力量使出一记侧踢，晃动的沙包把车库的顶部撞开了一个小洞。李小龙的妻子琳达，来到车库门口，目睹了这一过程。可以肯定的是，她很不高兴。后来，李小龙的一名学生过来给他修了车库的屋顶——他把沙包挂在了外面。

李小龙的侧踢力量之大，多名弟子曾深受其苦，周裕明就曾被踢伤，不得不在妻子的陪同下去医院照X光片；手持踢盾的赫伯·杰克逊也被踢伤肩部，眼睛上被缝了5针；在拍摄《李小龙技击法》时，黄锦铭不得不在衣服里塞入大量纸板和泡沫，但依然被踢得飞起来，身上都是瘀青。至于科本新买的沙袋，更是被他一脚踢爆。

在做实战对练时，李小龙的陪练是他的后院私徒，但通常情况下基本上是黄锦铭。

虽然明知自己在好莱坞的处境日益艰难，但是李小龙始终坚

---

[1] 鲍勃·沃尔，1939年生，李小龙空手道冠军弟子之一。曾出演《猛龙过江》《龙争虎斗》及1978年补拍版《死亡游戏》。

信自己能站稳脚跟。1969 年 1 月的一天,李小龙在某位好友家中,当着李俊九的面,写下了著名的《我的明确目标》(*My definite chief Aim*)一文:

我,李小龙,将会成为全美国片酬最高的超级巨星。作为回报,我将奉献出最激动人心、最具震撼性的演出。从 1970 年开始,我将会赢得世界性声誉;到 1980 年,我将会拥有 1000 万美元的财富,那时候我及家人将过上愉快、和谐、幸福的生活。

即便有如此的雄心壮志,1969 年 4 月,斯特林主动提出让李小龙在由他编剧的文艺片《春雨漫步》(*A Walk in the Spring Rain*,哥伦比亚电影公司出品)的补拍阶段中出任武术指导。影片由安东尼・奎恩以及老牌奥斯卡影后英格丽・褒曼主演。在补拍阶段加上一场可有可无的打戏,显得有些突兀,让人觉得莫名其妙。但是对承担着房贷、车贷,以及刚有了爱女李香凝的李小龙来说已没得选择,他只能按照导演的要求,尽心尽力地去编排好打戏。

影片拍摄地点在田纳西州的山上,两名大个子的白人替身演员对李小龙的到来不甚欢迎,甚至还有些反感,质疑斯特林为什么带这么个陌生的跟班来。因为剧中并没有东方人的戏,同时他们也很怀疑眼前这个貌不惊人的中国人是否有真材实料。多年后,斯特林回忆起当时场景:

我对他们说,既然我是制片人兼编剧,李小龙就是他们的头儿。但这两个人仍不依不饶,最后我向李小龙建议:"为什么你不去表演一下你的侧踢给他们看看呢?"李小龙拿起他的脚靶说:"你们中的一个人拿着它,由我来踢,但我希望拿的人要站稳,因为我踢的力气很大。"这两个家伙都说没有问题。我对李小龙说,如果他们在游泳池边就更有趣了。让这两个人背对着泳池,当李小龙用力踢时,他们果真站稳了倒好,但如果站不稳就会跌入池中。

大家都说这个主意好,于是比试开始了。李小龙原地站立,没有助跑，只一脚竟把那个人踢入泳池。另一个人也不例外，尽管他准备时站得很低，李小龙仍然飞脚把那人踢入水中。这两个人不得不狼狈地从泳池中爬上来。从那时起，这些人喜欢上了李小龙。

琳达笑称，这两个家伙受了李小龙的"洗礼"。

1969 年，李小龙虽然应邀出席了数次空手道比赛，却只参加了一部电影的幕后工作。他在武术界内已属当时最顶尖的武术家之一，但是在电影界内，他不但是无名小卒，还要为生计烦恼。这一年是他最难熬的日子。他处于破产边缘，眼镜摔烂了多次也只能用胶布包好再用。日后他将这幅眼镜放在嘉禾公司自己办公室内的显眼处，以提醒自己不要忘记那段艰苦岁月。当时的李小龙压力很大，几乎到了精神崩溃边缘，借用一段林燕妮的回忆，读者便可有切身感受：

"功夫"这两个字可以说是李小龙介绍给全世界的。功夫与小龙已是一体，而当时前程未卜，他亦心事重重。他告诉我："有时我会半夜醒来，坐在床上大哭一场。"男儿岂无泪，他是个相当善感的人。

李小龙在美国居住、生活了 12 年，这样的情形何止一次！每个移民美国的人心中都有一个所谓的"美国梦"，但是这个梦真的没那么容易实现。

4.5 |《无音箫》搁浅

逐渐走入困境的李小龙开始认识到，他只有先在一部经典功夫影片中扮演一个配角或与某位明星合作演出，并将武打动作和东方哲学融入影片，才有可能在好莱坞获得成功。于是从1968年起，他开始构思一个极富东方哲学韵味的剧本。片中需要不少懂得功夫又会表演的演员，如果无法找到这样的演员，那李小龙将饰演4个不同的角色。他认为麦昆是主演该片最合适的人选，但是麦昆拒绝了。李小龙只得转而让名气稍逊，但更随和、更有哲学气质的科本来主演。

于是，李小龙、科本、斯特林三人一起雇用了一名编剧，但令人哭笑不得的是，那名编剧将剧本写成了掺杂了大量性爱内容的科幻小说；斯特林的侄子加入后，也落得个与前任一样被解雇的下场。最后，斯特林不得不亲自介入，并与李小龙、科本一起，每周一、三、五下午4到6点在李小龙家就剧本进行讨论，除了工作和家庭事务之外，任何人、任何事都不得打扰会议的进行。这个剧本就是《无音箫》(*The Silent Flut*，李小龙曾命名为"无音笛")[1]。李小龙全身心地投入剧本的编写之中，满怀信心地认为美国观众能接受这样一部功夫电影，还想请罗曼·波兰斯基来执导。他甚至决定退出武坛，真可谓孤注一掷。同年，《黑带》创立了"名人堂"，首期有8名武术家入选。其中，海伍德·西岗和查克·诺里斯也名列其中，李小龙特意前往，分享两位好友的荣耀。

1968年，波兰斯基与莎朗·塔特结婚，就在前一年，莎朗·塔特为罗曼·波兰斯基生下一子。婚后，波兰斯基在曼哈顿的达科他公寓里拍摄了《魔鬼圣婴》(*Rosemary's Baby*，又名《罗丝玛丽的婴儿》)，影片讲述的是纽约一个籍籍无名的演员凯与妻子罗丝玛丽搬到曼哈顿一间古老而又不祥的公寓定居，之后发生了种种恐怖诡异的怪事。该片于同年6月12日在美国上映。

查尔斯·曼森，具有精神操控他人的案底以及精神分裂症、偏执妄想症等一系列精神病史。年轻时大部分时间都是在公共(矫治)机构里度过。1967年获释出狱，随后建立邪教"曼森家族"。

---

[1]《无音箫》在1978年被改编成为《铁汉圈》，由白人演员大卫·卡拉丁出演。

他突发奇想，要进入娱乐圈发展，并从 1969 年 3 月起，数次试图以访客的名义闯入曾许诺将他带入娱乐圈的音乐人特里·梅尔切租住过的别墅，但那时，莎朗·塔特与波兰斯基已居住在此。

8 月 8 日晚，三男一女闯入莎朗·塔特所住寓所，将已怀孕 8 个月的莎朗·塔特吊在房梁上，并刺了她 18 刀，莎朗·塔特最终因失血过多而死，腹中婴儿也未能存活。其他 4 位包括塞伯灵在内参加派对的好莱坞知名人士也被残忍枪杀、刺杀，凶案现场触目惊心，血流成河。

接到报警而闻讯赶到的警察被眼前残酷的惨象惊得目瞪口呆，却找不出头绪。由于案情如同电影《魔鬼圣婴》般诡异离奇，他们曾一度怀疑案发时正在伦敦筹划拍摄新片的波兰斯基。闻悉噩耗的波兰斯基赶回洛杉矶后，眼见凶案现场，大受打击，整个人像丢了魂一样。此后很长一段时间内，他的电影风格更显压抑灰暗，许多作品更是大失水准，很难达到其巅峰状态。直到 2002 年《钢琴师》上映，波兰斯基才重新回到世界电影的巅峰。

李小龙的家离凶案现场不远，值得庆幸的是，那晚他因与科本、斯特林讨论《无音箫》剧本而未能参加这场"死亡派对"。可想而知，当李小龙得知这一消息时，他的内心是何等痛苦与愤怒。

1970 年 2 月，波兰斯基来到瑞士滑雪胜地格斯塔德度假，百无聊赖的他邀请了李小龙为他做一周的海外武技训练。从 20 日到 27 日，除了授武，波兰斯基还全程陪同李小龙玩乐。从未滑过雪的李小龙居然一次就学会了。但除此之外，李小龙每天还要陪着波兰斯基和一帮富人们去喧嚣吵闹的夜店至深夜，搞得疲惫不堪，严重缺觉，还得了感冒。这对于不喜欢交际的李小龙来说真是折磨，不过，在深入了解了波兰斯基后，他还是交了这个朋友。对李小龙来说，和波兰斯基交朋友不仅仅是增加了一个收入来源，更可能对自己以后闯荡好莱坞有着莫大的帮助。授武结束后，李小龙来到伦敦度假 3 天。

李小龙通过私教所获取的酬劳不少，但他一心想在美国演艺界发展,同时,他认为武馆教学会限制学员的技术和思想,使他们成为机器人。1970 年 1 月,伊鲁山度遵照李小龙的吩咐,关闭了洛杉矶武馆,剩下的学员转移到伊鲁山度家的后院进行小班练习。李小龙自 1963 年起所一手制定的振藩国术馆 8 级会员制也随之终结。这样,李小龙就可以专注于在影视圈发展了。

1970 年 10 月,《无音箫》终于完成首稿。斯特林带着剧本来到了华纳公司,与总裁泰德·雅士利及其他高层会谈。华纳公司很喜欢这个极具异域风情的剧本,但是决定要在印度开拍,因为华纳在印度有一笔呆账,如果这部戏成功,华纳当然大赚一笔,皆大欢喜;即便失败了,对公司本身也不会造成太大的影响。其实,印度与中国的文化迥异,根本不可能在印度拍出一部富有中国色彩的影片。

在华纳公司同意了开拍计划后,原本定于秋天前往印度考察外景地的计划被李小龙的背伤所耽搁。不过,振作起来的李小龙依然对《无音箫》充满信心,他还写信给小麒麟,让他帮忙在香港物色一批龙虎武师,同时将剧本中要用到的武术器械列出,请他帮忙订购并运往美国。在李小龙背伤初愈后,便与斯特林、科本一起于1971 年 1 月 29 日飞赴印度。

从孟买到新德里再到斋普尔,一路上的舟车劳顿,让李小龙的腰非常难受。而科本以好莱坞大明星自居,每到一处都要入住预订的最好的套间,李小龙与斯特林却一切从简,这让背伤初愈的李小龙感觉到自己受到了歧视,心理越发失衡。他觉得他们都应该受到同等待遇。在由原斋普尔王宫改建的旅馆内,终于按捺不住火气的李小龙与科本大吵一架后,甩下一句“我一定会成为比科本和麦昆更有名的明星”的狠话后摔门而去。李小龙的野心此时暴露无遗,这连科本和斯特林都大为吃惊。斯特林回忆道:

我并未减少对李小龙的敬意,这更使我认识到李小龙现实的一面。当时我对李小龙说,遇到这种情况也没有办法。他只不过是一个在白人主宰的社会中生活的中国人。但我错了——最终李小龙证明了他自己。

3 周的印度之行一无所获，外景地没有着落，当地也寻找不到能达到演出功夫电影水平的武术演员，三人失望地飞回了美国。抵达机场时，华纳公司高层亲自迎接，这让李小龙和斯特林天真地以为《无音箫》能够顺利开拍。谁料，科本在高层会议上强硬地否定了在印度开拍的计划，因为他讨厌印度。李小龙得知消息后气得七窍生烟。

科本把一切都搞砸了。因为他不想去印度，他对华纳说那里无法找到合适的外景地。他否定了整个计划。我为这个计划呕心沥血，这是我人生中重要的一次机会。如果我知道他会那么做，我绝不会选他做我的搭档，我就会去找其他人和我一起合作，或许，我们应该去找其他的电影公司来拍这部戏。

除此之外，华纳公司全体管理层担心这个过于哲学化的片名会影响到票房。最终，《无音箫》拍摄计划被搁浅。

4.6 ｜香港之王

李小龙在成功扮演了"加藤"这个角色后，总会有一些心理变态的空手道习武者造谣说，李小龙被 10 个日本空手道选手打得残废甚至是被杀。如果按照这个逻辑，李小龙已经"被死亡"了很多次了。结果某些香港媒体在凌晨打来越洋长途向李小龙本人求证。

对于这样的谣言，他只能通过写信给好友小麒麟澄清。甚至在印度勘察《无音箫》外景时，还有类似流言传出。李小龙同时还回忆，1970 年的一个清晨，他曾接到过一个来自香港最大的商业电台的越洋长途,对他做了一个长达一小时的直播访谈。

一开始,他问我是否将返回香港,我说"很快就会回来"。接着他问我目前是否在拍电影,并且是否打算在香港拍电影。我告诉他,如果电影公司出的价钱合适的话,我可以在香港拍电影。

1970 年 3 月 25 日,李小龙携 5 岁的国豪飞回香港,准备为其母办理移民美国的手续,而琳达因为要照顾年幼的香凝则未能成行。当飞机抵达启德机场的时候,机场簇拥了一大堆记者,似乎迎接的是美国总统一般,这是他始料未及的。麦克风几乎伸到了李小龙的脸上,照相机拍个不停……这些记者围着李小龙问了一大堆问题,其中大部分问题已经在越洋长途中问过了。虽然感到非常莫名其妙,但是李小龙还是很有礼貌地回答了每个问题。

原来,《青蜂侠》剧集在美国播映时,配音版的《青蜂侠》(港名《青蜂双侠》)也在每周六晚 9 点于刚创立不久的香港国际广播公司翡翠台(TVB,1967 年创立)热播,李小龙在香港民众眼里俨然成了好莱坞明星、超级偶像。而李小龙即将回港的消息是何爱榆向报社透露的。李小龙回港时,电视台正在重播《青蜂侠》。看着电视机中说着中文的威廉姆斯,李小龙笑得前仰后合。鉴于李小龙的"明星"身份,他和国豪走到哪里都会有人认出他们,这种感觉,李小龙只有在《青蜂侠》播出后拥有过。报纸称呼他为"香港之王"。几乎每天都会有人来找李小龙,想前往好莱坞发展。

鉴于他那超旺的人气,自然引得多家香港电视台的青睐,已受到邀请的李小龙在姐夫俞明的帮助下,进入空手道桥治会做恢复性练习,并于 9 日、10 日连续两天参加了"欢乐今宵"(1967 年 11 月 20 日,无线电视台创建次日,由 21 岁的蔡和平创立的综艺节目,1994 年停播,共播出 6613 期)、"金玉满堂"的节目录制。观众们在电视机前见识到了李小龙那与电视剧集中截然不同的犀利身手,叹为观止。李小龙也乘此机会,在镜头面前宣扬自己的截拳道武学,各大报纸纷纷跟进,将李小龙进行表演的图片刊登在头版头条,并对李小龙的武技大肆渲染。

李小龙虽然对抨击中国功夫毫不留情,但是对于自己的师父依然非常敬重,他还抽空去见了叶问。叶问对于李小龙在国外多年推广普及咏春拳非常赞赏和欣慰,当他得知截拳道是从咏春拳演变而来时,也显得很感兴趣。于是,叶问让李小龙与咏春同门进行实战对练,自己则一边观战一边记着笔记。当传统的咏春拳遇上灵活多变的截拳道时,结果自然可想而知。李小龙对水户上原回忆道:

> 我不断地移动,拳脚并用,绝不给对手任何回到属于自己格斗节奏的机会。我想他一定很沮丧,因为如果我不加以控制的话,每次都能打到他。对咏春拳来说,截拳道太快了。接下来的那家伙沮丧极了,因为我一佯攻他就上当,有一次他几乎仰面朝天地摔倒,而我甚至都没碰到他。

而早先欺负过李小龙的那些助教级别的弟子们,眼见同门在脱胎换骨的李小龙面前一败涂地,还算有一些自知之明,怕出丑而不敢应战。这让李小龙很是鄙视。

在对练结束后,叶问将李小龙单独留下,让他将国外优秀武技一一展示出来,问了李小龙很多问题,并一一记下笔记,准备日后将这些技术和动作融入咏春拳中。

几次电视节目的露面,令李小龙人气暴涨。李小龙也通过已成为邵氏演员的童年好友小麒麟的安排,得以与邵氏高层见面,商讨拍片事宜。基于张彻一向对李小龙的赏识,以及李小龙在香港乃至东南亚的名气和在好莱坞的那些作品所带来的明星光环,邵逸夫一开始是非常重视的。更重要的是,邵氏看中的是李小龙强烈的个人魅力及非凡才华。不过,李小龙开出的条件比邵氏的预期实在高出太多:每部戏要价 10000 美元,拍摄周期不能超过 60天,剧本要让自己满意,有权对剧本做出修改,自己编排打戏。平心而论,李小龙所提出的要求是以美国电影制度下的明星制度为

标准,但是天真的他似乎忘了这是在香港。邵氏影城现任制片总监、当年邵逸夫最亲密的工作伙伴之一的黄家禧回忆道:

> 当时李小龙从美国回来,张彻找他试镜,我们都已经打算用他,但是他一部戏要 1 万块美金。我们自己的艺人,狄龙和姜大卫当时才 1 万港币,1 万块美金是 6 万块港币。狄龙和姜大卫已经成名了,还是 1 万港币一部戏,怎么可以给李小龙 1 万美金呢? 给了他 1 万美金,狄龙和姜大卫怎么办?

可以肯定的是,一向我行我素的李小龙开出的条件一点都没有变。邵氏觉得李小龙漫天要价,也太把自己当个人物了。双方都极为傲慢、自负,不欢而散也在意料之中。虽然张彻也曾向电懋推荐过李小龙,但最终也未达成意向。

3 周的香港之旅,李小龙有得有失。他曾在广播道丽的电视台大厦与张清见面,希望能介绍一些中国风味的音乐,供自己将来在《无音箫》中使用。除了应付各种应酬外,李小龙为石坚、邵汉生、区永年、陈达夫等武术界前辈在弥敦道 218 号对面的新乐酒店[1]设宴。4 月 15 日,曹达华一家与李小龙家人为李小龙父子在金山夜总会摆了践行晚宴。第二天,李小龙父子启程离开香港,飞回美国。

4.7 ｜ 山穷水尽

1970 年 2 月 5 日下午两点半,李小龙与李俊九一同飞抵多米尼加共和国圣多明各机场,参观在此开设的李俊九武术学院。经过长

---

[1] 新乐酒店,位于弥敦道 223 号,李家大宅对面。李小龙在离港之前,经常与家人在此聚餐。

途飞行,李小龙的腰背已经很难受,但他毫无怨言,依然在狂热的媒体和观众面前,表演了双手大拇指支撑、单手二指俯卧撑等常规节目。当然,还少不了表演"脚碎木板"。被踢碎的木板四处飞溅,甚至打碎了一盏照明用的灯。李俊九此后曾多次寻找该节目录像,但至今一无所获。李小龙还在采访中声称,他喜欢这个国家和这里的人民的简朴、真实,不像大城市的人那样虚伪,他会再回来的。

4月25日,从香港回到美国不久的李小龙着一袭白色西服,参加了李俊九跆拳道学院招待会。5月24日,李小龙偕妻子出席李俊九在华盛顿举办的空手道锦标赛,并做示范表演。这是他最后一次参加好友举办的比赛,也是他最后一次出席武术比赛。

各种长途飞行带来的腰背不适、心血之作《无音箫》前途未知、在香港为自己谋求后路又受挫、经济拮据到一堆账单无法支付……在多重压力下,回到美国的李小龙开始心烦意乱,这是习武者的大忌,偏偏此时李小龙的练功出现了巨大的偏差。

8月13日,李小龙在没有充分热身的情况下,扛着125磅的杠铃做"体前屈"练习时,不慎伤及腰部,疼痛难忍,在医院做了全面检查后,被医生诊断为第四腰椎神经永久性受损。这对李小龙绝对是个残酷至极、无比致命的打击。琳达对那段令人绝望的时期做了如下忆述:

> 医生建议小龙卧床休息,他们告诉小龙别再想功夫了,他已经不能再踢腿了。
>
> 这无异于给他笼罩上了一层阴云,他很沮丧。小龙在床上躺了3个月,接下来的3个月他只能在房子里走动,从桌子,到椅子,再到床。我所能做的就是在他面前提起他的个性、他的活力、他的梦想。可以肯定的是那段时间我们都绝望了……

尽管这次受伤是空前的,但是李小龙依然勇敢地面对现实,琳达在回忆录中接着写道:

114

……尽管他受到了严重的伤害而无法动弹,小龙并不接受医生对于他的永久性伤残的诊断结果。他一生都是一个对人生持积极思想的狂热分子,他一直坚信自己会痊愈,强烈的信念让他坚信自己能做到。同时,虽然他的身体不能再像雄鹰一样在天空翱翔,但他的思想可以。在接下来的 6 个月内,他不断地进行写作,用语言来表达他的格斗方法以及他的截拳道的哲学。他对于他那些大量的积累的各种形式的搏击艺术和哲学藏书进行了阅读并写下各种笔记。我至今还保留着他的大部分藏书。他在书的关键段落的空白和边缘处写下了大量的注解,看看有哪些能用于他的截拳道之中。

行动不便的李小龙此时可以抛开一切琐事,专心致志地看书了。他阅读着自己购置多年的那 2500 本藏书。对他影响最大的,莫过于印度智者、哲学家克里希那穆提[1]的书籍。虽然克氏的书李小龙早已不是第一次阅读,但在李小龙生命中的这个特殊时刻,克氏的洞见令他有如茅塞顿开、醍醐灌顶之感。其中的"生命各个层面的统合"与李小龙推崇的"完形疗法"如出一辙;"探索自己"日后更是被李小龙挂在嘴边;而"用自己的光来照亮自己"更是坚定了他的信念,他坚称"意志力可以消除一切障碍,甚至是疼痛!"。他在给友人的信件中除了励志的诗句、豪言壮语外,还加上一句"walk on"(继续前进)以示互勉;他严格尊重医嘱,按时服用止痛药,并采取其他如针灸、水疗类的物理保守疗法,以期早日康复。

李小龙并未像其他人想象的那样,对所有人都采取回避的态度。对于一般的来访者,琳达会以各种借口搪塞,只有他们的"死党"才能进入家中。

虽然李小龙重新振作起来,但是经济危机是不可忽视的现实问题。卧床休息的他无法外出工作,碍于生计,颇为大男子主义的他也只能万般无奈地让从未工作过的琳达外出谋生。好在琳达很

---

〔1〕吉杜・克里希那穆提(1895—1986 年)被公认为 20 世纪最伟大的灵性导师,是第一个用通俗、生动的语言向西方全面深入阐述东方哲学智慧的印度哲人。西方哲学界受其影响颇深,李小龙更是直接受惠于他。

快就找到了一份电话接线员的文职工作,从下午 4 点工作到晚上 11 点。而当她回到家中时,服用了止痛药的李小龙已经在药物的副作用下睡着了,子女们也很懂事,早早就乖乖休息了。而李小龙所留下的那些充满感激、爱意的纸条令琳达觉得自己所做的一切都是值得的。李小龙对此也心存感激。黄锦铭记得,日后他在短暂回美时,曾说出如下肺腑之言:

> 我记得有一次,在他第二部电影成功之后,李振藩回加利福尼亚,顺便到了我家,我驾车陪他去了赫伯·杰克逊家。当我们驾车在高速公路上行驶时,他说:"你知道吗?有琳达这样的妻子,我觉得非常幸福,在我缺钱,意志消沉的时候,她从不抱怨。当我背部受伤不能维持生计时,她甚至出去打工。当时我非常消沉、颓废,但她没有怨言,而是支持我、鼓励我。我认为我有今天的成就,完全归功于琳达的爱和支持鼓励,我是一个非常幸福的男人。"

卧床半年后,李小龙的腰伤逐渐痊愈。30 岁生日那天,李小龙家聚集了众多好友,稍显憔悴的李小龙收到了不少红包,看着比他更憔悴的妻子为其精心制作的绘有截拳道标志的蛋糕,会心地笑了。不过,快乐总是短暂的,眼下的他还是要为生计打拼,尤其是那催命的账单。

腰伤初愈的李小龙开始进行恢复性训练,几个月后,傲人身手神奇般恢复,让复查的医生极为惊讶,视为奇迹。

李小龙无时无刻不在担心着严镜海的身体,此时的严镜海由于焊接工作产生的烟尘导致严重肺病而无法工作,他去找公司要个说法,却被告知"这病并不是由于焊接所引起的"。虽然李小龙背伤初愈,并在休养期间写下多本武学笔记,准备用在新书《武道释义》(*Commentaries on the Martial Way*)[1]中,但在 1972 年,当

---

〔1〕事实上,按照李小龙的计划,《武道释义》原本应该在 1971 年出版,但由于忙碌的电影事业而未能如愿。直到 1975 年,他的弟子吉尔伯特·约翰逊得到琳达的授权,在伊鲁山度和李小龙其他弟子的悉心校阅下,将李小龙生前笔记与该书稿归纳整理后,才交付出版,这就是《截拳道之道》(*Tao of Jeet Kune do*)。

他得知严镜海罹患肺癌后,便毅然决定帮严镜海出版《咏春功夫》(*WING CHUN GUNG FU*)[1],他将书稿交给水户上原,建议他立刻出版该书并预先支付费用给严镜海。

一名对功夫怀有浓厚兴趣的 ABC 广播电视网员工艾德·斯皮尔曼将自己多年来对功夫的研究写成了一份厚达 44 页的调查报告,并与朋友兼搭档霍华德·弗里德兰德一起改编成了一个剧本,取名为 *The way of the tiger*,*The sign of the dragon*(按照字面意思,笔者拙译为《龙踪虎迹》),说的是 19 世纪的美国,一个叫金贵祥的少林僧人来到美国西部闯荡的故事。这样一个典型的"当西方遇到东方"的故事吸引了刚加入华纳董事会的弗雷德·温楚布[2]的兴趣,他收购了剧本,并在董事会会议上提交给华纳高层审议,虽然总裁泰德·雅士利个人很喜欢这个剧本,但还是被董事会否决了,这些顽固的股东们不认为观众能接受一个中国英雄。

1971 年的一天,李小龙的名人弟子,弗雷德·温楚布的好友,华纳同行赛·温楚布[3]向弗雷德引荐了处于困境的李小龙,他们很快就成了朋友。弗雷德很快就意识到,眼前这个小个子中国人就是饰演《龙踪虎迹》一号主角的不二人选。李小龙非常喜欢这个剧本,在得知该项目已无法拍成电影的前提下,便建议改编成电视剧集,他称之为《武士》(*The warrior*)[4],并多次与弗雷德洽谈,就改编成电视剧集后应增加或修改的内容提出了很多自己的意见

---

[1]《咏春功夫》中文版为《图解咏春拳》,李小龙只是挂了个"技术编辑"的头衔。在书中,严镜海将叶问为他亲笔签名的照片刊登了出来。1968 年或 1969 年,李小龙、黄锦铭、严镜海便开始写作这本书并拍摄照片,很快便定稿,但李小龙对可能有人会借用他的名义赚钱有所顾虑,所以决定暂不出版。

[2] 弗雷德·温楚布是《龙争虎斗》的联合制片人。1970 年,他成为华纳公司的副总裁。1972 年离开华纳,与保罗·海勒开创了红杉公司。曾制作过十多部动作影片,除李小龙的电影外,还有成龙的早期作品《杀手壕》等。

[3] 赛·温楚布,李小龙私教弟子,曾监制过《泰山》系列电影。

[4]《武士》剧集最后由大卫·卡拉丁主演,片名被改成《功夫》(*Kung Fu*),拍摄了 3 季,从 1972 年至 1975 年止,大获好评,成为经典之作。大卫·卡拉丁此后更成了"金贵祥专业户"。还主演过中国观众耳熟能详的《杀死比尔》中的比尔。

和建议。

下决心要拍电视剧集的弗雷德致电华纳公司电视部的汤姆·库恩，并会见了ABC广播电视网推广部的巴里·迪勒，后者对武术很感兴趣，决定立刻开拍成周播的电视电影。在进行角色分配的时候，弗雷德带着李小龙去见了汤姆。李小龙当着他的面要了一通双节棍，把他看得目瞪口呆。汤姆告诉弗雷德，李小龙的武技确实令人惊叹，但是如果要在如此长的剧集中担任主演是不合时宜的，也很难让人信服。最终李小龙也没有得到这个角色，理由居然是李小龙"太中国"了。

4.8 ｜ 嘉禾公司

1970年初，邵氏公司内部、各大媒体便开始盛传邹文怀将离开邵氏自组电影公司的消息。后来，邹文怀亲自出面，正式否认了这件事情，并声称将对此前王羽欲借合约期满而脱离邵氏一事采取行动。

但是没过多久，令人震惊的影坛地震发生了！

据悉，邹文怀曾在3月31日与邵逸夫单独会谈将近1小时。其间，邹文怀向邵逸夫提出离开邵氏的请求。邵逸夫见其去意已决，只得同意。4月3日，邹文怀正式提出辞呈，获得批准。而在2天前，何冠昌、梁风也已辞职。于是，各种传言重新复活，有说邹文怀的离开是因为不满邵逸夫重用方逸华，让其担任重要职务，变相架空他的权力。也有说，邹文怀早已想脱离邵氏，只是时机不到，此次得以单飞，是因为背后有好几家中国台湾及泰国的大财团支持。

邹文怀，1927年生于香港，原名邹定鑫，祖籍广东大埔，20世纪 30 年代初曾入读香港圣士提反书院。40 年代初,邹文怀随父母来到上海,就读于当时的圣约翰青年中学,其时已经创办并出版《体育周刊》。1946 年进入上海知名的教会学校——圣约翰大学(现为华东政法大学)攻读新闻系,力倡并主办中文版校刊,同时继续出版《体育周刊》。1948 年在上海《申报》当实习记者,1949 年毕业。在上海居住、生活了 9 年,邹文怀俨然成了半个上海人。

毕业后,最初想从事报业、创办连锁报馆的邹文怀回到香港,在英文报纸《南华早报》及《英文虎报》做体育记者,并兼职做丽的电台旗下的《丽的呼声》周刊编辑,协助该刊创业。就是在这里,他认识了胡金铨。当时他一共做六、七份兼职,也在《纽约时报》做兼职记者和新闻素材报料人,同时在杂志写文章、影评,后进入美国新闻处做编辑,一直做到"美国之音"(The Voice of America,1942年成立)电台台长。

20 世纪 50 年代末,香港报业老报人吴嘉棠力荐年轻的邹文怀为由新加坡前来香港主政邵氏影业公司的邵逸夫工作,邹文怀因其出众的语言天赋和聪明才智而深得邵逸夫赏识,在邵逸夫多次诚恳的邀约下,邹文怀终于出任邵氏宣传主任,同时,他还带来了自己的好友、时任《香港时报》采访主任的何冠昌。邵逸夫则对其信任有加,言听计从,连位于清水湾的邵氏影城都是邹文怀协助邵逸夫所买下。邹文怀还相继成功挖来一代影后林黛、乐蒂,武侠片大导演张彻等人,为日后邵氏影业帝国打下了坚实的基础,立下了汗马功劳。可以说,邵氏的半壁江山是邹文怀打下的。1965 年起,邵逸夫开始进军电视业,随后与利孝和、余经纬及英资公司合伙创办香港电视广播有限公司(TVB),出任常务董事,但重心仍放在电影业。

邹文怀和邵逸夫是两个性格截然不同的人:足智多谋的邹文怀善于识人、用人、放权,深谙管理艺术,邵逸夫虽然格局大,魄力非凡,但是局限于"家族制"的管理模式,任人唯亲。他利用"红颜知己"方逸华来架空邹文怀当然是邹文怀离开的一个因素,但是在邵氏 11 年,已成为公司"实际第一操盘手"的邹文怀与邵逸夫的公司管理理念已开始有较大分歧也是事实。

那时,邵逸夫依然沉醉于垂直管理的大公司制片模式,然而这种模式的源头——美国八大影业公司早在 20 世纪 60 年代中期就已经转向独立制片人制度。当时的香港报纸上也有对于独立制片人制度的介绍与分析。虽然邹文怀消息灵通,也早已洞悉西方的大公司模式必将解体,但是情商超高的他深知,要在邵氏的现行制度下推行独立制片人制度,无异于痴人说梦。因为他和总经理周杜文曾将这个想法以书面方式递交给邵逸夫审阅,并要求分红,但还是没有下文,最后周杜文辞职离开邵氏,于是邵逸夫先是聘请凌思聪继任总经理,随后又让"红颜知己"方逸华进入邵氏高层。方逸华进入高层后紧抓财政,这与邹文怀不惜成本拍好一部戏的理念起了冲突,双方开始产生矛盾。他也曾和何冠昌讨论起此后的发展前景,两人一致认为,他们在邵氏家族制的公司已经再无任何发展空间可言,此时,境外一些财团也在暗地支持邹文怀自组公司。因此,早在 1969 年,邹文怀便开始不动声色地与一些志同道合的同人们筹备新公司,并开始寻找合适的办公楼。

从邵逸夫安插方逸华到邵氏担任总务主任这个重要职位,到毫不犹豫地批准邹文怀、何冠昌、梁风等原制片部重要人员先后辞职就可看出,邵逸夫对于位高权重、功高震主的邹文怀也早已开始采取措施,时刻准备进行一次大换血。在邹文怀正式辞职获准 5 天后,邵逸夫即向外界宣布,让袁秋枫来顶替邹文怀的制片部经理之位。而袁秋枫一年前已和雷震合组金鹰公司,却同时又与邵逸夫来往甚密,可见那时邵逸夫便已窥得邹文怀之动向。

随着时间的推移,敏感的邵逸夫越发感到自己的权力正在被架空,觉得自己在某种程度上已成了"橡皮图章"——决定都是邹文怀做的,邵逸夫只需要同意他的决定,在文件上签字盖章即可。这可不是做惯了大家长的他能忍受得了的。

其实,真的让邹文怀离开邵氏,对之后的发展有何负面影响,邵逸夫也并无太大把握。犹豫不决的他于是请张彻在国宾酒店大堂见面,咨询他的意见,张彻略一思索,斩钉截铁地说了一个字"放!"。当时,他们可能认为邹文怀的新公司也许会掀起些小风浪,但是无法对邵氏造成实质性的威胁,这才放心地让他们离开。于是,邹文怀带着梁风、何冠昌等人,以40万港币自组电影公司。

　　低估了邹文怀的能力,邵逸夫很快就尝到了失算的滋味。

　　邹文怀除了眼光独到外,更懂得做人,因此,无论是演员还是编导,受了委屈都来找他倾诉或宣泄,这全赖于他随和的性格与在邵氏积攒了多年的好人缘。他在邵氏一手发掘了不少的红星,而郑佩佩和原文通的结合,正是他牵的红线。这些人饮水思源,感恩之余,决定发起一个"欢送宴"。名单长达丈余,人数多达400余人!就连见惯大场面的邹文怀都吓一跳。而他自己原本只在某酒楼预订了3桌只有"死党"才参加的酒席。这样的阵势,等于直接宣告邹文怀才是邵氏事实上的当家人,这确实让邵逸夫丢尽了脸面。这些员工,面对即将离职的邹文怀,依依不舍,甚至有许多人表示,如果邹文怀自组公司成功,日后有需要帮忙的地方,一定追随左右。这哪是邹主任,分明是邹老板嘛!

　　让邵逸夫更加意想不到的是,就在批准邹文怀辞职的消息对外宣传后,刚在台湾准备妥当,准备开拍新片《千里追踪》的导演程刚闻讯后第二天便急匆匆赶回邵氏,因邹文怀一行人的离去关系到自身利益,故提出要解约而被拒绝;紧接着,传出邵氏影星何莉莉也有等合约满后便投靠邹文怀的消息;白鹰、张曾泽、周宣、陈鸿烈等邵氏旗下艺人也纷纷表示已获刚定名的"嘉禾公司"〔1〕之邀请,并愿意为邹文怀效力;罗维、徐增宏、乔庄等导演也先后加盟嘉禾公司,为邹文怀拍戏。除此之外,嘉禾公司获得了牛池湾斧山道

---

〔1〕根据20世纪70年代香港报纸记载,邹文怀自组公司之初,曾一度命名为四海公司,后改为永联,最后在喝酒时与胡金铨一起定名为嘉禾公司,取富裕丰收之意。"嘉禾"二字由张大千所写。办公地址在弥敦道的东英大厦。

永华片场的管理权，并通过与国泰[1]的合作拥有了海外发行渠道，建立了独立院线。同时，在香港、台湾招募新人；送导演黄枫、制片吴新运去台湾勘察外景，为即将开拍的新片"布局"；即将于7月26日在台北结婚的郑佩佩也口头答应在婚后便会为嘉禾公司拍片；而邵氏千方百计提高薪酬，也未能留住导演罗臻……

嘉禾公司行动之迅速令邵氏猝不及防，而邵氏内部一个个负面消息又接踵而至。眼看局势开始失控，虽然邵逸夫已将方逸华调任采购部主任，但是三哥邵仁枚依然不得不在短短几天内再次由新加坡来港，亲自坐镇，主持大局。邵逸夫只得借去日本处理业务之际，避下风头，等三哥安排好一切再回来。反观嘉禾公司这边，已找好了几位新人，开始拍片了。

至1970年底，嘉禾公司已经拍摄了5部影片，另有5部电影即将投入拍摄。这10部电影总共投资将近千万。观众们对嘉禾公司的作品充满了期待。

嘉禾公司与邵氏的对台戏，才刚刚拉开帷幕。

---

[1] 国泰电影集团原名国际电影懋业有限公司，简称电懋。创办者陆运涛是马来西亚富商陆佑之子。在整个20世纪60年代都是邵氏最大的竞争对手。

第五章

最后的岁月（I）

5.1 | 初露曙光

在卧床休养的那段日子里，不断有港台的电影公司和一些独立制片商与李小龙洽谈合作事宜，开出的价钱从 2000 美元到 10000 美元不等。但是李小龙认为这些人缺乏起码的诚意，完全靠不住。在《无音箫》无限期搁浅后，李小龙想乘这个空当去香港接拍一两部戏，缓解经济压力，所以他依然没有放弃与邵氏谈合作。与此同时，小麒麟与顶替邹文怀上位的袁秋枫进行了洽谈，邵氏也做了极大的让步，开出了自己的条件：一部戏 2000 港币，签约 5 年。声称只要李小龙回港，什么都可以谈。李小龙无法接受这种态度，他本来就不是一个容易相处的人，脾气很暴躁，自尊心又强，他无法想象自己怎么在这样一个公司里工作。他和邵氏的合作彻底崩了。

李小龙 1970 年来港时，邹文怀刚创立的嘉禾公司急需一些演员来打开局面。邹文怀原打算联系李小龙，但得知李小龙开出的条件太高，一时间令他无法承受，且李小龙那时已离开香港，与之洽谈的想法只能暂时搁置。

王羽和胜新太郎在日本拍摄的《独臂刀大战盲侠》[1]以及嘉禾公司的其他一系列影片上映后皆取得不俗票房，公司经营逐渐有了起色，尤其是创业作《天龙八将》，上映后票房超过百万，《独臂

---

[1]《独臂刀大战盲侠》是由王羽与日本刀剑片《盲侠》主角胜新太郎所联合制作的中日合拍片。邵氏曾利用其势力阻止该片在香港上映，还与嘉禾公司对簿公堂。嘉禾公司一审胜诉，邵氏请了御用律师继续上诉，最终嘉禾公司败诉，被判该片不得在港上映，赔款 10 万。当官司打完，该片早就赚了一大笔下档了。

刀大战盲侠》首日上映也有 12 万入账。在那个年代，一部影片的票房若是达到或超过百万，已经很了不起了。从邵氏演员转而做导演并加入嘉禾公司的罗维，便是在 1969 年，凭借郑佩佩主演的《鳄鱼潭》，成了"百万导演"。

　　除去那些超过百万的票房，单以同期上映的日平均票房来计算，嘉禾公司也不落下风。如果把电影比作田径场，那嘉禾公司就是一流的短跑高手，邵氏与他在这个领域竞争，几乎占不到什么便宜。但是，嘉禾公司不过是苦苦支撑，在电影界短期生存没有问题。所以，邹文怀除了挖来王羽这块金字招牌外，只希望能尽快找到一员能助自己打开局面的大将。而公司高管们几乎是同时就想到了已在美国定居的郑佩佩。

　　1971 年 6 月初，刘亮华专程赴美，游说郑佩佩为嘉禾公司拍戏，郑佩佩一口答应。

　　斯特林对《无音箫》的事耿耿于怀，他一直认为李小龙完全能够当上好莱坞电影明星，可惜没有合适的大银幕表演机会，只能在电视剧里饰演配角，完全是大材小用。斯特林是全美最优秀的编剧，《无音箫》的搁浅也等于是否定了他的努力，他要为自己找回荣誉，也要为李小龙讨个公道。在印度的时候，他就着手为李小龙量身定制了一个剧本《盲人追凶》（*Longstreet*）[1]，并亲自来到派拉蒙公司电视部，找到托马斯·坦纳邦（电视制片人），与其洽谈开拍一个新的电视剧集。

　　像斯特林这样的著名电影剧作家肯自动"屈尊"要求开拍一部电视剧，坦纳邦当然是求之不得。况且，在艾德·帕克门下学过空手道的坦纳邦也曾随李小龙学过武，持有一份《陈查理长子》试镜拷贝，因此，斯特林金口一开，坦纳邦便立刻同意开拍新剧。该剧第一集名为"截拳之道"，是斯特林专为李小龙量身打造的。李小

---

[1] *Longstreet*，国内曾翻译为《长街》《窄巷》。该部剧集拍摄了 2 季共 23 集，李小龙出演了其中的 4 集。

龙见到这个剧本后也惊喜不已。他也因此而得以在该剧中展现自己的精湛身手及独特的练武方式，并借此阐述自己的武学思想。

清空你的思想。无形无式，如水一般。将水倒入杯中，它变成杯的形状；将水倒入瓶中，它就变成瓶的形状；将水倒入茶壶中，它又变成茶壶的形状。水可静静流淌，亦可猛烈冲击。像水一样吧，我的朋友！

尼克松于 1969 年就任总统后，为了摆脱越南战争的泥沼，改变当时苏攻美守的战略态势，决定与中国改善关系。1971 年 4 月间，美国白宫发言人在新闻发布会上表示，尼克松希望有一天能访问中国。于是，中方顺水推舟，邀请正在日本名古屋参加第三十一届世界乒乓球锦标赛的美国乒乓球队访华。这就是著名的"乒乓外交"。随后的 7 月，基辛格在访问巴基斯坦期间秘密访华，为来年尼克松的破冰之旅做了铺垫。

商人们的政治嗅觉总是比政客们敏锐得多，行动也迅速得多。就在李小龙拿到《盲人追凶》剧本后不久，本已束之高阁的《无音箫》又被华纳公司提上了议事日程。这可真是太戏剧化了，不久前的李小龙不但没戏拍，还处于破产的边缘，现在居然处处浮现"救命稻草"，莫非真是"柳暗花明又一村"？不管怎么样，李小龙的处境正在变好，这是处于人生最低谷的他最需要的变化。

刘亮华在游说完郑佩佩后，又与李小龙进行了洽谈。虽然李小龙去年在港时期就听说过嘉禾公司，只知道是一家创建不久的小公司，但是他觉得嘉禾公司起码表现出了足够的诚意。加上刘亮华过人的口才，李小龙便口头答应与嘉禾公司签约，并去电影院看了多部香港出产的武侠片，看后大失所望。

这太可怕了。所有人时时刻刻都在打斗，更糟糕的是，他们连打斗的方法都一样。当你卷入一场争斗中，每个人的反应都是不一样的。这些电影都太肤浅、太单调了。

幸福来得太突然，面对如此多的选择，李小龙开始拿不定主意了：是继续留在美国发展，还是去香港？虽然反复权衡利弊，还是举棋不定。于是，李小龙开车前往拉斯维加斯，花了 40 美元拜访了一位占星家，这位据说占卜准确度极高的占星家告诉李小龙，他将会成为东方的大明星。

虽然因为印度之行与科本有点不愉快，但在斯特林的调解下，两人很快就冰释前嫌。在与李小龙谈到未来的发展，尤其是《武士》片集的时候，科本强烈反对，认为李小龙继续待在美国拍电视剧纯属浪费才华。况且，《盲人追凶》第一季只有 13 集，不值得为这么一部电视剧拼命。他力劝李小龙回香港发展，至少在那里，李小龙有足够的空间一展身手。李小龙又去拜访了弗雷德·温楚布，后者也给出了一样的建议。

《无音箫》再次洽谈无果，《武士》剧集更是早就没有希望，派拉蒙对是否与李小龙进行长期合作的态度颇为暧昧。基于以上种种原因，6 月 28 日，正在与詹姆斯·弗朗西斯科斯拍摄《盲人追凶》的李小龙收到嘉禾公司用航空信寄来的正式合同，遂果断签约。合同商定，他将为嘉禾公司出演两部电影：《唐山大兄》与《大侠霍元甲》，每部片酬 7500 美元[1]。

在离开美国之前，李小龙与严镜海、水户上原一起共进午餐，欢声笑语中也难掩一丝不舍之情。不过想到李小龙将会在香港开辟出一片属于自己的新天地，已身患重病的严镜海也由衷地为李小龙感到高兴。

---

〔1〕按照合约，李小龙除拿到《唐山大兄》的 7500 美元，第二部《大侠霍元甲》的片酬只能拿到三分之一。当两部片全部拍完后，才能拿到剩余 5000 美元。而这张 10000 美元的支票除了偿还账单，还有一部分要还给自己的朋友们。李小龙动身回香港拍戏时，在变卖了跑车，还了部分欠款后，只剩下 50 美元。

5.2 |《唐山大兄》

按照合同约定，李小龙于 7 月 12 日动身飞赴香港。就在出发前 3 天，李小龙接到坦纳邦的电话，称将为其量身打造一部电视剧，还准备让他在《盲人追凶》中出演轮换角色，这样的好消息连李小龙自己都觉得不可思议！

早些时候，曾有消息传出，导演张曾泽有意带着剧本《红胡子》投奔嘉禾公司，结果却转投了邵氏。邹文怀为了避免同样的事件重演，防止李小龙在香港被其他公司半路"截和"，要求他不要做太多逗留，即刻飞往泰国，与已在曼谷的外景队会合，李小龙一口答应。

几经辗转，李小龙来到了曼谷北部一个叫作北冲（也译作巴冲、柏庄）的落后小村庄。在交通不便的北冲，李小龙与匆匆赶来的邹文怀见了面，两人握了手后，他满怀信心地断言："看着吧，我会成为世界上最伟大的中国明星。"李小龙出此豪言并非无的放矢。那时的香港电影注重数量，不求质量，刀剑片泛滥，实打实、拳拳到肉的徒手格斗电影几乎不存在。而现在，李小龙就在拍徒手格斗的电影，这真是一个千载难逢的好机会。

之后，李小龙与早他几天到达的刘亮华以及稍后赶来的女主角衣依、田俊等人随同外景队人员寻找合适的拍摄场地。在拍戏过程中，李小龙也对刚拍完处女作《追击》的衣依倍加照顾，经常指点她的演技并给出一些建议，还教她练武，等到影片拍竣，衣依的身手也有所长进。

嘉禾公司和李小龙签约的消息在香港传开了，邵氏震惊之余也甚是后悔。此时的邵氏也顾不上什么面子，急急打电话联系李小龙，想方设法地要把他从嘉禾公司的手里抢过来。其他的东南亚片商们也闻风而动，通过各种方法联系李小龙，甚至有一家台湾公司许诺将支付比嘉禾公司更高的薪酬，让李小龙撕毁与嘉禾公司签订的合同，并承诺为其承担一切法律后果。但李小龙一诺千金，白天依旧为嘉禾公司卖力拍摄《唐山大兄》，晚上在闷热、到处是蚊子和蟑螂的北冲新湾仔酒店给琳达写信诉衷肠。

北冲这个极为落后原始的小村庄，什么都没有：没有娱乐，没有电话……剧组的安排也是一切从简：没有特别更衣室，没有化妆间，没有给李小龙一个好莱坞明星应有的待遇，大家坐在一起吃饭，住在一样条件极差的旅馆里……这让习惯了美国标准的李小龙很不适应。最让人无法接受的是，这里的饮食也成问题，别说没有肉了，即便有，做出来的牛排也硬得像铁板一样难以下咽。这让他更想念家人和琳达的厨艺。在将支票寄回美国支付已堆积如山的账单时，他在随后的数封信中向琳达诉苦：

> 这村子里没有啤酒，鸡肉和猪肉也很少见，我真希望有你在我身边，因为我十分想念你和孩子。这个村子太破了，不像家里……我到泰国拍摄外景地已经 15 天了，但仿佛已经在这里生活了一年！这里没有肉，我只好吃午餐肉罐头，幸好我带来了维生素。我十分想念你，但你和孩子无法待在这里，这个小村子很贫困，物品也很匮乏……明天还要拍打戏，整天拍打戏，真累啊……我真想离开这里去曼谷，至少那里情况要好一些，那时我可以飞到香港，为你和孩子的到来做一些必要的准备——我太想见到你和孩子了。

虽然邹文怀也不敢保证李小龙这位"外援"能给自己带来多大的帮助，但是依旧抱着"赌一把"的心理，让剧组以明星的标准，给李小龙配备了专用化妆师、休息椅，甚至是专用面巾纸，更将该片定为该年主要制作。而在导演问题上，嘉禾公司决定让演员出身的吴家骧执导。吴家骧名气不大，脾气不小。在转行做导演后，拍摄的也大多是文艺片，由他来执导一部动作片，后果可想而知。开拍第一天，李小龙就因为拍片的理念问题与他进行过激烈的争论，甚至认为他的导演手法非常业余，影片的拍摄就此陷入了僵局。刘亮华见势不妙，赶紧打电话回公司汇报情况。嘉禾公司顾全大局，让何冠昌将正准备为《鬼流星》做宣传的罗维火速调往北冲，替换吴家骧。

虽然李小龙认为罗维的水平也一般，但整体上还是要比不靠谱的吴家骧强不少。不过，让李小龙很不开心的还是罗维那霸道的性格。两人都是火爆脾气，且快人快语。曾有香港媒体称罗维"性格天真"，李小龙与之相比也是半斤八两。罗维很不喜欢李小龙的美式思维和作风，尤其是勾动食指，大声叫着他的名字，好像在叫一条狗一样，这让罗维觉得李小龙很不尊重他。而即便是李小龙就事论事地对导演的拍片方式有所微词，并发表自己的意见或建议，或对某些戏份说出自己的想法，也会被罗维视为挑战导演的威信与权力。拍摄期间，李小龙几乎是每事必问，于是罗维给他起了个"点解龙"（"点解"，粤语，"为什么"的意思，意思就是什么事都要问）的绰号。

作为被高薪聘请、有着好莱坞演艺背景的华裔演员，本就有着深厚的演艺资历的李小龙说话自然有一定分量。于是，李小龙很快就掌控了打戏的编排，教演员们如何在镜头前进行正确的武打表演。剧组还聘请了几位当地的泰国武师来扮演那些负面角色。虽然武术指导是韩英杰[1]，但是李小龙也设计了一些打斗场面，而这些泰国拳师不听李小龙的，李小龙与其中一位演员小试身手后，这些家伙马上就老实了，乖乖跟着李小龙拍戏。李小龙后来才知道，和他试手的那位泰国演员就是自己去看的蝇量级泰拳挑战赛冠军。

虽然演员表上的正牌武术指导是扮演片中大反派的韩英杰，

---

[1] 韩英杰，上海人，是成龙师傅于占元的女婿，于素秋姐姐于素春的丈夫。

但他和李小龙之间的合作确实相当融洽。拍片时，李小龙重腿误伤韩英杰面部，便被媒体渲染为"公报私仇"，但两人却因此成为好友。罗维作为导演，对武戏有自己的见解，他与李小龙有一些分歧也属正常，但他们的矛盾被某些媒体肆意夸大，进一步渲染为"罗李交恶"。而衣依的看法非常客观：

> 李小龙工作态度是非常认真的，他会一再地与罗维导演争吵，说片中的打斗场面不应该打得那么多，打得太多会"死人"的！不过，当他看过试片之后，发觉打得太少了，他会愿意在某些地方补拍若干镜头，在真理面前，他愿意屈服。

李小龙也坦然承认，在拍片过程中，他和导演罗维曾发生过争执，不过大家的出发点都是为了拍出好片。双方的意见很容易获得统一。

嘉禾公司在拍摄了几部沿袭着邵氏武打风格的影片后，一种手法较为细腻，会烘托气氛，打斗明快简洁的新型武侠片在罗维的执导下成型，代表作为《鬼流星》。该片上映后，票房出奇的好。于是，苗可秀带着嘉禾公司嘱托的任务飞赴泰国，将喜讯告诉罗维，顺便度假。考虑到苗可秀从出道以来便拥有的超高人气，罗维便顺便让她在《唐山大兄》一片中客串了一个只有几场戏的卖冰女角色。

短暂的磨合期后，李小龙开始与罗维和剧组有了较好的默契，拍摄进度也开始加快。拍摄间隙，李小龙会为剧组人员施展他从赛伯灵那学来的理发技术，或是为大家按摩，减缓拍戏所带来的疲劳。他还会把韩英杰和衣依叫到他的房里欣赏自己买的新衣服。令人意外的是，衣依和李小龙裤子的腰身尺码是一样的，于是以后从裁缝处定制喇叭裤时，只要一个人去量尺寸就行了。

忍受着腰疼的李小龙一次不慎将一个超薄玻璃杯捏破，右手手指缝了十针；由于日夜赶戏以及饮食的问题，他瘦到了128磅（58公斤）；还因感冒发烧了，在拍摄一场打戏时扭伤了脚踝。不过李小龙似乎对这些并不很介意,他关心的是电影的质量。无论前景如何,质量在他心中永远是第一位的。

北冲的外景拍完后,剧组住进了位于曼谷的酒店,一切也逐渐变得好了起来。至少,李小龙可以在酒店的点唱机上随意点歌,用他那极具特色的低沉嗓音,旁若无人地唱着自己喜欢的歌曲,随着音乐即兴起舞。李小龙还买了一对戒指,作为结婚七周年纪念日的礼物[1]。

5.3 | 狗尾续貂

派拉蒙公司看了刚拍完的《盲人追凶》后,决定为李小龙打造一部电视剧,并让他在《盲人追凶》中饰演轮换角色,但是由于李小龙履行与嘉禾公司的合约,合作便暂告一段落。在泰国拍摄期间,派拉蒙又向李小龙提出合作要求,并允诺9月初再为其安排3场戏。但是当兴致勃勃的李小龙发电报与坦纳邦确认合作条件后,派拉蒙又没有了回音,这让他很是担心。他并不想在香港拍很长时间的戏,他认为拍摄制度、酬劳、演员保障等各方面都成熟的好莱坞才是自己理想中的发展之地。况且,美国还有他日思夜想的家人、朋友们。

李小龙担心与派拉蒙的洽谈会像华纳那样无疾而终,嘉禾公司同样担心接到邵氏越洋电话的李小龙会不会随时撕毁合约。事实上,李小龙已经预感到派拉蒙有敷衍之意,便开始考虑退守香港

---

[1] 李小龙与琳达结婚时,并没有真正属于自己的结婚钻戒,他一直对此愧疚于心。虽然在婚后一年,李小龙补买了戒指,但心结依然没有解开。于是趁此机会,买了一对钻戒,算是对那次仓促婚礼的补偿。

发展。虽然各方面无法与好莱坞相比，但至少留在香港，他在演艺事业方面的发展会比在美国更顺利些。

9月3日下午3点，剧组回到香港，嘉禾公司高层及部分员工、TVB部分员工前来接机。随后，剧组在机场开了一场盛大的记者招待会。嘉禾公司自成立一年多来，如此隆重地为一部影片、一个影星召开招待会尚属首次。数十位中外记者到场，电视台也出动了，可见李小龙的影响力。但是记者们的焦点只集中在李小龙一人身上，这让导演罗维很是不满，不久后传出的"李小龙不懂在镜头前表演打戏""李三脚只会三脚"等谬论皆是出自这位"三百万导演"之口。不过"李三脚"这个绰号在宣传时收到了很好的效果。

席间，李小龙表示，他还没有做长期留港发展的计划，这并不是说他不喜爱中国电影，相反，如果有好的剧本，有像嘉禾公司那样制作严谨的公司，他是愿意为中国电影尽自己的力量的。但在美国有他多年来辛苦创下的事业，骤然放弃那是不可能的。只要香港方面开出优厚的条件，他可以考虑在香港多拍几部电影，不排除和王羽合作的可能。

李小龙认为，美国的影视公司要他扮演的角色多为歹徒，这让他觉得很窝囊。所以，他希望自己的电影能让全世界认识什么是真正的中国功夫，尽自己全力为中国武术争一口气。

二十分钟的记者招待会结束后，李小龙又马不停蹄地赶到无线电视"欢乐今宵"节目，接受主持人谭炳文的访问。当晚，嘉禾公司为剧组一干人等在酒店接风洗尘。第二天，正在拍摄制冰厂内景的李小龙又抽空接受了ATV[1]的访问。影片刚拍竣，李小龙已看过样片了，当时该片尚未剪辑、配音，但李小龙已感到相当满意，看到高兴之时，他更是眉飞色舞，对着放映人员即兴表演，博得大家一片掌声。

---

〔1〕ATV，即亚洲电视，简称"亚视"。于1957年5月29日正式开业，前称丽的映声及丽的电视，简称RTV。1982年9月24日起易名为亚洲电视，并一直沿用至今。

　　李小龙最终与派拉蒙达成协议，再拍3集《盲人追凶》。9月6日，李小龙离开香港，回美国拍电视剧。嘉禾公司须等到他回港之后，才能开拍《精武门》。

　　在美拍摄期间，《盲人追凶》中的《截拳之道》部分一经播出便引起巨大反响，观众们对李小龙的武技和哲学思想极为叹服之外，也非常欣赏他的演技。李小龙得知这个消息后，欣慰地对媒体说："这是第一次有人赞美我的演技。"《截拳之道》是斯特林的心血之作，某种程度上可视为《无音箫》的电视单集浓缩版，是李小龙武学思想的集中体现。而斯特林匆忙赶制的3集剧本质量相较于《截拳之道》一集的巨大成功，则显得有些"鸡肋"。李小龙赶到时，只能机械化地按照剧本演出，确有"狗尾续貂"之嫌。但他已经顾不得这些了，几个月来，他的心境已经起了变化，在美国出演电视剧不过是履行合约，实则他内心对《唐山大兄》的成功抱有极大期望。

　　阔别几个月，科本又和李小龙见面了，两人寒暄几句后，李小龙再次向他征求未来发展方向，科本仍然坚持拍电视会"埋没"人才的说法，建议李小龙立足香港发展。

　　回到加州，李小龙便迫不及待地戴上久违了的头盔和拳套，与弟子们进行实战练习。他的好友，琳达·帕尔默（曾是泰德·雅士利和赛·温楚布的前妻，2013年去世）拍摄了许多照片，其中的一些照片随同李小龙那篇《将自己从传统空手道中解放出来》的专稿一并刊登在9月号的《黑带》杂志上，李小龙也成了这一期的封面人物。

　　在李小龙拍片期间，嘉禾公司接手国泰的永华片场，更名为嘉禾公司片场。这也从一方面显示出了公司对李小龙非常有信心，因而敢于如此大手笔拓宽业务。

　　10月16日晚10点，李小龙携妻子儿女及弟子罗伯特·贝克回到香港，当他们步出飞机的那一刻，惊讶地发现已经有大量的记者在此等候。同时，邹文怀及全体嘉禾公司员工、蔡和平偕同TVB部分员工前来迎接。一群童军知友社的童军打着写有"欢迎唐山大兄李小龙莅港为香港童军总会义映筹款"的旗帜列队护送，闪光灯此起彼伏，场面非常隆重。这一切都让李小龙夫妇感到了成为巨星的气氛。李小龙隐约觉得，他就要成功了。

嘉禾公司将李小龙一家暂时安排在窝打老道山文运道2号"明德园"14楼A座。在此居住期间，李小龙因练功器械尚未运抵，只能以与一部经常会出故障的老式电梯比快的方式来跑楼梯，以此维持基本训练。入住后不久，从英国回来的胡奀一家也住到了李小龙家中，琳达便是从胡奀处学到了一口较为流利的粤语，还烧得一手好粤菜。但是因为不怎么交际，所以如果不是媒体爆料，很少有人知道琳达会说粤语。

在休整了几天后，10月21日，《精武门》开机。第二天，李小龙与贝克两人应邀在"欢乐今宵"节目中亮相，搭档表演截拳道，也是为即将拍摄的《精武门》造势。

5.4 ｜ 平地惊雷

《唐山大兄》尚未正式上映，已有20多家包括平时只放映欧美影片的电影院希望能获得影片的放映权，一部影片未映先热，实属罕见。尽管李小龙认为这部戏拍得很好，可他还没看过最终剪辑完的影片，因而不知观众会对影片作何反响。

10月23、24日，《唐山大兄》上映特别午夜场[1]和周日早场；10月26日起，《唐山大兄》上映午夜场，场场爆满。《银河画报》嗅到商机，迅速通过各方渠道，搜集到多幅李小龙珍贵照片，于28日

---

[1] 午夜场，是香港电影的一大特色，通常在电影正式上映前一周左右放映，用来试探观众口味，以便能有时间做出相应调整，是影片是否成功的风向标。

出版《李小龙特辑》，大赚了一笔。

《唐山大兄》的编剧是香港著名作家倪匡，剧中的郑潮安确有其人，但是在拍摄中，李小龙和罗维都对剧本做了某种程度的修改。影片拍竣后，又对部分镜头做了删减。

许多影评人士在观看了《唐山大兄》后，对此片评价甚高，认为该片与一般的武侠片不同，除拳拳到肉、耳目一新的真打实斗外，演员们通过细腻的演技刻画出了真实可信的人性。此前，香港的武侠片虽然开始升温，但大多数是直接模仿自日本的刀剑片，动辄缺胳膊断腿，血肉横飞，飞檐走壁，一点都不真实。影评家和剧院经理们认为，这部片轻轻松松破百万票房不是问题，甚至认为，如果宣传措施得当，票房可能达到 200 万。

为了配合宣传攻势，《唐山大兄》原定于 11 月 4 日在港推出。为了阻击嘉禾公司，邵氏于 10 月 29 日上映罗维导演的《冰天侠女》，用罗维的作品相对抗，来达到分流观众和票房的目的。嘉禾公司毫不示弱，10 月 31 日，《唐山大兄》提前 5 天在全港 16 家电影院正式上映，每家电影院每天上映 7 场，当日便收 37 万。回忆起首映日当天的盛况，琳达仍历历在目。

1971 年 10 月，我们到香港不久，参加了《唐山大兄》的首映式，共同经历了一个难忘的夜晚。李小龙心情十分紧张，因为香港观众对新片的反响通常十分敏感。但那一晚，几乎每位观众都被李小龙迷住了，他们欢呼雀跃，对李小龙佩服得五体投地。在影片放映不到两小时的时间里，李小龙成了电影红星。

当我们离开剧院时，被欢呼的人群包围了。一位美国娱乐评论家写道："这是李小龙拍得最成功的一部影片，也是电影史上塑造得最杰出的人物形象之一，他几乎可与克林特·伊斯特伍德、史蒂夫·麦昆和詹姆斯·邦德相媲美。"

挟着前些天的特别优先午夜场、特别优先早场所带来的 33 万票房，《唐山大兄》3 天就轻松过了百万大关。因此，11 月 3 日晚 9

点，李小龙作为主礼嘉宾，在出席海运戏院举办的童军慈善筹款活动时，面对驻港英军三军总司令韦达中将夫妇等名人政要谈话时，也显得底气十足。在义映典礼上，李小龙亲口透露，华纳催他回美国去拍《武士》剧集。东南亚各地片商及组织也纷纷发来贺电，并与嘉禾公司商谈购买版权事宜，这让邵逸夫很没面子，于是又安排6日上映《火拼》。前有"冰封"不成，后有"火拼"到底，火药味十足。但是邵氏绝没想到，这两部电影在《唐山大兄》那凌厉的攻势下，总共上映了19天，总票房一共才收113万，败下阵来。而《唐山大兄》在上映10天便收得250万的情况下，《龙门客栈》《龙虎斗》所创造的票房纪录便被先后打破，甚至连《音乐之声》在香港创下的票房奇迹也一并被打破。从这部电影开始，李小龙开创了一种新式电影类型片——"功夫片"。

邹文怀对这样的结果自然是喜上眉梢，庆幸自己没有看走眼，嘉禾公司也因此摆脱了邵氏的围堵，自然一吐心中郁气。11月6日晚，嘉禾公司早早设了庆功宴，原创人马如数出席，嘉禾公司高层均亲自接待，同时贴出大量宣传海报和剧照，为《精武门》做前期宣传。李小龙自然是媒体的焦点所在。

影片上映后，嘉禾公司每天都能收到影迷们数以千计的来信，索要李小龙的签名照。于是，公司印制了大量李小龙签名照，观众们随票便可获取。

在公映的23天内，《唐山大兄》最终收319万，创造了香港电影票房新纪录。有人调侃，"李三脚"每一脚价值100万。"粤曲王子"郑锦昌也顺应潮流，根据此片创作了同名歌曲，深受李小龙喜爱，而该曲也在东南亚成了影片《唐山大兄》的非官方主题曲。

眼看自己回港的第一部影片便如此成功，更坚定了李小龙在香港这条"后路"上发展自己演艺事业的决心。1972年1月5日，李小龙将妻子及一对子女先行送回美国，处理一些琐事，并将自己的房子以57000美元卖掉，这是真下决心在香港发展了。1971年底，他在《精武门》拍摄完毕之后，写了一个剧本《一竹定金山》，但未能开拍。

王羽是李小龙走红香港之前的影坛霸主，凭着《独臂刀》系列异军突起，独步江湖。1971 年，他拍摄了 8 部电影，都属刀剑片，除《独臂拳王》《独臂刀大战盲侠》与《黑白道》刚过百万外，剩余 5 部的平均票房不过 50 多万，平均上映时间不过 9 天便下片。戏拍得太多，又一窝蜂地接连上映，加上情节过于简单肤浅，再用心演出也变成了粗制滥造，造成了观众的审美疲劳，不叫座也在情理之中。这就给了一向讲究影片质量的李小龙一个绝佳的惊艳亮相的机会。王羽感受到了很大的压力，他在接受记者采访时表示迫切希望自导自演的《独臂拳王》能与李小龙分庭抗礼，捍卫自己的霸主宝座。

除了在印尼以莫名其妙的原因被禁映外，《唐山大兄》在罗马、贝鲁特和布宜诺斯艾利斯等海外市场也广受欢迎。这部电影在菲律宾播映了半年之久。李小龙对记者说："我们知道该片肯定会受欢迎，但我得承认，我真的没想到会取得这么大的成功。"虽然一夜成名，但他非常清醒，并将成功的原因归于自己的妻子。

我是一个幸运的人，并不是因为我的电影在世界各地打破票房纪录，而是因为我有一个好妻子，琳达。她非常优秀……我们彼此理解，就像一对好朋友。这样，我们就能快乐地共度时光。我生命中最大的幸运就是遇见我妻子，而非《唐山大兄》。

5.5 | 锋芒太露

许多跟风的制片商以为拿钱就能拉拢李小龙，这让李小龙很

是反感,他一再对媒体声称:

很多人找到我家,有的人还给了我一张20万港币面额的支票。我问他们想要什么,他们却回答说,"没什么,这只是给你的一份礼物。"可是,我根本不认识这些人。如果突然有人给你一大笔钱,你会怎么想?我真想撕毁所有支票,但是我不能这样做,因为我不知道他们到底想要什么。当然,对于我的生活来说,钱很重要,但钱绝不能代表一切。我不知道我可以信任谁,我甚至怀疑起多年的好友。那段时间,我总是觉得别人想利用我。

他们都试图以巨额金钱引诱我,除此以外没别的。但是,说心里话,我只是想公平合理地分享他们的利润。我渴望拍一部真正的好电影。但是,很遗憾,有些制片人辜负了我的期望。实际上,我很乐意和任何人坐在一起认真地就拍摄一部高质量的电影促膝长谈。

虽然《唐山大兄》成绩傲人,但是当时的罗维和李小龙,都不敢居功,至少在当时,双方面对媒体时都表现得非常谦虚,礼让有加。罗维还对媒体声称,李小龙有演出喜剧的天赋。

在《唐山大兄》热映时,美国方面多次催促李小龙回美洽谈《武士》片集。与此同时,美国片商也联系到嘉禾公司,洽谈购买《唐山大兄》版权及在美放映事宜。但是李小龙正在拍摄《精武门》,短期内没法赶到美国,而主演《武士》是他的梦想,这让他很是为难。在与嘉禾公司紧急磋商后,决定先赶拍他的戏份。

就在李小龙日夜赶戏之际,美国方面传来坏消息:ABC广播电视网不同意让他出演。会议中,华纳与ABC广播电视网有了不小的分歧,前者力挺李小龙出演主角,而后者压根就没有考虑过李小龙,他们认为应该找个更为健硕的美国演员来出演主角。也有人认为,既然要表现一个亚洲人的形象,那为什么要让白人演员来演?还有人说,"有谁会去看一个身高不过1.73米的黄皮肤小个子中国人的表演?"最后,华纳还是让步了。在这样一场高层权力的博弈下，孤立无援的李小龙成了牺牲品，最终没能担任《武士》主角。

12月7日，李小龙收到华纳发来的信件，对方在信中告诉他，《武士》剧集已改名为《功夫》，由白人演员大卫·卡拉丁担纲主演。第二天下午，李小龙在参加完"第三届国语电影周"开幕仪式后，在TVB演播厅内，接受加拿大著名节目主持人皮埃尔·伯顿的专访时，坦承《武士》剧集未被促成，同时也大度地表示，他很能理解美方这么做的原因。这次访谈于1973年1月21日晚9点50分在TVB播放，1993年被重新找到，并先后被制作成多种录像带、DVD发售。

《精武门》讲的是1908年的上海，创办了精武体操会（后改为"精武体育会"，一般称作"精武会"）的"津门大侠"霍元甲被日本人下毒而亡，徒弟陈真赶回上海为师报仇。霍元甲在历史上确有其人，死亡年份为1910年，但精武会历史上没有陈真这个人，整个故事情节更是简单得无以复加。但正是因为虚构的人物、特殊的时代背景以及处处流露出的民族大义，使得这部影片具有极强的张力，演员们的演技得以充分发挥。

嘉禾公司对此剧非常重视，光是搭建内景就花了2万多港币。除了与李小龙一同前来的罗伯特·贝克外，还专门从日本请了桥本力[1]和胜村淳[2]加盟，倪匡担任编剧。当罗维得知昔日邵氏老友，同样身为导演兼演员的田丰与邵氏合约期满而不再续约，并欲自组公司拍片后，便立刻邀请他参演剧中"大师兄"一角。而在剧中饰演汉奸"胡翻译"的谐星魏平澳也为该片增光不少。邵氏演员出身的罗维也在剧中客串了"罗探长"一角。

李小龙在该片中启用了大量香港特技人，包括当时艺名还是

---

〔1〕桥本力原为职业棒球手，后被发掘出来演电影。在《精武门》中扮演虹口道场"起倒流"馆馆长铃木宽。

〔2〕胜村淳，参与过大部分由胜新太郎所主演的《盲侠》系列电影中的反派，是胜新太郎的好搭档。曾经得到过"日本健美先生"的称号，为空手道、柔道、剑道好手。在片中饰演铃木宽的保镖。

陈元龙的成龙，当自己空翻替身的元华，以及元彪、元奎等日后成为香港动作电影中流砥柱的一大批骨干精英。而负责管理特技人团队的是洪金宝。[1]

　　在摄影棚的拍摄中，虽然李小龙与罗维关系也还好，拍摄间隙大家也有说有笑，但是经常看不见罗维的身影，原来他躲在一个角落听赛马实况，这让李小龙很不满意。在与罗维因工作态度及意见分歧等多番争论后，罗维干脆"自动交出帅印"，让李小龙自己导演打戏，调度镜头。据成龙在自传《我是谁》中回忆，他曾见到两人为了某事争吵得不可开交，当时李小龙面露愠色，差不多快要动手揍罗维，此时刘亮华出面好言劝阻李小龙，李小龙看在刘亮华的面子上放了罗维一马。当时的成龙在片中担当日本空手道馆长铃木宽扮演者桥本力的替身。他的精彩表现，得到了李小龙的赞扬，这让他兴奋不已。

　　剧组还特意赶赴澳门的白鸽巢公园（亦称贾梅士公园，是澳门最大的公园，也是澳门最古老的花园之一）拍摄外景，剧中的陈真将在"外滩公园"有一场打戏。在入住澳门的葡京酒店（1970年落成，是澳门最大的酒店，被誉为澳门的"象征"）后，罗维夫妇便去赌钱，李小龙对这种场合不感兴趣，又无处可去，只能窝在酒店里，点着藏香，戴着耳机听音乐来打发时间。

　　片中的演员大多是演技派，许多人并不是自幼练武，如衣依、苗可秀、茅瑛等，但是也因为经过长时间的戏曲培训而有一定的基础，因此完成编排出的动作不成问题。除了衣依在泰国时跟着李小龙练习过一段时间外，苗可秀也在拍摄期间得到过李小龙的指点。

　　《精武门》拍了没多久，嘉禾公司就将一段5分钟长的片花在

---

[1] 成龙、元彪等人便是众所周知的"七小福"，均出自一代京剧大师于占元所创办的"中国戏剧研究学院"。成龙等人在邵氏的武侠片里做了一段时间的龙套和龙虎武师，后来遇到了已经在嘉禾公司做到了武术指导的洪金宝，便开始为嘉禾公司拍戏。

《唐山大兄》放映后加映,片中的李小龙闯进虹口道场,使出连环八脚和双节棍,令人眼前一亮。此举既拉高了《唐山大兄》的票房,又为《精武门》做了宣传,可谓一石二鸟。这让王羽压力不小,但是李小龙处之泰然,当记者问及是否会与王羽一起拍片时,李小龙大大方方地表示"非常欢迎"。当马来西亚精武会得知李小龙正在开拍此剧时,便邀请苗可秀于12月15日为该组织的金禧纪念游艺晚会主持剪彩。

由于李小龙的影片大卖,锋芒太露,1971年11月起,一些武者如刘大川、陈永彪之流便借机向李小龙挑战,其中以自幼练习查拳的蝇量级拳击冠军刘大川闹得最厉害,他在报纸上发文,声称自己凭着绝招即可打败李小龙,还指定了时间,否则"一笑置之"。媒体也是唯恐天下不乱,忙于煽风点火。但是李小龙很清楚他的目的,明确对记者表示自己不会应战。对他来说,绝大多数挑战者都是不够资格的平庸之辈,而且居心不良。

那些白痴走近我,挥舞着拳头来挑衅我和他们打上一场。你知道,这要是在几年前,我会好好教训他们一顿。但是现在我不能那么做,因为这群混蛋会径直去报社,吹嘘自己是如何击败我的,哪怕我真的把他们揍了一顿他们也会这么做。如果他们受到了伤害,他们就会控诉我,因为他们认为我很有钱。我无论怎么做都赢不了他们。

李小龙也曾就此事在电话中对弟子李恺做出如下阐述:

……如果刘大川去的不是报社,而是直接在我面前动手,那他可真的完了……你也知道过去在美国的时候,只要有人挑战,我一定应战,不管是黄泽民还是什么武术名家或其他家伙,总之任何一次挑战,我都从没有拒绝过。但现在面对这些事情时,我的第一反应是"我怕这个家伙吗?"答案当然是"不"。于是,第二个问题——"你是否知晓他们的意图"——答案是"一清二楚",最后,便该做决定了——"那你准备怎样做？"——我的结论是"什么也不做"，因为，什么也不做比做些什么显然明智得多。

1972 年 4 月底，当某报记者来到《荡寇滩》剧组探班时，才发现刘大川已经被导演吴思远招入麾下，参与该片的拍摄了。

由于挑战李小龙一事被炒得沸沸扬扬，却始终没有一个明确的结果。而"刘大川被李小龙轻松打败"的流言也逐渐大行其道。1972 年 12 月，面对记者的询问，刘大川笑称流言传播时，自己正在日本游玩，且传回过多幅照片刊登在报纸上。至此，谣言不攻自破，历时一年的"挑战"闹剧也终告收场。

5.6 ｜ 精武陈真

《精武门》配音期间，曾为王羽配音的邵氏演员张佩山被请来配李小龙的台词，李小龙非常满意，于是，张佩山就成了李小龙的御用配音员。不过，片中李小龙那独特的"招牌式"啸叫声只能由他自己来配，因为配音演员们都觉得很怪，听着想笑，又叫不出那种气势。

眼看《精武门》即将上映，邵氏将张彻导演，狄龙、姜大卫主演的《恶客》安排在《精武门》之前上映。3 月 9 日是《恶客》映期的最后一天，香港媒体登出消息：12 家电影院的《精武门》3 天预售票在一小时内便告罄。这给了邵氏一个极大的打击。《恶客》只上映了10 天，草草收了 122 万就下片。17 日，集合了邵氏全部明星阵容的《水浒传》上映，对《精武门》做再一次的堵截。

看到预售票的火爆场面，邹文怀已经心中有底。3 月 21 日，正式公映的前一日，正巧是琳达的生日，邹文怀夫妇与多名嘉禾公司管理层、员工特意在凯悦酒店为琳达过生日。就在当天，刚从瑞士回港不久的丁珮[1]恰好也在这家酒店与朋友谈论瑞士男友以及结婚的事情，邹文怀发现了丁珮，于是便把她介绍给了李小龙夫妇认识。此后，李小龙与丁珮两人感情开始逐渐升温。丁珮嫌李小龙发型太老土，便让李小龙理了一个和自己一样的发型，但这件小事却被喜欢市井八卦的港媒做了一番发型对比，更引用一首歌曲《长发为君剪》[2]来暗指两人关系暧昧。

3月22日，在院商的多番催促下，《精武门》正式上映，15家电影院每天连映7场。当时，报章广告上用的宣传标题是："这代表了千万观众的心意：中国人不可侮！中国人硬骨头！"片中，李小龙扮演的陈真为查明师父死因而大闹虹口道场，在几十名空手道练习者的围困下使出连环八腿，挥舞双节棍[3]将这群日本武士打得溃不成军——这也是李小龙对于自己在好莱坞备受歧视和挫败的一次彻底宣泄。最令人印象深刻的是陈真在剧中的那句经典台词"中国人不是东亚病夫"，将国人心中抑郁多年的民族情绪彻底点燃，观众们也不管剧中人是真实的李小龙还是虚构的陈真，一律视为民族英雄。在电影的结尾处，陈真面对呼啸而来的子弹凌空跃起，以生命捍卫了精武门和中国人的尊严。观众们却不愿接受陈真的死，很多人都认为，民族英雄不该得到这样的结局。对陈真之死，李小龙在接受新加坡女记者冯清莲专访时自有一番深刻见解。

---

[1] 丁珮，原名唐美丽，原籍东北。丁珮擅长舞蹈，1962年参加第一期中影演员训练班，毕业后在多部影片中担任配角。1967年加入邵氏，走性感路线。现已皈依佛门，退出娱乐圈多年。

[2] 那首歌曲的歌词为"长发为君剪，短发为君留，发型永不变，以示长相守。俩情相缠绵，花香枕边留，妾心已属君，莫让旁消瘦。往事如云烟，常记妾心头，缘尽情未了，来世结白首"。这首歌在1975年丁珮自组公司拍摄的唯一一部电影《李小龙与我》中由徐小凤演唱，歌词已经改动过。

[3] 李小龙曾自学双节棍技法，又得到过伊鲁山度和美国空手道名家乔治·迪尔曼的指点，形成了自己的风格。许多观众及影评人说，光看李小龙舞双节棍便已值回票价。

暴力和残杀是日常生活的一部分。你在电视上，在越南都看得到。你不能假装它们并不存在。不过在另一方面，我认为不应该以暴力和残杀为电影的主题。美化暴力也不是一件好事。所以在《精武门》里，我坚持所演的角色陈真在剧终时一定要死。他杀了很多人，所以一定要填命。

倪匡多年后回忆起他所塑造的这一经典角色，并就《精武门》首映时的盛况做了如下忆述：

但话说回来，李小龙也是个正常人。当年《精武门》上映，我们一起去看首映。由于之前他已经因为《唐山大兄》而红透香港，电影院里的一千多名影迷一见到他都大声地尖叫，这时候李小龙就很紧张地捉住我的手，手心不停冒汗，问我该怎么做。我就胡乱说那你挥手啦。结果李小龙一挥手，全场影迷立即大叫起来。

大量的观众涌入电影院观看这部经典之作。上映 3 天，票房便达到 150 万，5 天超过 200 万，8 天就逼近 300 万大关；在《嘉禾电影》创刊号的推波助澜下，17 天就过了 400 万，打破了《唐山大兄》的票房纪录！最终，上映了 29 天的《精武门》以 443 万票房远超只上映了 13 天的《水浒传》的 160 万票房，再一次傲视群雄。《精武门》如此轰动，连国豪的同学们都要用高价来换取李小龙的照片，李小龙的魅力可见一斑！

《精武门》使李小龙成为东亚地区最有名的电影明星。在菲律宾，这部电影风靡了半年多，最后政府不得不下令，限制进口电影数量，以保护国产影片。和香港一样，新加坡的票贩子们一度将 2 新元的票价炒到 45 新元。原定首映式的那天晚上，成千上万的人涌向电影院，造成了严重的交通堵塞，警方不得不调集大量警力疏导交通，一星期后，才重新召开首映式。

《唐山大兄》与《精武门》都是在邵氏的围追堵截下一次次地创造了以小博大、以弱胜强的票房奇迹。以截拳道的理论，均属于典

145

型的"半路截击、避其锋芒、后发先至"的策略，之后的每次纪录都是击向邵氏的一记记的重拳，且一拳比一拳更重更快，令人难以抵挡，胜利自然是水到渠成。这也说明了，幼年练过武术的邹文怀[1]的影片发行策略与李小龙的截拳道理论有异曲同工之妙，难怪两人会走到一起亲密合作。

虽然李小龙的前两部电影都创造了奇迹，但是众多媒体对李小龙放弃美国事业而回港拍片依然大惑不解，对于这些质疑，李小龙做出了以下掷地有声、振聋发聩的回答：

……或许大家认为，国产片依然还处于艰难的发展之中，回来拍国产片，简直就是受苦。对这问题，可不容易回答，我只能说："我是中国人，当然要尽我的一份责任！"

事实上，我是一个在美国出生的中国人，我是中国人，这是毫无疑问的。至少，我留在美国那么多年，我是这样看自己。而在西方人眼中，我当然是中国人。

作为一个中国人，少不了必须具备有中国人的基本条件。所谓的条件，我指的是关于文化的、感情的，以及在具体行动的表现上……我作为一个在美国出生的中国人是一个意外……但是，先父并不让我在美国接受美式教育，在我三个月大的时候，他送我回到了他的第二故乡——香港……在香港读书时，我对电影产生了浓厚的兴趣，而先父与已经去世的导演秦剑先生及当时的电影演员和导演们非常熟悉。这些世叔世伯们把我带进片厂给我一些角色演出，我开始从客串演出一直到以童星身份主演粤语片。这在我一生中，可以说是很重要的，那是我第一次真正接触到中国文化，我非常喜欢，我强烈地意识到我是其中的一分子。在那时我当然不了解，也不知道环境对于一个人人格和个性的形成，会有那么巨大的影响。然而，"我是中国人"的这一概念正是在那时候萌芽

---

[1] 邹文怀在接受《明报周刊》采访时，曾透露自己年轻时因体弱而拜师黄飞鸿弟子林世荣，成为其关门弟子。

的……哲学固然把我的"截拳道"带进一个武术的新境界，而我的"截拳道"也带我走进电影界新的领域……回香港拍片，纯粹是一种对于自己国家向往的感情在推动。我认为这能比赚到更多的钱更问心无愧……我不敢说我有多大的成就，但是这是我电影生涯的开始。在《唐山大兄》与《精武门》的带动下，我决定将我的一切全部奉献给中国电影。我寻找到了一条真理：中国人永远是中国人；我是中国人，就应该拍摄中国电影！

第六章

最后的岁月

（Ⅱ）

6.1 ｜ 协和公司

李小龙与嘉禾公司合作得非常愉快，于是又签订了一份再合作两部电影的合约。但他不喜欢罗维的执导方式，觉得香港的电影制度不够好，自己拍戏时，处处受人掣肘。他受够了美国电影公司的反复无常，觉得自己一直在被人耍着玩。他认为自己在香港的成功已经足以让自己站稳脚跟，等到有机会，便可效仿克林特·伊斯特伍德、约翰·韦恩、查尔斯·布朗森，立足欧洲，重新打回好莱坞的先例，凭借香港电影作为跳板重新进军好莱坞。

他又将自己与史蒂夫·麦昆做了比较，他认为，麦昆是一名成功的演员，同时也是成功的商人，有着自己的公司。在李小龙之前，王羽也是演而优则导，1971 年上映的《黑白道》已是其自编、自导、自演的第三部电影了。现在李小龙已经证明了自己的票房号召力无与伦比，又听闻王羽要和邹文怀合作开公司，于是，他在1971 年 12 月 29 日声称自己与邹文怀成立"协和电影公司"也就是理所当然的事情了。李小龙还亲自设计了 LOGO，既像太极图，又像电影拷贝。而邹文怀不但允许其开公司，涨高片酬，还引进独立制片人制度，每部片与李小龙分红，李小龙自己也有修改剧本，挑选导演、演员的权力。总之，李小龙已经不仅仅是一名功夫片明星，还享有一个老板应有的权力。同时，邹文怀入股协和，成为其股东。事实上，李小龙的公司是嘉禾的子公司，也称"卫星公司"，邹文怀仍然是大权在握。

李小龙虽然是协和公司老板，却没有半点老板架子，植耀昌对此表示非常钦佩：

我们还是和以前一样，每晚照样先行做好次日工作的准备。大家各自在家中，他静静地躲在书房里，挥拳踢脚，比比划划，挖空心思地设计好每一节、每一段连贯性的镜头。他每天工作到深夜，第二天清早，开着他的跑车回到片场。见到了人，他总是很客气地打招呼、道早安，完全没有半点架子。

为了让自己的创业作一炮而红，李小龙特意宴请名作家、香港风流才子倪匡，请他为自己写剧本。席间他滔滔不绝，从故事大纲，分场，男主角的着装、出场、动作、表情、语气语调到配音，一口气说了两个小时，说完后，让倪匡以他所说的为准编写剧本。这让一向自视甚高的倪匡脸上很挂不住，他没好气地对李小龙说："你把什么都说了，我没得写了，干脆你自己写吧。"气得李小龙从椅子上跳起来要揍倪匡，亏得一旁的何冠昌劝住，这才没有出事。冷静下来的李小龙对自己刚才的失控行为也很懊悔，就坚持要倪匡夫妇都打他三下，结果倪匡夫妇就只好各自"打"了李小龙腹肌"三拳"，倪匡觉得李小龙的腹肌坚硬如铁，自己手都疼。后来很多朋友听到这个故事，都羡慕倪匡"打"过李小龙。多年后，倪匡接受采访时也承认李小龙当年口述的剧本"故事非常好、非常有戏剧性"。

1972 年 5 月号的《嘉禾电影》刊登了数张李小龙的古装剧照，令人大吃一惊，有说这些照片是李小龙在嘉禾片场秘密为一部叫作《细凤》的影片所拍的试妆照。李小龙在大学时就很喜欢画各种武侠人物，形神兼备，惟妙惟肖，画得最多的是道士和龙。在拍摄《死亡游戏》期间，他在一张纸上画了自己和一个老道士的头像，希望自己能在老了之后，退出江湖，归隐山林。

以邹文怀的谨慎性格，若不是时机成熟，不会将这些试妆照公开。拍摄《独臂拳王》时，他就是这么做的。但《细凤》始终未能开拍，只留下大量试妆照。

两部影片成功的李小龙俨然成了超级巨星，但他执意要将自己的哲学理念和截拳道在银幕上展现，便写了一个高度哲学化的

151

剧本《武道》，并一度向外宣称该片为自己的创业作，但是随后考虑到观众的鉴赏能力，便暂时将其搁置一边。他也曾对媒体说，自己的创业作会是一部民国初年的影片，将会去韩国拍雪景，主要演员会是苗可秀、韩英杰以及他自己。根据描述，笔者认为这很可能是后来的《死亡游戏》的最初构思。

为了开拓海外市场，邹文怀于 1972 年 1 月 15 日晚飞赴美国，洽谈《唐山大兄》在海外的放映事宜。李小龙、王羽夫妇、罗维夫妇等人到场送机。好事的媒体都以为李小龙和王羽在一起必定火药味十足，却不料两人全程英语对话，谈得甚是投机，颇有英雄惜英雄的意味。同时，李小龙认为能结识王羽是生平一大快事。这让娱乐记者们颇为失望与惊讶。

不久前，李小龙将《唐山大兄》的精彩片段制成拷贝，连同一些新闻简报一起先后寄给了华纳公司。华纳高层看完后，决定为李小龙写一个剧本。被好莱坞玩弄得乐此不疲的李小龙很是惊喜，于是他计划在 1 月底去美国与华纳公司商谈拍片事宜，又寄了一些片段给波兰斯基，希望能引起他的兴趣，未来可以请他当导演。

1 月 16 日中午，即邹文怀赴美次日，李小龙便飞赴美国，与华纳公司商讨剧本与拍片事宜。不过，李小龙不想再拍电视剧集，提出拍电影的要求。据弗雷德·温楚布回忆，当时李小龙与华纳就某个剧本进行了讨论，但是最终还是没能谈成。

为了能顺利开拍创业作，在美期间，李小龙搜集、阅读了许多与电影制作有关的书籍，还在斯特林的私人放映室内观摩了多部经典影片。期间，他创作出了一个以美国为背景的剧本大纲《猛龙过江》。此外，他还将木村武之、严镜海、伊鲁山度及黄锦铭等弟子们召集到一起，明确指示他们不可用"截拳道"的名义开设武馆，仅可做小规模的私人传授，这是中国武林最为传统的授艺、传承方式。

李小龙回港后，委托朋友为自己在九龙幽静处物色一栋洋房，作为自己在香港的安居之所。同时，对英文名为 *Enter The Drag-on* 的《猛龙过江》剧本初稿进行修改[1]，并向邹文怀提出，要苗可秀出任女主角，他自己集编、导、演、制片于一身，邹文怀一口答应。

由于《猛龙过江》剧本修改尚需时日，嘉禾公司又同时要开拍许冠杰的《铁拳歌手》和由李小龙、苗可秀、衣依主演的《黑夜之歌》，都由罗维执导。李小龙只得暂时将《猛龙过江》剧本放下，先筹备去日本开拍《黑夜之歌》，嘉禾公司出于"李小龙第一优先"的考虑，便将韩国导演郑昌和的《铁拳歌手》押后。于是，李小龙、衣依、苗可秀等人乘坐"珊瑚公主号"游轮前往日本考察外景地。看上去，如果不出意外的话，《黑夜之歌》将顺利开拍。不过根据影片上映情况来看，由于李小龙之后先行拍摄《猛龙过江》，《黑夜之歌》随后由郑昌和执导，洪金宝和苗可秀主演，1973 年 8 月 1 日上映时由《黑夜之歌》更名为《黑夜怪客》；而导演罗维带着许冠杰与当时尚属新人的张艾嘉去美国拍摄了《小英雄大闹唐人街》，该片于 1974 年 4 月 5 日上映。

6.2 ｜李罗交恶

李小龙一心想着他的《猛龙过江》，从心底里就不想和罗维合作，他觉得罗维的导演水平不但很一般，工作态度还很不认真，这让他对自己将要出演的电影的质量很是担心。媒体一直大肆炒作

---

[1] 此《猛龙过江》*Enter the Dragon*，非今日我们看到的《猛龙过江》*The way of the Dragon*（海外放映时称为 *Return of the Dragon*），两个剧本内容大不相同。根据资料显示，原剧本说的是华工在美的悲惨遭遇，全剧都将在美国开拍，堪称真正的国际级制作。但是随着内容的改变，原来的构思已被植入《一竹定金山》剧本中去。李小龙后来将 *Enter the Dragon* 这个英文片名让给了《龙争虎斗》。

"李罗交恶"，于是在年初的新春团拜会上，满脸络腮胡子的李小龙和罗维借此机会以"握手言和""有说有笑"的方式在媒体面前进行危机公关，以示两人友谊甚笃。

看过《黑夜之歌》剧本的李小龙觉得剧本不称心，需要修改，于是罗维做出了让步，先将《黑夜之歌》易名为《冷面虎》，并让李小龙在限定的期限内将剧本改好再来谈拍片事宜。谁料李小龙却躲回家里，叫上植耀昌，继续修改他的《猛龙过江》剧本，还在街上大摇大摆地开着新购置的红色奔驰 350 SL（牌照号 AX6521），把罗维和《冷面虎》晾在一边。而等了快一个月的罗维不知道李小龙是不是想拍这部戏，也不知道什么时候才能开拍，又无法开拍《铁拳歌手》，左右为难的他真是急得团团转。

曾多次夺得香港电影最佳剪辑奖的嘉禾公司剪辑师张耀宗说过，李小龙懂电影，但是不懂拍电影。尽管在美国拍戏时，李小龙已经学到了很多电影制作技巧，也在编写《猛龙过江》剧本期间，刻苦研读了大量电影理论书籍，把剧本具体到了分镜头，但是没有任何实际执导经验。于是，邹文怀从胡金铨处借来张钦鹏担任制片，让副导演植耀昌辅佐李小龙，又拉拢"香港彩色电影教父"西本正担任摄影监督，班底不可谓不强大，务求使这部首次在欧洲取景的国产动作电影成为经典之作。李小龙更是一个电话，叫来弟子查克·诺里斯为自己的电影助阵。当鲍勃·沃尔得知诺里斯要去拍摄李小龙的电影，便自费买了机票，与诺里斯同机来到罗马。李小龙对沃尔的突然出现颇为惊喜，立刻决定为他增加一个角色，并安排了足够多的戏份。

1972 年 2 月 21 日至 28 日，美国总统尼克松应邀访华，展开中美关系的"破冰之旅"，并于 28 日在上海发表《中美上海联合公报》，中美关系开始解冻。2 月 22 日，也即尼克松访华次日，《功夫》片集在美国播映，一经播出便大获好评。虽然李小龙没有演出，但是他为这部剧集所做的努力是无法被抹杀的。神秘的东方国度，不可思议的打斗场面，令"中国热"在美国急速升温。4 月 10

日，接受了好莱坞某小公司委托的斯特林夫妇飞往香港，游说李小龙在晚些时候出演《无音箫》一片。

如果在 1970 年，华纳或其他美国电影公司就这么"明智"的话，李小龙压根就不会来香港，或许他依然不会成为第一男主角，但是完全可以凭借此片蜚声国际，成为世界级的功夫片明星，那他在 3 年前所写下的"明确目标"将提前全部实现。但是此一时彼一时，李小龙已是亚洲电影巨星，连续两部影片均创出票房奇迹，又非常看重自己的创业作，向来注重质量的他压力实在太大。所以，除了《猛龙过江》剧本外，拒绝其他剧本或对其他剧本施以"拖"字诀也在情理之中。甚至在 4 月 1 日，李小龙夫妇还与蔡和平自行购票，来到乐宫戏院观看潘迪华主演的新式音乐舞台剧《白娘娘》，以此来缓解连日来的工作压力，并对这样一种新型的演出方式大加赞赏，称其在好莱坞也一定能成功。

李小龙拖得起，罗维可拖不起，虽然罗维早就知道李小龙有想当导演的野心，但是当他得知李小龙居然将《冷面虎》束之高阁时，气得暴跳如雷的他也不管三七二十一，决定让与自己素有过节的王羽顶替李小龙出演《冷面虎》与《海员七号》。于是，邹文怀先行飞往台湾与王羽详谈开拍《冷面虎》事宜。经过长时间的斡旋后，王羽答应了。随后赴台的罗维要求王羽多演一部《海员七号》，王羽也答应了。

正在忙于修改《猛龙过江》剧本的李小龙听闻此讯后急忙打电话质问罗维为什么不通知他就临阵换角，认为这种做法非常下作，这让连破票房纪录、正在风头上的他很是火大，觉得被人耍了，很没面子。从此，李小龙与罗维之间的关系由此而正式宣告决裂。双方无论在哪遇见都不打招呼，形同陌路。

4 月 19 日，罗维夫妇、韩英杰等人先行由台湾飞赴日本，为新片开拍做准备。5 月 1 日，嘉禾公司在弥敦道的北京酒楼摆下 7 桌宴席，为即将赴罗马、日本、韩国拍摄新戏的三路大军践行，李小龙、许冠杰等悉数出席。2 日，郑君绵、胡枫接手的新雅夜总会揭

幕,即将飞赴罗马的李小龙特意抽空出席了开幕式。晚八点半,
《盲人追凶》剧集在无线电视翡翠台开播。

6.3 | 初执导筒

　　5月4日晚上8点,李小龙与邹文怀、西本正在启德机场接受
完访问后,便率领外景队飞赴罗马,开拍协和公司创业作《猛龙过
江》,妻子琳达、嘉禾公司导演黄枫、经理梁风、好友苗可秀等人前
往机场送机。此时正在香港拍摄《四骑士》的日本动作片明星仓田
保昭也特意前来为李小龙送行。作为第一部去欧洲取景拍摄的港
产功夫片,成本很难控制,超支几乎已经是板上钉钉的事,但是李
小龙依然谈笑风生,神情自若。原来,他早就把版权卖给了台湾,
已立于稳赚不赔之地了。在乘坐美国环球航空公司的飞机出发
前,李小龙与爱妻依依不舍地吻别,并将琳达托付给小麒麟,让他
在这段时间里多加照顾。小麒麟自然不负老友所托,悉心陪伴琳
达外出购物、看电影,照顾周到。

　　5日,由副导演、摄影师等一行36人所组成的外景队飞往日
本;6日,王羽由台湾直接飞抵日本;8日,应邀前往新加坡为"新
闻皇后"加冕并小住了两天的衣依也赶到日本与外景队会合。

　　被李小龙"钦点"的苗可秀并未随罗维与《冷面虎》剧组一同前
往日本,而是于7日晚,与植耀昌、张钦鹏及摄影助理梁希明一行
4人一起从香港坐了19个小时的飞机火速飞抵罗马与外景队会
合。罗维只剩下一名女主角衣依独立支撑,只得让刘亮华紧急联
络在港热播的日本排球剧集《青春火花》中扮演女主角"苏由美"的
冈田可爱来火速顶替。当苗可秀随外景队回到香港拍摄内景时,
却发现自己被港媒扣上了"忘恩负义""叛变""见风使舵"的帽子,

罗维对她也是非常恼火，这让她很是莫名。多年后，苗可秀接受采访时谈及此事，仍然无奈地表示：当时事发突然，自己只不过是听从公司和老板的安排而已。

那边罗维人马逐渐齐全，这边李小龙和他的外景队也迅速选定了外景地，剧组工作人员早就帮李小龙做了拍摄前的部署，组织了一个罗马拍摄小组。苗可秀与李小龙两队人马会合后休息、筹划了 2 天后，于 10 日正式开机拍摄。

值得称道的是，李小龙作为一名新进导演，却表现出了足够的成熟，这让西本正钦佩不已：

> 最令我觉得意外的是李小龙根本不像个初次执导影片的新进导演。以往我指导过很多新进导演，但没有一个人像李小龙那样肯学习。从第一天开始，只要他站在摄影机旁边，就像一个大行家，把事情处理得有条不紊。

虽然李小龙看上去胸有成竹，其实拍摄进度非常紧张。每天需要从早上 7 点工作到晚上 6 点，聘请了多名当地演员，拍摄大量的镜头。由于拍摄相关外景需要预先申请，因此，李小龙和剧组只能早早来到外景地偷拍，或趁着游客稀少时抢拍，或让意大利团队协助，以其他非常规方式"协调"，著名的"古罗马竞技场"内外景也是用这样的方式才得以摄制完成，但格斗场面是在香港摄影棚里完成。

拍摄期间，李小龙无意间在一本电影画报上发现了意大利女星玛丽莎·龙格的照片，认为她很适合出演剧中"意大利女郎"的一段裸戏，便通过意大利团队和她的助手辗转联系到了她。玛丽莎从未听说过李小龙，而且自出道以来所扮演的大多是女一号，并不想演这么个小角色。但是经不住剧组的软磨硬泡，最后还是答应了。值得一提的是，她后来的老公里卡多·比利（8 年后与玛丽莎喜结连理）便是在影片中为李小龙兑换现金的大个子银行经理，也是意大利团队的核心成员之一。

157

每天的工作一完成，李小龙和外景队就会来到一家经营日本料理的东京餐厅聚餐。李小龙一边用餐，一边会和邹文怀、西本正商讨第二天的拍摄事宜。回到酒店，李小龙还会和植耀昌一起讨论第二天的拍摄准备。在罗马和佛罗伦萨，李小龙给琳达买了衣服和项链，给孩子们买了玩具和书包，给自己买了猎枪和长枪，以及皮衣和皮包。

苗可秀的父母与李小龙一家是世交。因为和李小龙的弟弟李振辉是年少时的玩伴、好友，苗可秀经常到访李家，而与李小龙真正"面对面认识"是在泰国《唐山大兄》片场。拍摄《猛龙过江》时，苗可秀已是李振辉的女朋友。李小龙已有家室，且年长她不少，自然把她当妹妹看待，处处为其着想。但在媒体笔下，李小龙与苗可秀之间的任何举动都被视为"暧昧"而传出绯闻。苗可秀在一次采访中道出当时情景：

> 那时的意大利制片人常常色眯眯地看我，我就和小龙讲，之后他就故意在吃饭时给我夹菜，牵我的手，在走路时也牵我的手，还搭住我肩膀，让那制片人知难而退，可能是这样就传出绯闻了，不过我俩都是很爽直的人，完全没有避忌。

1972年5月18日下午3点，李小龙率领外景队以及诺里斯、鲍勃·沃尔一起返回香港。琳达、小麒麟、邹文怀、梁风及部分TVB艺人到机场接机。在随后举行的记者招待会上，李小龙自叹将如此多的职务集于一身实在太累，并透露，自己的下一部戏叫作《黄面虎》，同时答应为刚成立不久的星海公司的创业作《独霸拳王》[1]担任义务武术顾问，并表示，他最恨被人利用，但是为了将好友小麒麟推上主角之位，宁愿被利用，足见两人情谊之深。李小龙为此还多次与星海公司谈论剧本，有时修改剧本到凌晨两三点。

---

〔1〕《独霸拳王》后更名为《麒麟掌》。该片上映时，在未通知李小龙的情况下私自将开镜时所拍摄的花絮加入正片，差点引发李小龙对星海公司的诉讼。最后李小龙念在多年好友面上手下留情。

　　第二天,李小龙带着两个洋徒弟来到 TVB"欢乐今宵"节目接受访问兼为影片造势。节目中,两人换上空手道服装,而诺里斯一脚便将鲍勃口中的烟踢飞,更让观众们对影片中的高潮打戏寄予极大期望。

　　由于摄影棚内景尚未建妥,于是李小龙先带着两名弟子在香港游玩,并参观嘉禾片场。那时,由薛家燕、茅瑛、黄家达、洪金宝、池汉载、黄仁植等出演的《合气道》[1]已开拍有些时日,李小龙便是从此次探班中将黄仁植[2]"暂借"到自己麾下,与鲍勃·沃尔一起饰演片中的空手道打手。

　　茅瑛在台湾复兴戏剧学校专攻刀马旦,身手矫健,因此练起武来事半功倍。为出演《合气道》,她与洪金宝、张翼一起去韩国,在池汉载的亲自指导下练习了很长时间,并获得了合气道黑带初段段位。在影片拍摄期间,池汉载大赞茅瑛有三段的实力。于是,茅瑛勤练武功,并在影片杀青后顺利考取了合气道二段。有着师傅的响亮名号与货真价实的身手,许多影迷们纷纷来函,请求茅瑛开馆授徒,教授合气道。

　　在连日风雨后,李小龙才得以在新界水华山村开拍外景。期间,邹文怀推荐了自己的朋友,美国演员乔恩·本出演剧中的意大利黑社会老板。值得一提的是,在影片中,他所开的红色奔驰车正是李小龙的爱驾。拍摄间隙,一向闲不下来的李小龙还拿着练功设备与大家一起练武,依旧是那么活力充沛。

　　仿"古罗马竞技场"的内景一经完成,李小龙便与诺里斯开拍双雄决战的重头戏。从影片中不难看出李小龙的咏春手法、快如闪电的腿法及效仿自拳王阿里的蝴蝶步。很多场的打戏,李小龙都是在家里就设计好,并与琳达事先试验过多次。

　　众多扮演打手的外国演员,长期旅居香港。在拍摄期间,聂安

---

〔1〕根据当时香港报纸记载,《合气道》于1972年5月9日开镜,在此之前,茅瑛、洪金宝、张翼曾前往韩国,在池汉载的指导下练习合气道,茅瑛更是练习了半年之久。但是拍摄时,张翼由于某些原因而退出,由同样是从台湾复兴戏剧学校毕业的黄家达顶替。

〔2〕黄仁植,合气道七段,曾与多位香港动作明星出演过数部经典香港动作电影。

达会弹起吉他，李小龙则会按照旋律自行编排恰恰舞步，或是唱起他最喜欢的英文歌曲，其乐融融。但由于这些演员没有演艺基础，李小龙不得不手把手教他们如何在镜头前进行表演。他还要时常给在天文台工作的哥哥打电话，询问天气情况。他拍片不计成本，不管预算，拍错再多也不会迁怒演员，直到拍到满意为止。终于，过度劳累的他患上了伤风感冒，不由得大叹"导演不好当，凡事亲力亲为实在太辛苦"。

经过一个多月的拍摄，《猛龙过江》终于杀青，旋即进入后期制作。毕竟是自己的心血结晶，李小龙对其中很多场景很难取舍，即便每天花上十几个小时在剪辑室，进度依然很慢。在紧张的工作中，李小龙依然"无时停"：击打拳靶、出拳踢腿、展示速度，以此放松自己并调节气氛。

虽然位于金巴伦道41号的新居"栖鹤小筑"已装修完毕，但是在影片尚未正式冲印出来之前，李小龙并不急着考虑搬家。直到7月29日，才迁入这座具有日式风格的两层别墅洋房。

进入配音阶段，李小龙便利用职务之便，处处"越俎代庖"，植耀昌回忆道：

"李小龙捞过界（连别人的活也干了）！"这句话，是配音工作人员向小龙开的玩笑。本来嘛，导演进入配音室，目的在于指示，但小龙却不然，他处处要亲力亲为不可。例如，配对白时，因为戏中有一部分要配英语，特别请了一批外国人担任，但小龙却抢着担任一份，配起片中的一个黑人。他说："讲英文不是很难，但要完全表达出语气和味道，却不是容易的。"又如配音乐那天，他的"瘾"又发了，居然客串起音乐师来！也许有人会说，他只想"过过瘾"，但我却不这么认为；相反，这些现象处处都显示出他工作态度的认真和敢闯敢为的干劲。

也就是在此时，进入嘉禾公司工作才3个月的安德鲁·摩根从一名普通的办公室文员火速窜升为制片人，辅佐李小龙进行影片的后期制作。

6.4 ｜义助好友

6 月 12 日，李小龙与邹文怀参加了星海公司在美丽华酒店水晶殿举办的《独霸拳王》招待会暨开镜典礼，为小麒麟与该片造势。

16 日至 18 日，香港持续连日大雨，总降雨量达 652.3 毫米（整个 6 月份降雨总量为 794 毫米），持续的暴雨导致山泥倾泻，造成共 156 人死亡、117 人受伤的严重灾难事故。

香港人一直有着慈善捐款的传统，社会各界热心人士积极发扬助人精神，纷纷捐钱捐物。丽的呼声、无线电视也不甘落后，纷纷举办赈灾义演。无线电视台棋高一着，于 24 日举办了香港电视史上首次马拉松式直播筹款活动"无线电视筹款赈灾慈善表演大会"，邀请到了全港众多演艺明星、TVB 所有艺人及歌手，进行了长达 12 小时的直播，共募得善款近 900 万港币。其时，李小龙接到蔡和平的邀请电话，二话不说便从繁忙的"拍片模式"中抽身，携妻儿在节目中亮相，并与好友胡奀、爱子小国豪做武术表演。当晚，小国豪一脚踢碎两块木板，令人叹为观止，更令主持人刘家杰赞叹"虎父无犬子"。不仅如此，李小龙还捐款 1 万港币，可谓出钱出力，赢得媒体赞誉一片。[1]

---

〔1〕据 1972 年 6 月 29 日的《香港工商日报》报道，表演当晚，李小龙曾与琳达做武术示范表演，报道同时指出，琳达也身手不凡，出拳呼呼生风，造诣颇深。但是迄今为止，尚未发现任何琳达在此次表演中做示范的照片。而在内地网站上现今能找到的唯一一段当时表演视频介绍，长达 2 分 57 秒，却丝毫不见李小龙一家人的影子，旁白也只字未提。而据蔡和平在访谈中及本人当面交谈中指出，几乎所有李小龙参与录制 TVB 节目的录像已被无脑下属白白洗掉。若此言属实，那我们看到的当晚节目片段应为"残本"。

　　较晚得到消息的中国内地红十字会,也于 29 日发电报给香港红十字会、港九工会联合会与香港中华总商会,对受灾的香港同胞表示慰问,同时捐款 200 万元人民币。次日,港九工会联合会与香港中华总商会接报后,于下午 4 时举行联席会议,并复电中国内地红十字会,代表香港此次受灾同胞表示感谢。同时,迅速派出代表成立工作组,负责办理有关慰问及款项发放工作。

　　由于受到"六一八雨灾"的影响,易名为《麒麟掌》的《独霸拳王》在李小龙的极力斡旋下,才于 7 月 26 日借嘉禾片场正式开机。除仓田保昭外,池汉载、黄仁植师徒也在邹文怀和李小龙的劝说下签约星海公司,加入该片的拍摄。从接受义务武打顾问、影片改名,到拉拢来这么多有真功夫的国际武坛顶尖高手,尤其是在开镜时,李小龙宁愿做出一副被小麒麟打的样子,并被拍摄下来。这一切都是为了让小麒麟能够顺利当上男主角,让他摆脱这些年来不温不火的演艺事业状况。对好友所做的这一切,李小龙可谓用心良苦。开镜当日,李小龙和丁珮还亲手为小麒麟梳理发型、化妆。有了李小龙的慷慨相助,本来资质平平的《麒麟掌》获得了不错的成绩,星海公司也自然大赚了一笔。

　　7 月下旬,严镜海病情加重,已濒临破产的他不得不写信请求李小龙重新刊印《基本中国拳法》,想以此来缓解财政危机。但是李小龙并不知道当时严镜海的病情有多严重,以为他只是单纯的想要借此谋利便断然拒绝。除写信给水户上原,通知其不得刊印此书外,还在信中将严镜海斥责了一番。他觉得那本书过于简陋粗浅,是自己的不成熟作品,不适合出版。严镜海也并没有做任何辩解,只是默默承受。当然,李小龙也给严镜海汇去了一些钱,以做应急之用。不久后,李小龙终于同意将《咏春功夫》出版,作者署名为严镜海,自己只是挂上"技术顾问"的头衔。值得一提的是,书中的部分技术动作有"身法侧偏"的特点,或有可能借鉴了梁赞晚年创立的偏身咏春。

　　为了加强该书的权威性,还特地将叶问赠予严镜海的亲笔签名照片刊登在醒目位置。9月号的《黑带》杂志在《咏春功夫》面世后第一时间便摘取了其中部分内容刊登在杂志上。当时的侧栏写道：

《咏春功夫》作者严镜海现在病得很重，不过我们都希望他能尽快康复。他的新书是在美国出版的第一本咏春拳专著……

6.5 │《死亡游戏》

英国摄制的彩色纪录片《尼克松访问中国》于 1972 年 7 月 16 日起在香港上映午夜场，场场爆满。就在此时，李小龙又接到了华纳邀请他拍片的通知，他提出了自己的要求：剧本要为自己量身定制，并且一定要是第一男主角。

在等待华纳回复的这段日子里，李小龙在家修改了《黄面虎》（后改名为《死亡的游戏》。1978 年，上映的"补拍版"更名为《死亡游戏》，后统称《死亡游戏》）、《南拳北腿》等几个剧本，最后决定开拍《死亡游戏》，并开始寻找合适的演员。他的名单里有杨斯、黄仁植、田俊等人。在野外进行秘密试镜时，曾留下大量与伊鲁山度、林正英、元华、陈会毅、胡奀等人在新界的山上预先排练的照片和一些电影试镜片段。

邀请不同的世界知名的武术家或运动员参与拍摄——李小龙对此非常有信心，他认为：有了这个独创性构思，谁都觉得该片将会成为一部经典的动作电影。李小龙将在影片中穿着黄色连体战衣，边进行打斗，边指出该门派的弊端，最后将对手打败。这已属于武道哲学范畴，确切地说，应该算是"武道片"而不是"功夫片"。

故事讲的是李小龙所饰演的武术家海天，因妹妹被绑架，不得不与其他武术家合作，一起去一座 5 层（也有 7 层、9 层及 10 层之说）的宝塔上闯关，每层都有一名武术家看守。通关时，李小龙将得到一件宝物。但是李小龙一直都无法确定这件宝物应该是什么。[1]

剧本尚未完全成型，李小龙却心血来潮地对许多演员如苗可秀、金山、茅瑛、邵音音、丁珮等人早早许以定金或做出口头承诺，只待他的通知便可随时加入拍摄。但是这些演员直到李小龙去世都未能参与演出，不得不说是一大遗憾。但令人意外的是，李俊九居然没有收到李小龙参演此片的邀请。

毫无疑问，苗可秀是李小龙心中《死亡游戏》女主角的首选。不过苗可秀为了让自己及时抽离之前因为拍《猛龙过江》而引发的"是非、绯闻"而婉拒了邀请，转而去台湾拍了文艺片《心兰的故事》。

正在李小龙埋头编写剧本时，8 月 12 日，他收到了一份意外的礼物：一块由《黑带》杂志颁发的 1972 年度名人堂纪念盾[2]。这让李小龙很开心，也有些手足无措，但他始终保持头脑清醒。

在看完你所写的有关我的文章后，我百感交集。对许多人来说，"成功"这个词看上去恍若仙境般不可触及，而我现在就身处成功之中，这没什么大不了，但是周边的环境看上去很是复杂，我的直觉指引着我向着简单且有着个人隐私的生活而前进……无论我是否喜欢这块纪念盾，环境始终是强加在我身上的。作为一个格斗家，我的内心在一开始会有所抵触，但是很快我便认识到我不需要所谓的内在干扰与不必要的冲突（以避免无谓的消耗）；相反，要

---

[1] 宝物为何？曾传出如下版本：①李小龙得到的是一个锦盒，盒子里是一张纸条，上面写着："生是一个等待死亡的过程。"②盒内装着一面镜子，照出的是李小龙自己，颇有禅宗"明心见性"之意。

[2]《黑带》杂志于 1968 年起开设"名人堂"，从那时起至 1971 年，李小龙的朋友西岗、诺里斯、谢华亮、李俊九、麦克·斯通等人皆曾入选过。李小龙则是与其他 6 名武术家一同入选，故坊间传出"李小龙入选七大武术家"的说法。

集中全部的精力，进行重新调整并充分利用……某种程度上来说，我很高兴我能得到这种荣誉，而我拥有成熟的心态，对此已做好了准备，"自吹自擂"及"被幻觉所蒙蔽"的现象就绝不会在我身上出现。我已经准备好了……毕竟，名誉与财富是人为制造出来的骗局和幻象。所以，去他的名利吧，我尝试着镇定自若地向着目标坚定不移地前进。

8月17日，回归邵氏的李翰祥推出了由狄娜、许冠文、何莉莉等主演的《大军阀》，在21天的时间里狂卷346万港币，虽不及《精武门》，却也打破了《唐山大兄》的票房纪录，位居1972年度香港票房第三名。这是许冠文的第一部电影，狄娜也借此"一脱成名"，成为"性感女神"。值得注意的是，这部影片上映时，嘉禾公司并未推出任何影片，市面上同期放映的影片票房超过30万的也不过4、5部，更多的是在20万～30万左右徘徊，完全不是《大军阀》的对手。可以说，邵氏是借着这段时间市场的暂时低迷打了一个漂亮的时间差，捡了个便宜。不过，这也给嘉禾公司和李小龙敲了个不大不小的警钟。此时，《猛龙过江》已完成后期配音，预计在年底上映。配上了英语的《精武门》拷贝，也引起了英、法、意、美等国的极大兴趣，纷纷与嘉禾公司洽谈海外版权。

1971年，世界上影响力最大的拳王阿里与NBA史上最伟大的中锋张伯伦在经纪人的撮合下准备在当年3月来一次"世纪大战"，张伯伦为此还特地聘请了拳击教练。但是随着阿里在拳王卫冕战中败给了乔·弗雷泽，张伯伦也丧失了兴趣，这场极具噱头的比赛也就不了了之了。

关注体坛动态的李小龙当然知道这件事情，在编写剧本时自然就浮现出这个念头。不同的是，他邀请的不是张伯伦，而是爱徒贾巴尔。9月初，《死亡游戏》在嘉禾A号摄影棚秘密开机，李小龙给贾巴尔打了个电话，贾巴尔便没有二话，专程飞到香港。在6天的拍摄期间，为了保持神秘性，也是考虑到贾巴尔的感受，摄影棚一直挂着"新人试镜"的牌子，不允许闲人入内，还请了私人卫队把守大门，未经允许，不得进入。摄影还是交给西本正来掌舵。贾巴尔在这 6 天里，被香港那催命般的拍片制度和李小龙的完美主义折腾得精疲力竭。

除了贾巴尔之外，伊鲁山度、池汉载也同样被折磨得苦不堪言，更要命的是，当时是以单机拍摄，这使得拍摄进度极为缓慢。李小龙又是个完美主义者，一个镜头常常 NG 数遍。就拿伊鲁山度被李小龙踢倒这个镜头来说，伊鲁山度就结结实实地摔了很多次，以至于回到美国时，女儿戴安娜都看出来父亲背部的伤势不轻。而池汉载则是在很短的时间内（一说 3 天）就完成了拍摄，但是李小龙似乎对池汉载的演技或戏份并不是很满意，在征得本人同意后，对其戏份做了一定的删减。[1]

根据对杨斯的采访和相关图片证明，在此期间，李小龙的确邀请了杨斯和邵氏演员郑雷为"云斯顿"香烟拍了一则广告，在此之前，李小龙从未为任何公司拍摄过广告。但云斯顿烟草公司声称没有保存任何相关宣传片段，也拒绝查证。

为了这部电影，李小龙可谓倾尽心力。9 月的香港闷热潮湿，即便在有着电风扇的摄影棚里，也依然令人烦躁不安，李小龙追求事事完美，有时甚至几近癫狂。据苗可秀回忆：

> ……拍完了《猛龙过江》后，开始拍《死亡游戏》和《龙争虎斗》的时候，我便感到他似乎有些变了，以前的他，心情开朗，与人谈话，也喜欢讲道理。从《死亡游戏》开始，他的性情，似乎变得暴躁起来，也变得孤僻起来。这种现象，在拍《龙争虎斗》时更加明显。

---

[1] 池汉载在 3 天内便完成拍摄，悄无声息地离开香港，确实蹊跷。他在接受的为数不多的访谈中对此事也是绝口不提。虽然说法不一，但是笔者个人认为，原因与池汉载的特殊身份——前韩国总统朴槿惠之父朴正熙的私人保镖以及青瓦台总统府的保镖总头目有一定的关系。

在此片拍摄前后，李小龙还请植耀昌找到著名编剧谭嬋，为其写一部名为《细凤》的文艺片。也就是在此期间，郑昌和写了一个剧本《大战黑豹》，李小龙看了很满意，准备在《死亡游戏》拍完后就开拍此片。

从李小龙遗留下的《死亡游戏》草图上看，宝塔内的守关高手除了依鲁山度、池汉载、黄仁植几人的名字外，尚有几层人选未定。于是他想到了远在西雅图的木村武之。于是，他在 6 天的时间里连续给木村写了 3 封信，请他出演镇守宝塔的螳螂拳高手，还在信里夹了机票。但是木村以自己不适合出演这个角色，会在镜头前显得笨手笨脚为由婉拒了。回忆起当时的情景，木村说：

李小龙曾经邀请我在《死亡游戏》中出演一个功夫大师，守在宝塔第五层。我告诉他："这一部分找香港人来做，一定会比我做得更好——我只要分享你们的成功就可以了。"小龙却热情洋溢地回答："听着，兄弟，我们将会获得巨大的成功！"听到电话那端他那活力充沛的声音是着实令人十分兴奋的。坦率来说，我真希望自己可以欣然接受这个千载难逢的机会。但是我知道自己的局限，而且知道他所要求现场瞬间的那种反应，那是我做不到的。所以简单来讲，即使现在，我也会继续要求他选择其他更适合的人来完成这个角色。

木村是超市老板，过几天就是 10 月，正值生意旺季，又接连遇上家庭变故，没心思来拍戏，加上对自己的武技有自知之明，所以拒绝李小龙的邀请合乎情理。但在李小龙的一再邀请下，木村还是答应了。就在他收拾行李准备来港时，李小龙因为与华纳商讨合拍《龙争虎斗》一片而将《死亡游戏》多次延期并中断拍摄。而当李小龙准备重启《死亡游戏》时，却不幸撒手人寰，最终木村也未能在影片中出演任何角色。

6.6 | 签约华纳

当弗雷德把影片在贝弗利山庄泰德的私人宅邸放映后，泰德终于相信李小龙将成为国际巨星。于是，他便安排弗雷德·温楚布去香港与李小龙、邹文怀洽谈合作拍片事宜。

9月28日，当弗雷德·温楚布和他的女秘书在邹文怀的陪同下见到正在与伊鲁山度拍戏的李小龙时，李小龙显得很兴奋，也很活跃。他有预感，自己终将会在好莱坞打开一片属于自己的天地。但他觉得自己应该把影片完成后再去美国洽谈合作事项。

弗雷德在香港住了很长一段时间，邹文怀始终全程陪同，两人一直在对即将开拍的影片的发行权进行谈判，但迟迟谈不拢。他看得出来，邹文怀很是不安。因为如果没有李小龙，嘉禾公司就无法生存，李小龙就是邹文怀的救命稻草和摇钱树，是嘉禾公司的核心人物，所以邹文怀绝不会让李小龙离开香港。在香港的最后一天晚上，弗雷德与李小龙、邹文怀在一家日本餐馆内进行最后的谈判。孤注一掷的弗雷德对李小龙使出了激将法："虽然我知道你是香港的超级巨星，但是很抱歉，看上去你还没有准备好成为一名国际巨星。"保罗·海勒曾评价说，他从未见过有人像李小龙那样迫切地想成为好莱坞明星。最后，李小龙看着邹文怀，只说了两个字"成交"，邹文怀只能很不情愿地同意了这笔交易。不久后，李小龙暂停了《死亡游戏》的拍摄，与邹文怀一起飞往美国，与华纳公司做进一步的洽谈。

李小龙抵达美国后，华纳公司便安排他住进贝弗利山庄豪华五星级酒店。麦昆得知消息后匆匆赶来，但并未见到李小龙，于是留下字条，劝诫李小龙切勿被成功冲昏头脑。李小龙去见了斯特林,斯特林原以为李小龙见到他会非常高兴,但是没想到李小龙仍然对那次印度之行耿耿于怀。期间,李小龙还特意抽空赶赴奥克兰看望严镜海。当水户上原来到饭店与李小龙会面并问及严镜海近况时,得知严镜海真实病情的李小龙当时心情很差,他对水户上原说:

他看上去糟透了,瘦得皮包骨头。可怜的家伙,他告诉我他得了肺癌。他也知道自己活不了多久了。

该死的,我应该赶快弄些钱来,或许这样能挽救他的生命。镜海从未去过东亚,我觉得我至少可以为他完成这个心愿。如果医生允许,他应该在香港过圣诞节。你知道,我很喜欢和他在一起,但是我不知道能抽出多少时间陪他。我太忙了,几乎连睡觉的时间也没有。有时我(每天)只睡 3 个小时。所以我瘦了这么多。

有另外一个问题在困扰着我——如果他死在香港怎么办?伙计,我如何把他的遗体运回美国?我又要面对那些该死的繁文缛节。我哪来的时间?

最困难的是,我要向如此亲密的朋友告别,而这是我最后一次见到他了。想想吧,在那天之后,我将永远也见不到他了。伙计,我真的不知道该如何承受这一切。现在我真的很痛苦……我极不愿意面对那天的到来。

在洽谈期间,台湾金马奖评选出了 1972 年度各奖项,嘉禾公司的《精武门》得到了"优等剧情片""最佳剪辑"奖,李小龙也凭此片得到了"最佳特别技艺奖"。由于身在美国,该奖项便由随嘉禾公司代表团一同飞赴台湾的苗可秀代为领取。

邹文怀其实是很不愿意李小龙成为国际巨星的,那意味着他将失去对他的控制。据说,他在邵氏工作时,从不看任何文件,颇有些"无为而治"的意味。但是对于李小龙那种强烈的要进军国际市场的态度,就不能熟视无睹了。但他不能对李小龙说不,也无法阻挡李小龙成为国际巨星,所以利用李小龙对剧本要求极为苛刻

169

的性格,采用"拖"字诀,也是无奈下的权宜之计。

李小龙看过剧本后,不是很满意,觉得层次感不够,要求华纳方面对此进行修改。虽然华纳同意由李小龙出演男一号,但是由于对剧本的严格要求,所以当李小龙回港时,双方仍未签约。

1972 年 11 月 7 日,《精武门》在纽约上映。这是嘉禾公司第一部在美国发行的李小龙电影。

没能与华纳签约、好友时日无多,自己还要为《猛龙过江》安排档期、做宣传,这些事情都让李小龙身心俱疲。让他更为难的是,他不得不看在好友蔡和平的面子上参加 TVB 五周年台庆,并在事先安排下,藏在一个巨型道具蛋糕里,当他走出来时,确确实实给了大家一个大大的惊喜。而当他强作欢笑录制节目时,又有谁了解他此时内心的烦闷?

乘着"中国热"的东风,港产影片开始在国外走红。1972 年 11 月 22 日,邵氏公司所摄制的《钟馗娘子》在法国上映,据当时报道记载电影很卖座,造成了法国电影市场的一股"中国电影热"。同时,英国一份权威的电影杂志也以专文形式介绍了邵氏 3 部 20 世纪 60 年代旧作:《妲己》《毒龙潭》和《饿狼谷》。

23 日,华纳寄来合同,同意与李小龙合拍《血与钢》(*Blood and Steel*),该片将由美国华纳公司与香港协和公司合拍,初定于1973 年 1 月 6 日开拍,李小龙在各个方面都有着最终决定权。此时,李小龙终于心满意足地在合同上签了字,并开始和华纳商量具体拍摄事宜,并准备为《猛龙过江》上映做宣传工作。

6.7 | 道德绑架

12 月 1 日,《唐山大兄》在加拿大上映。同日,罹患咽喉癌和长期胃病的叶问宗师于通菜街怡辉大厦居所内仙逝。得知消息的徒子徒孙们急忙汇聚到一起组成治丧委员会，由邓生担任主任委员，并于 4 日刊发讣告，声称将于次日举行大殓。蹊跷的是，李小龙在大殓那天并未露面，连花圈都不曾送来，而身为李小龙师侄、叶问徒孙的邵氏影星狄龙反倒与咏春门人、其他武术界前辈们一同现身，不免引起各界诸多揣测。媒体也乘机大做文章。

有人说，李小龙忙着拍戏赚钱；有人说，创立了截拳道的李小龙根本就是忘了立足之本是在咏春，连师父都忘了就是忘本；指责最轻的言论也认为：无论如何，师傅去世，李小龙这位咏春门内最著名的弟子居然毫无表示，这是无论如何也说不过去的……一时间，报刊纷纷以"叶问仙逝李小龙未有吊祭 遭受武术界人士大肆抨击"、"叶问仙逝 亲传弟子'发达之人'李小龙竟未到祭"等类似标题做文章，大肆抨击李小龙。李小龙被舆论推上了风口浪尖，他面临着最大的形象危机和最严酷的道德审判。

总之，李小龙一时间成了"数典忘祖""忘恩负义""戏子无义"的负面典型。

虽然本着"清者自清"心态的李小龙不想就此事回应媒体，但作为"死党"的小麒麟实在看不下去，立刻委托《新武侠》杂志专门撰文，代为澄清，将家祭那晚的情况一五一十说出，并提醒道：

……说李小龙"以一派宗师自居""不知谦抑，狂妄自大"，能够列举出事实来吗？……过去十年，李小龙曾经好几次由美国返回香港，每次返港，都有访谒叶问宗师，馈送礼物，跟老人家茶叙，某些别有用心的人说，李小龙创造了截拳道之后，便把叶问宗师教导之恩忘个一干二净，岂独不确，抑且用意恶毒呢！……可见李小龙绝非"白霍沙尘"（粤语，骄傲、嚣张之意）。人怕出名，树大招风，盼望武术界人士能够谅解，不要坠入被别人利用的圈套！

李小龙的大嫂林燕妮曾说李小龙是不看中文报刊的，这也从一个侧面说明了李小龙为什么会对这么大的事视若无睹。

从李小龙与水户上原的交谈中至少可以看出，他不去参加追悼会完全是事出有因：

你知道，那些人（笔者注：此处指叶问的徒弟们），他们就住在香港，却从未通知过我！该死的，他们对我实在是太过嫉妒了。当我得知消息时已是在 3 天后。我去参加了家祭，但这与参加葬礼完全不同。该死的，我真是既难受又失望。

早在《唐山大兄》一片上映后，李小龙就曾对记者泰德·托马斯说：

所有的事我都是最后一个知道的。我永远是从报纸上，记者口中意识到到底发生了什么事。

如按照李小龙所说，那他得知死讯或大殓时间，最迟不会超过 10 日。按照以往，他完全会抛开一切，亲自前去参加大殓。但今日的李小龙已是巨星，何况那时他正在热火朝天地拍《死亡游戏》。同时，按照叶正先生所说：

家父（笔者注：指叶问）去世时，李小龙并没有出席葬礼。整个武术界都在批评他。后来，李小龙打电话给我，说他自己忙于电影，不知此事，问我为什么不通知他出席葬礼。我们在一起讨论如何解决现状。我建议他不要对报界和杂志说只言片语，只等"三七"，也就是逝者死去 21 天后来参加家祭，届时，子女、亲友及弟子们都会参加。我建议他到那天来参加家祭就好，李小龙照做了。后来，这件事就被大家淡忘了。

但按照小麒麟对《新武侠》的说法，李小龙是 20 日才从昼夜颠倒的拍片模式中脱身，连报纸都没时间看，更没有任何人通知他叶问死讯。随后从好友口中得知师父死讯后，立即以电话和师兄黄淳樑师傅联络，并委托他致电咏春派各同门，才知道了叶问老师的家人在咏春体育会家祭（三七）。正所谓"不知者不罪"。

一日为师，终身为父，抛开时间上的差异，以李小龙的性格，一旦知道叶问去世，无论如何也要参加恩师葬礼的。但从李小龙言论就可以反映出：从叶问去世、出殡，直到家祭，咏春门都没主动通知李小龙。同时，不排除某些小报或与李小龙关系不佳的报纸为了炒作而对此事大肆渲染、兴风作浪的可能。从叶准诡异的言论中可以看出些许端倪：

> 家父刚谢世，我（叶准）曾拿出电话簿想打电话给李小龙，但被人劝阻，我也就作罢。而实际的情况是：各位师兄弟奔丧，都不需要任何人通知。总之，我说出这些话，并不是想批评李小龙，因为家父葬礼未到，或另有别情，或恐怕会对他的"截拳道"及电影票房价值有所得失？舍李小龙外，无人可以明白。

《当代武坛》杂志曾做过叶问宗师逝世的专题追踪报道，在采访的 11 名武术界人士中有 7 位叶问弟子。令人大感意外的是，李小龙一向尊敬的师兄黄淳樑言语非常激烈，甚至语带讥讽、醋意十足。

> 李小龙是咏春弟子，无论他本人做何表示，这是一件确确实实、无可置疑的事实。他与我同是叶宗师的门徒，我是他的师兄，少时我俩切磋武功，亲如手足。他到美后，多年来仍与我通信，近年他自立门户，我们才渐渐疏远。也许他认为自己的武功确实有了相当的地位了。
>
> 返港后，只与我通过几次电话。这趟师父过世，他未做任何表示，是非曲直，自有社会人士及武术界中人公论。但我觉得，一个人应该重视"本"，无论你今日有了多大的成就，也不应该忘本！因为，你今日开山立派，盛极一时，但你的武功基础仍脱不了原来的范畴。
>
> 话说回来，李小龙今趟做法，或有他自己的苦衷和尴尬情况，

不过若有本心，无论如何也应该到场的，他全然没有表示，自是失礼于人。的确，一个人能做到富贵不矜骄是不容易的。

7名接受采访的咏春门人中，值得注意的是古生的言论：

据我所知，叶师傅生前十分赞赏李小龙。叶师傅谢世，我相信李小龙也一样感到悲哀。至于李小龙不到殡仪馆奔丧，可能，他或觉得不便。我且听到传说，李小龙在家里拜祭叶师傅。我认为，李小龙能有今日的成就，咏春中人应该感到莫大的荣幸，同时我认为他也带给咏春中人不少好处。

在早就知道李小龙将陷入"道德陷阱"的情况下，叶准与黄淳樑的言论暴露了他们的人品，读者可详见第八章《1973年之后》。而笔者对古生的直言不讳，则心生敬意。

叶问与李小龙师徒情深，不是父子却胜似父子，他对李小龙的偏爱和高度赞赏令许多咏春门人大为嫉妒。尤其是几次回港，李小龙都能从叶问处学到一些其他学员难以触及的秘技、心法。这些人在嫉妒心的驱使下，炮制出"李小龙与叶问不和甚至交恶""以房换技"等谣言，并在内部流传开来。李小龙去世后，这些谣言更是扩散流传至今。其实，李小龙先后4次请叶问到高档茶楼喝茶，叶问皆立即欣然赴约。一次茶叙间，叶问非常开心地与李小龙、李国豪父子合影留念。还有一次，在金冠酒楼茶叙后，两师徒并肩慢慢散步聊天半小时，最后，李小龙恭恭敬敬，请叶问上了那辆一直徐徐后随的豪车，把师父送到家门口。李小龙也亲自登门，拜访了早已开馆授徒的大师兄梁相，梁相还赠予李小龙一对八斩刀，以示鼓励。

李小龙虽然不与咏春门发生关系，却对自身状况一清二楚。

我猜那些混蛋一定认为我应该固守咏春拳，看不得我创立属于自己风格的新拳种。我认为他们对我现在成了香港的大明星而感到嫉妒,这些混蛋!

为了避开媒体,21日傍晚时分,李小龙与胡奀、小麒麟早早来到家祭现场,送了花圈,并与叶准、叶正及在场所有咏春同门握手交谈。

李小龙站在先师遗像前,想起叶问生前往事,悲从中来,心中极为内疚,认为自己毕竟没有见到师父最后一面,也没有送他最后一程,怎么说都是不应该的。上完三炷香后,立即跪下磕了三个响头。在香港媒体铺天盖地的指责与师兄弟们在报刊上刊登的怨言的双重夹攻下,他百口莫辩。虽然在场诸位同门并没有过分言语,表面上客客气气,但他实在无法在这种虚伪又肃杀的气氛下再多停留一分钟,于是匆匆签下200港币帛金,借口自己每晚都要练习跑步,换上跑鞋,离开了这个是非之地。但《当代武坛》杂志依旧不依不饶:

12月20日晚上,在大会堂"十大影视红星"颁奖礼上"李三脚"手捧银杯,得意扬扬,威风十足。据闻李小龙初时也不想亮相前来领奖的,后来回心一想,自己在大会上露露面,对于正在上映的《猛龙过江》,有宣传上的帮助,因而在前一天的下午才通知嘉禾公司宣传部人员,要出席参加颁奖礼……为名为利是应该的,但也要顾到人情礼义……难道演戏真的就是演戏?

……李小龙是个头脑异常聪颖的人……他时时刻刻、分分秒秒都在关注着社会上的动态,尤其关心任何人对自己的反应,人家批评他未去拜祭师傅,他就立即前往补做功夫……李小龙算是跑过江湖的,他真会做人,悄然跑去拜祭师傅。恩师出殡那天,李小龙身在香港,竟未到祭,只是当时不知道会引起如此轩然大波,事后一看情势不妙,立即补祭,多多少少带有点敷衍了事、息事宁人的意味在内……

6.8 | 丁珮风波

12月20日下午四点半,正在为《死亡游戏》忙得昏天黑地,昼夜颠倒,连报纸都没时间看的李小龙将拍摄告一段落,准备为之后的《猛龙过江》做宣传。好不容易抽出空来,在香港大会堂参加了"十大影视红星颁奖典礼",从简悦强爵士夫人手中接过了"1972年度十大影视红星"的奖杯。

下午6点,在影视颁奖典礼结束后,丁珮就被送进伊丽莎白医院洗胃,后转至圣德肋撒医院。

当时的报纸都刊登了"丁珮为情自杀"这一消息,但其母及其本人皆予以否认,称只是贫血旧疾复发所致。尽管当时的报纸并没有点明两人关系,但仅以"吃错药""神情恍惚""武侠红星男朋友"等半隐喻性描述,便是不言自明的事。更有报道指出,丁珮晕倒前几天,曾"一输万金";在昏迷入院前,斜倚在自家汽车旁狂歌痛哭。当时,演员朱牧发觉苗头不对,就把她送回家中。几个小时后,就发生了送医的事件。在1973年1月18日的记者会上,她全盘否认一切说法,但架不住记者的穷追猛打,最后只得承认自己是被邹文怀和凌云送进医院的,这等于间接承认了自己是为情自杀。

李忠琛也曾对记者做过以下阐述:

……小龙生前被丁珮弄得心烦意乱。他来到我家时,我想多知道点他们之间的情况,他用英语澄清:"我承认我是喜欢她,但并不爱她!"小龙曾和她分手一周,但丁珮多次来他家中找他,遇到了琳达。后来，琳达说，丁珮说她"很爱小龙"。不久后，丁珮就"出了事"，李小龙心软了，开始回心转意，又去看了她。

李小龙因为丁珮在性格、做派等某些方面和自己有些相似，从而对她有一定程度的好感，两人算得上是好友，还互相开车去摄影棚探班，被传出"过往甚密"的八卦言论。但李小龙用实际行动，彻底粉碎了被坊间、港媒传得沸沸扬扬的"李小龙会因为丁珮而和琳达离婚"的流言。

6.9 ｜痛失挚友

12月22日，《猛龙过江》上映首个午夜场。李小龙强忍悲痛，与邹文怀在影院摆出"V"字手势，供记者们拍照。黄锦铭和赫伯·杰克逊也在此前后来到香港拜访李小龙。多年后，黄锦铭回忆起此事：

1972年12月，他邀请我、赫伯·杰克逊和严镜海去香港看他。那时严镜海病得很重，无法出行，所以赫伯和我去了香港，在他家住了几个星期……我们在他家中过圣诞节和元旦。当时他说："你们来得正好，这是我到这里（香港）来以后最平静最轻松的时刻。我忙于拍电影，放松、娱乐和聊天的时间很少。"我们在那里参加了《猛龙过江》的首映式。很令人兴奋，一直放到午夜。我很喜欢这部电影……有一件很有趣的事，小龙建议我们把训练设备带去，因为他那没有可供训练的器材。于是我们把行李箱装满了各种训练设备，而没有打包任何衣物和个人用品。我们认为这些生活必需品到了香港可以买到。

177

　　黄锦铭和赫伯·杰克逊在港期间替李小龙签收了马西牌循环训练器,方便李小龙做进一步的训练。

　　12月30日,严镜海之子严万法第一时间打越洋长途通知李小龙,严镜海因肺癌不治,并告知了葬礼的举办地点与具体时间。获悉噩耗的李小龙当时几近崩溃,更让他唏嘘不已的是,同一天,他还收到了严镜海寄来的最后一封信——一张生日贺卡,上面写着:

　　像你这样的朋友实在是太难得了。

　　水户上原回忆道:

　　1972年12月底的一个周六早晨,我接到了一个从香港打来的越洋长途。"镜海死了,"李小龙哽咽着说,"我就是想让你知道这事(停顿片刻),对不起,我要挂电话了……我实在是说不下去了。"他道了歉,显然镜海的死对他打击很大。

　　短短的一个月内,李小龙接连痛失恩师、亲友,这让李小龙丧失了最后的一道心理防线——安全感,于是在1973年初及之后的2月1日,他为自己在不同的保险公司上了巨额保险。

　　1973年1月5日,严镜海葬礼举行,李小龙并未出席。6日,《龙争虎斗》开机。几天后,李小龙好不容易抽出点时间给严镜海的弟弟写了两封信表示慰问,表达对故友深切的哀悼和不舍之情。

　　我失去了一个宝贵的朋友……他是个男子汉,我爱他……我也失去了一个兄弟,他的优缺点都值得我去尊重……这个损失是无法弥补的。

　　1月30日晚,《猛龙过江》首映,承受着双重打击的李小龙照例邀请哥哥嫂嫂来观影。鉴于前两部戏的空前成功,李忠琛对该片在艺术成就上的期望值更高,但在看完影片后有些失望。李小龙轻声问哥哥："觉得这部戏怎么样?"李忠琛只是说了句："音乐还不错。"一旁的林燕妮想去安抚李小龙，却发觉他的手很冰冷，可见他失望、紧张、沮丧之极。李小龙虽然言行极为西化，但骨子里仍然是传统的中国人。哥哥在他的心目中有着父亲、标杆般的崇高地位，而学习成绩一向优异的李忠琛又是家中长子，俗话说"长兄如父"。尽管李小龙已是巨星，但李忠琛只把李小龙当成自己的弟弟，视为普通人。李小龙竭尽心血，努力想打造出一部精品，希望从哥哥这里得到比市场反应更重要的心理支持，却不料被兜头泼了一盆冷水，这种打击在某种程度上比父亲、师父、挚友去世更甚。

平心而论，如果删去李小龙的几场精彩打戏，打着 Techniscope 技术（一种当时较为先进的宽银幕胶片摄影技术）与欧洲外景噱头的《猛龙过江》就是一部结构松散、剧情生硬、前后矛盾、漏洞百出的烂片。说李小龙是打戏一流，编剧三流一点都不过分。这些缺点李小龙心里比谁都明白，但这是他的创业作，他要向大家证明，自己不光是有着一身过硬本领的动作演员、思想家，还是一名全能电影人。如果他要在接下来的《龙争虎斗》中担纲第一主演并有足够的话语权，创业作便可视为风向标和重要筹码。况且，被嘉禾公司列为 1973 年第一部 A 级大片的《冷面虎》正在紧锣密鼓地宣传中，冈田可爱演唱的《冷面虎》主题曲也已风靡日本，这让即将出演《龙争虎斗》的李小龙很是不爽。于是他寄希望于《猛龙过江》一炮打响，也可视为对罗维这位"跟风大师"与《冷面虎》的一种威慑，以及对嘉禾公司此种安排的不满。所以，我们便可以理解李小龙对外界媒体的批评试图以各种理由搪塞、辩解，甚至称某些细节为神来之笔这样的"护犊"心切的各种自欺欺人之举动了。

截至 12 月 31 日，各大报纸宣称，《猛龙过江》票房已达 60 多万。同时，嘉禾公司、协和公司与"云丝顿"烟草公司达成合作，举办"畅游罗马幸运游戏"，将由苗可秀在"欢乐今宵"节目中抽出中奖者，可获得美国环球航空公司提供的来回罗马机票 2 张，并可获食宿津贴 4000 港币。李小龙更扬言《猛龙过江》将打破 500 万票房。有报纸甚至扬言"票房达到600万也不无可能"。但就在这一天，咏春门内部分搬弄是非者在《华侨日报》上再掀李小龙数日前"家祭师父"风浪，爆出"内幕"，可谓居心叵测[1]。

最终，加映了《死亡游戏》片花的《猛龙过江》上映26天，影片总票房真如李小龙所夸口的那样，收了530万港币。李小龙这才松了一口气，起码这部影片在商业上尚算成功。但有人注意到，放映前，各院线已经调高了各档票价，涨幅平均为30%左右。若刨去这些"水分"，该片实际票房应为370万左右，虽也超过《大军阀》和《唐山大兄》，却依旧低于《精武门》。于是有影评人撰文指出，李小龙已经江郎才尽，《冷面虎》即将取而代之。

1973年2月2日，《冷面虎》正式上映。虽然在《猛龙过江》下片后一周才公映，避开了正面冲突，冈田可爱也专程来港为影片宣传造势，但是上映15天才迈过200万大关，虽然也算是成绩斐然，但比起《唐山大兄》10天超过250万、《精武门》5天收得200万、《猛龙过江》13天便接近450万的票房成绩，孰胜孰负，一目了然。

虽然李小龙凭借此片真正成了影视巨星，但是烦恼也随之而来。他接受采访时无奈地表示：

（事业成功）最大的坏处就是我再也没有隐私了。真是讽刺，我们为了成功而努力奋斗，但当真正成功时，等待我们的却不仅仅是鲜花。走在香港的街上，就有行人盯着我，有人要和我合影。正因为如此，我把自己的大部分时间都用在工作上。现在，也只有我的家和办公室是比较安静的地方。

我不抽烟不喝酒，也不喜欢花费时间做无聊的事情。我不喜欢穿郑重其事的衣服，希望借此给人留下更深的印象。我并不是说自己很内向、很含蓄、很羞怯。我周围有很多的朋友，我经常和

---

[1] 笔者个人认为，虽然该篇报道未写明作者真名，仅以"从武"笔名论之，但是从字里行间可以看出，该篇报道明显是以叶准、黄淳樑为首的咏春门人请记者代为撰写。

他们在一起随意谈论拳击、武术等事情。但当到饭店一类的公共场合中，我就想在未被发现之前赶紧躲起来。我会径直走到最靠边的桌子旁，马上坐下，脸冲墙，把后背留给众人。吃东西的时候，我的头一直低着。我必须这样做，因为如果有人认出我来，我就惨了。我不可能一只手给人签名，一只手吃饭。所以，这顿饭肯定会吃不成了。因为我不是那种能因为个人好恶而赶走别人的人。现在，我特别理解像史蒂夫·麦昆那样的大明星们为什么会拒绝到公众场合去。一开始，我并不介意，但很快，我就无力招架了。没完没了地摆姿势拍照，还要挤出一丝笑容，一遍又一遍地回答同一个问题，头都大了。

我就像在监狱里一样，我就像公园里的猴子，大家都在看着我。你知道，我的生活很简单，也很喜欢开玩笑。但是我不能再像以前那样自由地开玩笑了，以免我的话被曲解。

第七章

最后的岁月（Ⅲ）

7.1 | 年羹尧

1972 年 12 月 15 日,《明报》刊出一条爆炸性新闻:"李小龙邵氏拍造型照 邵逸夫请吃午餐方逸华陪同进厂行藏神秘。"据说这次是邵氏主动向李小龙示好的。

更劲爆的是,刘永在采访中承认,李小龙因与嘉禾公司不合,跑去邵氏影城拍了试妆照,而他自己当时就在隔壁房间里。他更指出,李小龙当时拍的一组试妆照是年羹尧的造型! 若此片能顺利开拍,缺少李小龙的嘉禾公司就很危险了。

其实自李小龙加入嘉禾公司后,进入邵氏影城已经不是第一次了。早在 1972 年 4 月 5 日,李小龙就带着爱子、好友小麒麟去邵氏影城探班好友楚原导演的《爱奴》,引得一众记者大肆报道。当时媒体称,邵氏已在全力争取李小龙,而李小龙此时出现在这个敏感的地方,嘉禾公司高层总会有些头皮发麻。于是,5 月号的《嘉禾电影》就将李小龙不久前拍摄的《细凤》古装造型照刊登了出来,表示李小龙将继续为嘉禾公司拍片,以此试探李小龙和邵氏的反应。

5 月 4 日,李小龙又进入影城探班罗烈主演的《亡命徒》;8 月 22 日与小麒麟探班陈宝珠主演的《壁虎》,姜大卫、狄龙主演的《刺马》,并与这些邵氏演员、导演合影留念。另据《南洋商报》称,李小龙在小麒麟的陪伴下见了邵逸夫。这样一来,大家很容易联想到李小龙很可能为邵氏拍戏。

更让人大跌眼镜的是,1972 年 6 月间,李小龙、邹文怀代表协和、嘉禾公司,与楚原代表的邵氏公司在某酒楼聚餐。席间,楚原代邵逸夫"拟请"李小龙为邵氏拍《年羹尧大将军》。据说片酬为250万港币。当时坊间也有传一部戏350万港币的。琳达更于回忆录中爆料，称财大气粗的邵逸夫给李小龙准备了一份"开口合同"——你说多少就是多少，片酬随便填。而对于李小龙即将与邵氏合作的消息，邵逸夫并不承认，也不否认。但是，协商谈判是一回事，有没有谈妥又是另一回事。毕竟，白纸黑字才是最强有力的凭证。

李小龙与邹文怀彼此都离不开对方，这是人所共知的事。但是李小龙做出如此举动，就像是一个向父母撒娇要糖吃的孩子：

李小龙有个大孩子的脾气，逢上稍有不如意之时（例如有事而找不到邹文怀），就在嘉禾公司办公室里大声叫道："我要到'邵氏'去拍戏了！"

李小龙甚至将《年羹尧》相册给邹文怀看，但邹文怀依旧笑嘻嘻地说拍得不错，这让李小龙很是没趣。因为邹文怀知道，李小龙吃软不吃硬，也清楚他喊着要去邵氏拍戏不过是对嘉禾公司的一种施压，只要满足了他的要求，自然一如往常。

大约在1973年3月间，邵逸夫在台湾的某个记者招待会上明确说出："李小龙是一定要为我拍戏的！"并称已经有几个专门为李小龙写的剧本供他挑选。但精明老练的邵逸夫却并未明确指出李小龙何时会为其拍片。于是有人猜测，两人之间见过面是事实，但只是口头协议。李小龙本人更在1973年6、7月间左右写信给邵逸夫，声称将把9—11月的档期空出，还曾与方逸华合影，更在《龙争虎斗》拍摄期间带着约翰·萨克森去邵氏片场探班程刚导演的电影《天网》，并比出"V"字手势与邵逸夫合影。据说邵逸夫还在《龙争虎斗》拍摄前后专门请李小龙和萨克森吃饭。但李小龙此举更多的是想借此向嘉禾公司讨价还价，争取更高片酬或更多的优惠待遇。熟知内幕的张彻认为，李小龙与邵氏合作，其实是"政治"大过"商业"，更爆料说，合约其实一直都在洽谈中，但从未签署过。

至于拍造型照，不过是李小龙向嘉禾公司示威而已。

李小龙回港两年，开始变得世故圆滑起来。有报纸杂志刊登出他与邹文怀不和的消息，他便立即借《猛龙过江》庆功宴的机会，在记者面前与邹文怀双双举杯互敬，打破谣言。

7.2 | 龙争虎斗

1972 年 12 月底，曾为美国哥伦比亚电视广播公司担任摄影师的菜鸟导演罗伯特·克劳斯[1]、编剧麦克·阿林、制片人弗雷德·温楚布先行抵港。邹文怀、安德鲁·摩根等高层人员前往迎接。紧接着，摄影师吉尔·霍布斯、演员约翰·萨克森、吉姆·凯利及安娜·卡普丽等美方剧组演职人员也陆续就位。

在紧张的选景后，1 月 6 日，这部投资 50 万美元的影片便正式投入拍摄。[2]

但是在开拍的第一天，剧组就出了一件大事，弗雷德·温楚布回忆：

电影拍摄的第一天，李小龙就走开不干了，因为他和邹文怀大吵了一架。这部影片其实是联合制作，包括李小龙的协和公司和邹文怀的嘉禾公司，我和海勒的红杉公司，还有华纳兄弟公司。但

---

[1] 导演罗伯特·克劳斯，除了拍摄过两部短片，在电视片集《无敌铁探长》第 5 季执导过一集外，只在 1970 年执导过两部电影。但李小龙很欣赏这位导演在某部短片中的格斗场景，于是雇用了这位菜鸟导演。而除了克劳斯，没人愿意来执导《龙争虎斗》。

[2] 50 万美元在香港是一笔巨资，自然可视《龙争虎斗》是一部大制作，虽然后期增加投资到 80 万（不算特效和音乐的 5 万美元），但是在好莱坞，这个数字的投资仍然属于小成本。

媒体却说是嘉禾公司独家制作。所以，李小龙和邹文怀大吵一架，走开了。

在第一天的拍摄中，李小龙没有出现在现场，第二天他也没有出现。第三天、第四天、第五天也没有……

李小龙是这部影片的核心人物，缺少了他，电影就无法完成。大家找了他将近两到三周的时间，并在李小龙缺位的情况下先跳拍其他戏份，让克劳斯和霍布斯外出拍摄香港街景，同时对华纳公司驻香港现场代表声称"一切顺利，一切都不能再好了"来敷衍过去。弗雷德急得快疯了，这点从2月1日，从香港发给华纳的电报内容就显示出事态非常严重——差点就要"终止拍摄"了：

1. 弗雷德·温楚布带着"额外的拷贝"离开香港
2. 终止与石坚的合同
3. 停拍已完成20％的镜头
4. 停拍茅瑛所出演的动作戏
5. 停止将美方款项继续汇入协和、嘉禾公司账户

……

那时，《冷面虎》午夜场反应颇佳，第二天便是正式上映，一旦《龙争虎斗》停拍，不是让外界看笑话？

据弗雷德的回忆，正在此时，琳达介入，她说："李小龙因其他事务忙得脱不开身，他现在正在忙着武打场面的设计。"时常来探班的邹文怀也一直对他说："放心，李小龙会出现的。"

在琳达和美方制作人员的劝说下，李小龙终于回到剧组，开始拍摄自己的戏份。但是，拍摄并不顺利，他的第一个镜头不过是转过身来和扮演"美玲"的钟玲玲对话，却NG了27次才勉强过关——他太紧张了，剧组人员甚至可以从监视器里看见他在颤抖。

李小龙太想成为国际巨星了，面对这样的一个好机会，自然要展示出最完美的自我，以证明自己无愧于巨星称号，却无形间给了

自己太大的压力。于是，李小龙选择了短暂的逃避，这在心理学上是典型的"约拿情结"[1]；拍摄时，由于心理压力，无法发挥出平时的正常演艺水平，这又是心理学上的一个著名论断——"瓦伦达心态"[2]。完美主义者对自我要求到了一种近乎自虐的苛求地步，因此，极端的紧张与焦虑是无可避免的。完美主义者的问题正是在于害怕令人失望以及避免感到内疚。这也就是一些完美主义者追求完美的内在动机。而李小龙完全符合以上所有条件！

不过李小龙到底对心理学有过研究，加上琳达也不时劝慰，于是，在短暂的"冬眠状态"过后，那个熟悉的李小龙重新在片场"完美满血回归"。

李小龙的"归位"，使电影的拍摄看上去一切开始变得正常，但是，拍摄进度依旧极为缓慢。除了语言不通外，双方的思维、工作方式迥异也是一个大问题，琳达在回忆录中如此写道：

> 一个助理道具师一天早晨忘了带道具，他感觉非常惭愧，因此失踪了三天。有时，需要花费几个小时的时间向 300 多名群众演员讲解他们的站位和接下来的走位及动作。一天拍摄结束后，还要对这些群众演员简单解释一下明天的要求。结果，第二天，只来了一半人，而且，这一半人也不是按时来的……还有，总有人得病或受伤。

《血与钢》的剧本是由寂寂无闻的美国年轻编剧麦克·阿林通过对东方的肤浅理解及偏见东拼西凑而成，内容不伦不类，李小龙自然很不满意。虽然他并未见过编剧本人，但是他不停地与美方

---

[1] 所谓的"约拿情结"，简单来说就是：我们希望成功，但是面对即将到来的成功，又会觉得自己会失败，结果往往亲手毁了近在咫尺的成功。而绝大多数人都拥有这种心理障碍，这就解释了为什么大多数人一辈子碌碌无为，而成功的人永远是少数人，因为这些人克服了心理障碍，勇于承担责任和压力，最终抓住机会并获得了成功。

[2] "瓦伦达心态"指的是太想成功，太专注于事情本身，太患得患失，反而会因此而坏事。

交流,提出自己的想法及建议,美方也非常尊重他的意见,剧本改了又改。弗雷德对于剧本的频频修改记忆深刻：

影视制作总监约翰·凯利终于认识到这个身高1.73米的中国动作片英雄是个非凡的人物,于是他寄了另外一个版本的剧本给李小龙。不是《龙争虎斗》的增补,而是替换！凯利想制作一部完全与众不同的电影。这就是我当时所需要的,用这些东西来分散对李小龙的注意力。

华纳兄弟公司把《龙争虎斗》所有的改编剧本都寄来了,希望我们挑出一本李小龙喜爱的。我们试镜两天,好莱坞又寄来另一种版本。我给他们打电话说："我受够了——我现在在回美国的路上。"

在勘察外景期间,剧组偶然发现大潭湾码头是个不错的外景地,拾阶而上便是好几处小型私家网球场,便想借此地拍摄比武大会戏份,于是副导演张钦鹏与导演克劳斯与旁边一位正在修砌码头的老人家进行交谈,但是老人对此二人所提出的意愿不置可否。此时,李小龙走下车,与老人攀谈起来。两人一番寒暄后得知,原来面前这位已78岁高龄的老人是大律师罗文锦的三弟罗文惠。罗文锦娶了何东爵士长女何锦姿,而李小龙母亲何爱榆是何东爵士的侄女,所以,罗文惠是李小龙的远房亲戚。由于这层特殊关系,罗老先生便口头答应将网球场及码头等私人产业借给剧组拍戏。于是,嘉禾公司派了一些人打扫已经长满了荒草的网球场,开始进行场景布置。

2月17日,当李小龙在修葺一新的网球场拍摄大战奥哈拉的戏时,他的手被道具玻璃瓶割伤了。在美国,道具玻璃瓶是用糖浆制作而成,不会对人体造成任何伤害。但是当时的香港没有这种技术,也买不起这种道具玻璃,只能用真的玻璃瓶,这就对时机的掌握和演员之间的配合有很高的要求,绝不能出现时间差。在前6次拍摄中,一切都很正常,偏偏在第7次拍摄时,罗伯特·沃尔右手在被踢中后并没有及时扔掉拿着的碎玻璃瓶，李小龙踢腿后的转身动作又太快，做一个顺势的挥拳动作时，右手的大拇指、食指、中指被恰好刺来的玻璃瓶误伤，血流不止。胡奀与张钦鹏立即与李小龙乘坐汽车，到山下的赤柱救护站，由一名女性护理人员做了简单的消毒处理后，随即开往港安医院进行进一步的治疗，结果缝了 12 针，休养了一周才重新回来拍戏。

拍摄动作场面受伤是常有的事，李小龙对此毫不在意，但就在当天，克劳斯对弗雷德说，李小龙认为沃尔是故意弄伤他的，所以要在下一场戏——大力侧踢时杀了他。弗雷德吓了一跳，连忙打电话告诉沃尔，但是沃尔相信，与他有多年情谊的老友兼师傅的李小龙绝对不会那么做。

媒体听风就是雨，谣言立刻被散播出来，李小龙立即出面对媒体澄清，声称他不会杀死沃尔，因为他需要沃尔来完成这部电影的拍摄。一周后，李小龙很顺利地完成了这次拍摄。并在踢飞沃尔的那一幕开拍前，与沃尔进行了多次排练。当李小龙将穿戴有轻型护具的罗伯特·沃尔踢出 4 米开外时，事先安排好挡在沃尔身后的多名特技人和多把椅子无一例外被掀翻。这一幕结束拍摄后，李小龙将沃尔扶起，两人笑着紧紧拥抱，"李小龙想杀沃尔"的谣言也随之烟消云散。多年后，沃尔在接受《黑带》杂志记者采访时始终表示：

> 任何所谓的争执都是克劳斯自己一手炮制的，他曾经造谣说李小龙想杀了我。李小龙说他从来没有说过这句话，因为他很清楚，那场戏我们在前六次排练中都很顺利。因此我们发现是克劳斯造的谣。李小龙休息了一周后，我们拍摄了李小龙大力侧踢我的那场戏。他踢我的力用得恰到好处，这是理所当然的——关于所谓的谣言就这么多了。任何问题都是克劳斯弄出来的。他不喜欢也不尊重武术家，这完全是他的过错。
>
> ……李小龙只要过来踢我的脸或脖子，那我可就麻烦大了，但他显然没那么做，所以我们之间其实没有问题，只是在当时和 20

年后的现在,我对他那次受伤都很过意不去,但那绝非威胁性命的伤势,只是一场不幸的意外。

李小龙总是有很多主意,总会找时间与导演和制片人一起讨论那些新的想法,并考虑是否能恰当地运用到影片中去。李小龙也是这部戏的动作指导,有时他会事先将打戏中的招式以火柴人的形式画出来,让大家一目了然。虽然美方剧组工作人员有安德鲁·摩根和张钦鹏做义务翻译,但是克劳斯还是没有足够的能力控制住那些特技人和临时演员们,而这些人都只听李小龙的差遣。李小龙或许本无意"夺取帅旗",但是他的能力、影响力,甚至对影片质量的关切程度,都不是克劳斯所能比拟的。大家之所以都说克劳斯是个"好脾气"的导演,实则是因为他实在是平庸无能,只能听命于李小龙。因此,克劳斯实际上成了李小龙手下的执行导演兼摄影师,这让他心有不甘、不满,甚至愤恨,才捏造出这个谣言,来满足自我心理的发泄。

在与奥哈拉的比武中,李小龙那个后空翻接前踢的高难度动作是由特技人元华所完成,但是依然有人认为是李小龙亲自完成的,只是摄影师和导演水平太差,没能拍摄到李小龙的正面镜头,才导致"替身"一说流传开来。时至今日,经大量的照片对比,萨克森、大卫·弗里德曼的画册及元华的亲身回忆表明,当时确实是元华替李小龙做的这个经典动作,暴露出了很多人对李小龙技能的过度信任,对美方工作人员的拍摄、剪辑手法不满所导致的偏执。

影片中,李小龙还有过两个翻跟头的动作,分别是影片开头与洪金宝对战时;以及与洪金宝对战完毕后,侧手翻接后连续后翻飞腾过人墙的镜头。早在网球场拍摄间歇时,李小龙与元华便已设计出这两个动作,电影拍摄时,完成动作的也都是元华。元华也在采访中表示,李小龙只会侧手翻。1987 年,在舞台剧《东方秃鹰》上,元华在舞台一侧以侧手翻出场后,紧接着以连续 4 次同样的后空翻跃到舞台另一端,这是《龙争虎斗》的经典动作,他以实际行动证明了自己的技艺并非浪得虚名,他确实是李小龙的替身。

李小龙的腰伤其实并没有痊愈，后空翻等高难度动作尤其强调腰腹力量，有着腰伤的李小龙做不到这些。即便没有腰伤，没有接受过类似的训练，李小龙也很难做出来这种花哨而又不实际的动作。而刚从京剧学校毕业出来不久的"七小福"在翻腾跳跃等动作的观赏性上胜过李小龙，其中公认最强者就是元华，人送绰号"跟斗王"。基于安全和观赏性的整体考虑，无论是华纳、嘉禾公司还是红杉公司，都绝不会冒险让自家的当红明星去做这么危险的动作，相信李小龙本人也是如此考虑。此外，李小龙也能体谅其他龙虎武师的苦衷，他曾说过："找一个替身，可让他们也赚一点嘛。"

7.3 ｜ 殚精竭虑

被去除毒腺的眼镜蛇咬过、排练时误中石坚重拳、拉伤大腿肌肉……即便如此，李小龙也要事无巨细地参与其中，对每场戏、每个镜头都力求尽善尽美，每日与剧组人员工作十几个小时，每周工作 7 天，如此满负荷运作了 3 周，将所有的外景拍竣。对于李小龙的工作态度，《龙争虎斗》的剪辑师科特·海斯切勒说：

> 李小龙让我受益匪浅，他在影片中的连续镜头值得我学习。他的速度像闪电一样快，所以，他的一切动作都很完美。他在开始进攻前几乎没有任何信号，也没有任何暗示。他拥有一种令人难以置信的能力。有时，一个动作需要拍摄 10～15 遍，但他却从没表现出疲倦。我剪辑时，看着他一遍一遍地做动作，我都觉得累了。

故此，为了此片殚精竭虑、憔悴万分的李小龙在结束拍摄前，

体重已骤减 20 磅,精神面貌也较开拍初期出现了巨大的变化。乔宏回忆起李小龙当时的状态时说:

> ……公司的面包车送我们回家。李小龙住在九龙塘,我住在沙田。因为这样,她们会先送他,然后才送我。途中李小龙说:"乔宏,你从没到过我家,不如来我家,让我招待你,我会送你回沙田。"我说:"可以啊!"而他也告诉我一些其他的事。他说:"我订了一辆劳斯莱斯敞篷车,它会在年底到港。到时我们会到处去兜兜风。"等到我们到他家门口时,他在睡觉,太累了。有个人把他叫醒说:"喂,你到了。"他转过身,以困倦的眼神和声音对我说:"乔宏,改天好吗?我实在很疲倦,我不认为我可以好好招待你。不如改一天?"我说:"好的,没有关系。"

琳达也回忆起当时李小龙的健康状况令人担忧:

> 闷热潮湿的天气,神经高度紧张,体力严重透支,再加上背部的伤——李小龙脱水失重,已经到了警戒线,令人担忧……他一连多日拍片劳累,身体的各项指标已经到他所能承受的最大限度了。还有,他的食品摄入量看起来是很充足,但他却像火炉一样散发着自己的能量……我们在洛杉矶居住的早些年间,他就开始对健康食品和高蛋白质的饮料感兴趣。他还喝大量的自制混合果汁,是我用榨汁机把蔬菜和水果里的汁榨出后,他自己配制的。他吃所有可以食用的维生素药片,幸亏他及时认识到大量服用药剂可能会导致不良和危险的结果,才有所减少。在香港,他喝蜂蜜和新鲜橘子汁,因为他出汗太多,尤其是工作时。

当美方人员回酒店用餐时,李小龙依然在片场与工作人员一起吃盒饭。3 月 6 日,全体剧组还为导演过了生日。为了影片的质量,一向守时重诺的李小龙也不得不在圣芳济书院校际运动会结束将近半个月后才匆匆赶来作为颁奖嘉宾为获奖者补发奖杯与锦旗。

尽管有关李小龙与人打斗的传言有很多，但他毫不在乎，大多数的所谓"挑战"的流言都是无中生有。李小龙曾在《龙争虎斗》片场接受了一位临时演员的挑战，这也是李小龙在港期间唯一一次承认的公开比武。对于这次比武，后来出现众多衍生版本，已无法查证，以下摘举的是当时作为目击者之一的沃尔的说法：

……那家伙最后（从墙上）跳了下来，他的块头比李小龙大，相当魁梧，两人开始过招，一看就知道这家伙有两下子，他动作很快又很强壮，但他显然想要伤害李小龙，李小龙也毫不留情，他把对方踢得七荤八素，痛扁了一顿，把他逼到他跳下来的墙边，用手臂锁喉，用膝盖扣住对方，继续把他打得满脸是血，让那家伙知道谁是老大。等到他收手，对手也不想再战，然后李小龙说就当没发生过，你回去墙上吧，所以也没把他解雇，他没有恶意，但是显然让那家伙知道谁是老大。

根据时任华纳公司幕后花絮摄影师的黄堃对克劳斯说，他向华纳上交的 20 多盒花絮胶片中就录有这段，但是在华纳片库内已经找不到这些影片了。

在拍摄期间，李小龙也曾与沃尔以"寸止"规则切磋过，每次都是李小龙以点数获胜。而当沃尔看到李小龙近身时便忙不迭地急速后退，依然被李小龙打到或踢到。

沃尔曾遵照李小龙的指令，飞赴洛杉矶，带领一班黑带弟子拍摄萨克森在黑森林里的打斗场面。不过这段戏之后被李小龙在香港重新拍摄。

李小龙与洪金宝在片头那极为超前且极具隐喻性的比武，被后人极尽溢美之词。在青山寺，李小龙扮演的李先生与乔宏所扮演的师傅关于武术的哲理性经典会话折射出了李小龙当时所达到的武学境界。

剧情的结尾处需要有一些海军陆战队队员参演，当时正好有一艘美国船只停泊在香港，于是经过交涉，其中一些海军经允许持真枪参与拍摄。

进行内景拍摄时，布景非常有东方特色，保罗·海勒也运用他的专业美术知识，在美女的背上绘上了许多说不清到底是否含有东方元素的绚丽图案。为了赶进度，李小龙一度住在自《猛龙过江》拍摄时期就从东英大厦特意搬迁至此的办公室里。最令人敬佩的是，石坚扮演的大反派韩先生在不中不西、不伦不类的宴会大厅说着一口并不流利且断断续续、节奏感极差的英语，这对已经60岁的他来说是一个挑战，而他一句句地练，最终很好地完成了拍摄任务。

影片中，最为诡异的布景当属韩先生的玻璃迷宫。克劳斯夫妇在浅水湾的一家餐厅用餐时，忽然受到了餐厅中镜子的排列启发，从而设计出这个"玻璃迷宫"的经典打斗场面。拍摄时，一共用了7000块镜子，整个摄影棚被布置得好像在异次元空间里一样，诡异的气氛令人极度压抑，工作人员拍摄几个镜头后便要跑出摄影棚，回到现实中来缓缓神，呼吸点新鲜空气才能继续工作。

李小龙在影片中还展现了他对传统武术器械的精准掌握。在潜入韩先生制造毒品的地窖侦查时，李小龙被守卫发现，在对付这些守卫时，他先后接连用上了长棍、短棍、双节棍，令人叹为观止。而在与韩先生的连场打斗戏里，他的面部、躯干被韩先生右手那只可更换兵器的假手所安装的虎爪、排刀"划伤"多处，留下道道血痕。翘起手指，身上布满血痕，这也成了李小龙的经典造型之一。

李小龙如此卖命工作，是想拍出一部高质量的电影。他并非完全是为了钱而拍戏，他永远都不会忘记那段在美国的艰难岁月，所以，他决定不能让家人再面临经济上的不稳定状态，这是他生活的目标。

随着影片拍竣、上映日期的迫近，李小龙越来越显得焦虑万分，他也不知道《龙争虎斗》在美国上映后的反响会怎么样，他把自己的前途全都押在了这部影片上。他在封镜后依然忙于《死亡游戏》剧本的修改；还被不负责任的港媒所报道的那些真真假假的传闻所困扰；他上街时，总会受到围观；他很没有安全感，他觉得在香港，谁都不能相信了。他无法使自己平静下来，琳达说：

> 他很喜欢《当我死去时》(*And When I die*)这首歌，尤其是在死亡中才能寻找到平静这一部分，那就让日期来临吧。他提到过一两次"可能死亡才能让我真正平静"。

弗雷德·温楚布认为：

> 李小龙很强壮，但同时也很孤单，他和别人都保持一臂的距离——你无法上前一步认识真正的李小龙……那时候在香港，他没有找到这么一位可以推心置腹的朋友。我认为，如果你想认识真正的李小龙，只有一个时刻，那就是他和儿女们玩耍时……在这个世界上，除了琳达，他不相信任何人。琳达是李小龙唯一的谈话、信任和爱护的对象——她就是李小龙的一切。

1973 年 4 月 11 日，英语配音的《唐山大兄》在美国首次首轮上映，首轮放映影院主要是大城市，拷贝 150 个。随着影片的热映，到了 28 日，第二轮放映时，包括所有次要影院在内，一共有450 家影院放映。也就是说，在没有"跑片"制度的美国，每家影院一部拷贝！

这对于李小龙、嘉禾公司甚至是当时的国产片来说，绝对是个值得纪念的大日子。这一切，还要从黎巴嫩的热映说起。本来，大家都对该片不抱太大希望，院方只是暂定播映两周。但四周过去了，依旧盛况空前。为了能如约让《教父》上映，不得不忍痛将《唐山大兄》下档。此时，另一家黎巴嫩影院看到商机，与嘉禾公司洽谈，取得播映权，继续播放，盛况依旧。结果，《唐山大兄》的总票房超过了《教父》！另外，配上意大利语的《唐山大兄》在罗马上映 12天，收获 40 万美元，相当于当时港币 200 多万，也算不错的成绩。这一切，都应该归功于嘉禾公司与国泰在伦敦开设的发行公司。美国制片商自然不甘落于人后，毅然引进该片，配上英语，将此片在全美做首轮公映,无意间改变了中国电影只能在唐人街上映的现状。同时,全美八大电影公司中的五家公司——华纳、米高梅、二十世纪福克斯、哥伦比亚、联美竞相邀请李小龙拍戏。华纳公司看好《龙争虎斗》一定大卖,便趁着近水楼台之利,已着手为李小龙准备下一份合同:为华纳拍摄 5 部电影,每部片酬 15 万美元。当时已经在写《神龙》,这部戏将由华纳与嘉禾公司联合摄制。但因李小龙辞世,于是嘉禾公司在 1974 年将其改编成《铁金刚大破紫阳观》,由乔治·拉赞比和茅瑛主演。

在此之前,李小龙就片酬问题与泰德在越洋电话中争论了 4 个小时,他认为自己每部电影应该拿到 100 万美元,但泰德认为,好莱坞只有屈指可数的几位顶级男明星才有资格拿到这个数目的片酬。

4 月 17 日,科本作为二十世纪福克斯代表飞赴香港,与李小龙对《无音箫》剧本进行洽谈。李小龙、邹文怀、何冠昌等人前往机场接机。科本在港的短暂期间,与邹文怀、李小龙进行了洽谈,李小龙最终拒绝了科本的建议。他的理由是,《死亡游戏》尚未拍竣,需要先拍完才能做决定,但是什么时候拍完自己也不知道;8 月份,《龙争虎斗》就要在全美上映,华纳已经为他安排了盛大的记者招待会,自己还要主持首映礼,5 月份就要飞去美国做宣传,无暇脱身。但他表示,保留与二十世纪福克斯合作的可能性。同时,李小龙准备在 5 月份赴美时,与华纳讨论几个剧本,回港后再决定下一步的动向。

大约在此时,李小龙打电话给在美国的姐姐李秋源,让她回港当他的经纪人兼会计。正在照料生病的老母的李秋源则表示,等到母亲病情稳定后就回香港。没想到,这是两人最后一次通话。

琳达看见丈夫如此忙碌,曾试图劝说李小龙休息:

当他等待《龙争虎斗》一片的发行时,他又去为《死亡游戏》剧本而忙碌,并开始考虑那些报价。那时,我试图让他放轻松些……事实上,我的劝说对他毫无用处。在这段时间里,他坚信自己在工作时就是在放松。我相信他太全神贯注于工作,他非常享受他在工作时做的事。萨克森看见小龙的生活时形容说"他忙得像陀螺"。他像旋风一样忙碌,当他原本所制定的目标完成后,很快又被更高的目标所替代。

7.4 ｜ 死亡预演

5月10日下午,嘉禾公司配音室内,李小龙正在为《龙争虎斗》做紧张的英语配音。为了避免杂音被录制进去,工作人员把空调关了,室内变得异常闷热潮湿。李小龙此时已精疲力竭,他起身走向隔壁的休息室,却一下子瘫倒在地。听见有人靠近,他便装作在地上寻找丢失的隐形眼镜,但当他刚回到配音室门口时,又一次晕倒在地,同时开始呕吐、全身剧烈地抽搐。大家拼命按住李小龙,为了防止他将舌头咬掉,在他嘴里塞了一把金属调羹。

工作人员立即来到邹文怀办公室,告诉他李小龙出事了。邹文怀立刻派人打电话通知郎福德医生,自己随即飞奔到配音室。随后,邹文怀亲自驾车,将李小龙送往香港浸信会医院急诊室,交由朗福德医生进行急救。同时通知琳达,让她火速赶来医院。

送入医院时,李小龙已处于昏迷状态,血压降低,眼球快速转动,呼吸困难,浑身高热,不断冒汗,四肢强力抽搐,瞳孔涣散,对光线没有反应,喘气时发出巨大的呼吸噪音。从理论上来说,此时的李小龙已经是处于濒死边缘了。经过两个半小时的抢救,李小龙仍未脱离危险,依旧不时伴有持续抽搐,抢救过程中曾两次呕吐。由于李小龙双臂太强壮,使得抢救工作很难施展开。郎福德医生与邹显庭医生等神经系统专家会诊后,推测是由于脑水肿而引起的癫痫大发作,决定给李小龙注射甘露醇来缩小脑部肿块。此时,接到刘亮华电话通知的琳达也赶到了医院。

甘露醇很快就起效。大约半小时后，李小龙逐渐苏醒，郎福德医生在庭审时对陪审团称：

这太戏剧化了，刚开始，他稍微能动了，然后就睁开了眼睛，叹了口气，但还不能说话。他认出他的妻子，发出声响，但仍然说不清楚。后来，他能说话了，但却是模糊不清的发音，和他平时的说话方式大相径庭。

琳达回忆起李小龙恢复神智时的情景：

小龙恢复知觉后对我说的第一句话，事实上，感觉非常接近死亡——他依然可以用意志来告诉自己——"我要去战斗，我要完成我的目标，我不会放弃。"因为他明白如果用其他的办法，他会死的。

很快，李小龙被送到医疗条件更好的圣德肋撒医院。在转院途中，李小龙已经能和救护人员开玩笑。送入医院 2 小时后，李小龙已经完全清醒，但是说话依然很快很急。血液检查结果显示，李小龙体内尿素值过高，这说明肾脏出现了问题。除此之外，一切正常。

第二天，李小龙已经恢复正常，脑部也无溢血现象。经过 24 小时的观察期后，医生们并没有发现任何异常，但导致脑水肿的原因始终不明。邬医生经询问李小龙本人后得知，其在发病前极短时间内曾服食过大麻，怀疑是大麻中毒，便劝告李小龙不可再服食大麻，以免进一步损害大脑。同时，他决定在 14 日为李小龙做脑部血管造影术，可惜李小龙已于 13 日出院。

这次事件被嘉禾公司完全封锁，没有一家媒体知道。但是李小龙吓坏了，他的情绪变得极不稳定。他对妻子说："我不知道还能活多久。"正因如此，在出院后两天，他在某电视台内，向一名未经他许可而擅自拍照的记者恶语相向，如果不是旁边有人拉着劝着,那位记者真的有可能"出事"。事后,多家媒体不明就里地谴责李小龙的"蛮横"行径。

李小龙决定回美国彻底检查一下身体,找出昏迷的根源所在。他曾不无担忧地对萨克森说:"如果体检报告结果很糟糕的话,世界上就不会再有李小龙这个人了。"

25日,李小龙和琳达回到洛杉矶,去见了自己的母亲和弟弟,向她说了自己这次来的目的。当何爱榆看见眼前虚弱、憔悴的儿子时,很为他的健康担忧。但李小龙很有信心地认为,自己会活到100岁。在保罗·海勒的安排下,以大卫·瑞斯博德为首的一个医疗小组给李小龙做了脑部扫描和脑部流量研究,也做了全身检查和脑电图,并未发现大脑有什么异常,他们惊讶地说他的身体棒得像一个18岁的小伙子。他们认为昏迷是由于过度工作和过分疲劳所引起的,他们开了抗癫痫药苯妥英钠,规定李小龙要按时服用。当李小龙得知自己身体健康的消息后非常兴奋,将结果告诉了正在医院大厅等待的母亲和弟弟。他还告诉何爱榆,千万别相信任何自己"死亡"的消息,因为那些小报刊登这些消息已经不是一天两天了。

尽管李小龙重新点燃了生活的希望,但是他的一些朋友都隐隐觉得当时他的健康状况着实不妙:

罗伯特·沃尔:……他那时住在比弗利山饭店的别墅,我进去看到他脸色一面灰白,像是体重掉了20磅,很轻,他说着重复的话,在电话上跟我说过的又再说一次,好像他忘记和我说过一样,我一看到他就说,"天啊! 李小龙你这是怎么了?"

水户上原:在他最后一次来美国时,我去享有盛名的贝弗利山酒店中的一间别墅中拜访了他……他被告知,经过4天严格的健康检查后,他的身体处于最佳状态。但在我看来,他虚弱得可怕。就以往我所见到过的他而言,我从未见过他如此憔悴。

"你看上去气色并不好,"我告诉他,"你太瘦弱了,你现在有多重?"

"我的体重已经下降到了 120 磅，"他告诉我，"是的，夜以继日的工作让我的体重减轻了很多。自从有了自己的公司以后，我花了很多时间学习如何处理电影业务。不光是表演，还要学习如何写剧本、做导演以及做制片人。我真的是在拼命工作。早上，我在摄影棚拍戏，晚上我要为下一部电影写剧本。我又要看书又要忙着处理电影制作方面的业务。是的，我乐在其中并全神贯注于此，很多时候甚至到了废寝忘食的地步。"

在洛杉矶短暂停留期间，弗雷德·温楚布和保罗·海勒邀请格莱美奖得主、曾获得过 6 届奥斯卡最佳音乐提名的音乐家拉罗·雪福林为影片编曲。李小龙与之会面并共进午餐，席间，李小龙提及雪福林所创作的《不可能完成的任务》(*Mission Impossible*，美国电视片集，1966—1973 年，共 8 季)的主题音乐，并称自己在武馆练武时经常播放这首曲子。两人发现，他们彼此有一个共同点：一个熟知欧洲古典音乐，一个精通传统武术，两人都是把各自的专业知识融会贯通后打破了传统的框架而自成一派。双方相见恨晚，颇有"高山流水遇知音"的喜悦。

小龙还计划在 8 月的时候回美国为《龙争虎斗》做宣传，并出席一系列的宣传活动，其中包括约翰尼·卡森的节目。他决定在《死亡游戏》拍完后全家便搬回美国居住。他觉得在美国的生活更简单，机会也更多。

7.5 | 毫不妥协

李小龙返回香港后，将《猛龙过江》的拷贝寄给了泰德，讨论该片在美国发行的可能性及发行方案。不久，他又给科本修书一封，声称自己将把拍摄《无音箫》的重心放在一边。同时,就《龙争虎斗》的英文片名问题继续与华纳交涉。拍摄期间,华纳的内部电文使用的项目标题就是 *ENTER THE DRAGON*,但是始终没有落实。

6 月 7 日,泰德给李小龙的信如此写道:

在和我们的宣传部副总裁迪克·莱德勒花了整整 2 个小时讨论后,决定将片名改为 *HAN'S ISLAND*(韩先生的岛),这个片名对宣传有许多有利因素。*ENTER THE DRAGON* 这个片名也没有被否决。

致以最热烈的问候
泰德·雅士利

虽然华纳已经决定不再使用 *BLOOD AND STEEL* 这个俗不可耐的名字,但是 *HAN'S ISLAND*(韩先生的岛)这个片名更不入流。每到关键时刻就会出现的这套虚情假意的官僚口气令李小龙极为失望和窝火,他按捺下火气,立即回信给泰德:

亲爱的泰德,

写这封信只是要提醒你,"18 岁的我"已然安全抵港。

请仔细考虑一下 *ENTER THE DRAGON* 这个片名。

1.这条"独特"的龙(龙代表了中国人、神明等)可不是香港那些流于表面的垃圾功夫电影。

2.只要宣传得当,我们可以说,这条龙能不断地在银幕内外打破纪录,就像你所说的"极具说服力"。

我说了,我完全认为这是个极好的片名,请认真考虑一下,因为"ENTER THE DRAGON"意味着一个极具才能的人出现了。

时间很紧迫,泰德。

请给我寄 2 份剧本来,这样我可以研究起来了。

最诚挚的敬意
李小龙

　　既然一个被美国人公认为极具才华的中国人能在好莱坞电影里扮演男主角，为什么要在能反映出东方文化的片名上纠缠不清？这和当年《无音箫》需要一个东方人做主角，最后却以李小龙"太中国化"为借口否决有什么两样？

　　在《猛龙过江》上映后，李小龙已经坐稳了香港功夫片明星的头把交椅，成了真正的巨星，香港之王，即便王羽依然在拍戏，却已交出宝座，风头锐减。那时，索菲亚·罗兰的丈夫卡罗·庞帝是意大利一位著名的独立制片人，他给李小龙拍了一份极具诱惑力的电报，李小龙完全有可能再赴意大利拍摄跨国巨作。早在 4 月 22 日，《龙争虎斗》刚杀青不久，李小龙便在给泰德的一封信中写道：

　　泰德，如今邀请我拍电影的合同已经多到让你吃惊的地步，从效率和实用的商业角度来讲，我希望我们能公正公平，互相信任，对彼此有信心——我在香港和一些人拍电影时曾经有过很不好的经历。换句话说，我被耍过，我不喜欢这样。

　　没有李小龙，我相信华纳兄弟也不会有什么损失，反之亦然。因此，我真诚地希望，人与人之间，不管是做生意还是别的，在我们的见面中能成为真诚的朋友，泰德·雅士利。

　　作为朋友，我相信你也同意，毕竟，质量、刻苦工作、职业精神是电影所需要的。以我 20 多年的武术和表演经验，我在舞台上作为一个真诚、高效和极具艺术表现力的演员游刃有余。总之，就是这样，没有人比我懂得更多，请原谅我的直白，这就是我。

　　在这样的情况下，我真诚地希望你也能敞开心扉，在我们的合作中公正公平。因为我们的友谊，我放着其他挣钱的时间——十来个电影制片人的合同在等着我——来和你见面。泰德，请原谅我的表达，你知道，我想要拍的是有史以来最厉害的电影。

　　总而言之，我会和你交心，但请不要只对我做表面文章；作为报答，我李小龙会打心底里感激你做出的所有努力和付出。

信中提到的这些等着签合同的制片商们，就包括了华纳在内的美国八大电影公司中的五家，但是李小龙依然抽出时间写信给泰德，并优先选择了与华纳再合作一部新片，所以他要先看剧本，这充分体现了李小龙的诚意。同时，信中暗示，如果华纳一意孤行，那李小龙或许会选择和二十世纪福克斯拍摄《无音箫》——那本来就是被华纳束之高阁的，李小龙、斯特林、科本三人的心血结晶。若真是如此，那华纳就真是有苦说不出了。

华纳高层自然明白李小龙此时的影响力，也一定感受到了一旦失策将会给自己带来巨大的压力和麻烦。6 月 13 日，经过琳达从中斡旋，一向高傲的华纳公司经过多番权衡利弊，终于同意采用 *ENTER THE DRAGON* 作为《龙争虎斗》的英文片名。

亲爱的小龙：

根据你的要求，我们对片名做了进一步的深思考虑，同时也已经最大限度地考虑到了你的文化偏好。因此，片名将是 *ENTER THE DRAGON*。

爱你和琳达

泰德·雅士利

7.6 ｜ 崩溃边缘

早在 1972 年底，李小龙就有为李俊九拍摄一部跆拳道电影的想法；4 月底，李俊九与导演黄枫在韩国拍摄《跆拳震九州》外景，之后飞抵香港拍摄内景。李小龙几乎每天都等他收工后一起去中式饭店或韩国料理店用餐。两人多时未见,有着说不完的话题。7月4日,李小龙在启德机场目送好友踏上了返美的航程。7月19日,李小龙特意给李俊九打来越洋电话,恭贺由他主演的《跆拳震九州》全部剪辑完成。这是李俊九最后一次听见李小龙的声音。

《冷面虎》《海员七号》《唐人镖客》等三部由王羽主演的影片先后在香港上映,只有《冷面虎》在两周内取得了200多万的票房,看上去对李小龙的功夫片霸主地位构成不了任何威胁。但就在5月底,《唐人镖客》在欧美国家上映后广受好评;加上7月4日,《一条龙》(罗维导演,后更名为《龙虎金刚》,1973年12月21日上映)剧组拍完外景高调回港,这让承受着巨大心理压力的李小龙更是窝火。7月5日下午3点左右,心态完全失衡的李小龙与罗维在嘉禾公司试片室内发生激烈冲突,据说李小龙曾拔出刀来威吓罗维,罗维随后报警。警方来到后,李小龙否认持刀威胁过罗维,只说自己骂了罗维。当时的具体情况真可谓"罗生门",每个人都有不同的说法,罗维的说法也有出入,而琳达在回忆录中对这件事的忆述是这样的:

一天,小龙在嘉禾公司电影制片厂和邹文怀谈论《死亡游戏》的一些事情,突然听到走廊一边传来罗维在放映室里说的话。罗维正在谈论华语片中的问题,而小龙的名字不断地被提及。本来,那一天小龙就不太顺利,心情烦躁,一听到罗维在批评他,他就冲到放映室,大声地说出他的想法。小龙发泄完,心满意足地回到了邹文怀的办公室。事情应该就这样结束了,但是,罗维的妻子突然怒气冲冲地出现了。可想而知,此时聚集了很多人。罗夫人回到丈夫身边,只剩下小龙怒火中烧,一般情况下,他会很快冷静下来,但这次,他又跑到放映室向罗维大发雷霆。而处在众人中间的导演罗维却突然辱骂小龙,说他威胁了自己的人身安全,并开始报警。和往常一样,警察到达不久,就来了一群记者。罗维要求小龙写下不伤害他的保证书。被整件事情搅乱头绪的小龙为了让记者快点离开，同意签字。后来，小龙后悔了，因为这份文件的签署很明显会让他受制于人。

琳达对李小龙动刀只字未提，可能是出于维护李小龙形象的考虑。总之，"李小龙的皮带中有刀""李小龙持刀威吓罗维"已坐实，而那张所谓的"保证书"却始终没有出现过。但那条由李鸿新一手打造的"皮带刀"确实存在，2005 年，他对这条皮带做了真品鉴定并签字确认。

2003 年 7 月的《看电影》杂志《李小龙误读三十年》专刊上，原嘉禾公司集团资讯总监黄握中就此事对记者说：

由于当时我不想这件事过分张扬，就跑到片场门口，对警察说，里面没有什么事发生，是一场误会。就打点他们一下，可是他们收了礼物之后说，有人打 999，不能你说没事就没事，于是一大群的警察跑到片场里来搜查。结果什么也没找到，罗维只能说李小龙恐吓他，其实是我们把他的小刀藏在了文件柜的下面，警察找不到这把小刀，后来就不了了之了。

更令人惊讶的是，黄握中在接受采访时还说出了一件在他身上发生的类似的事情：

……当时我出版一本《银河画报》……里面有一篇文章言辞有批评之意，他于是非常不高兴，非常冲动。他不是来找我，而是找邹文怀。李小龙说："我和黄握中是同事，为什么他出版的书对我有批评？"当时邹文怀先生也替我向他解释了一下，并不是恶意的批评，说不定是善意的，但李小龙一定要我来见他，然后邹先生就打电话给我，我到了他的办公室，李小龙马上很大声地叫："你坐下！"我也不晓得发生什么事情，就坐下了。他马上又从他的皮带里抽出他的小刀，摆在我的脖子上，说："你们写东西的笔就等于我这把刀，弄得不好可以把人杀掉。"当时我不晓得怎么回事，我就说，小龙兄不要冲动，请把你的意见讲出来。到底有什么地方开罪你的慢慢讲。他说："你这本书呢，讲我怎么样怎么样，这篇文章对我很不好。"我赶忙说："你慢慢看，这本书不是骂你的，其实它是一种善意的批评，因为我们大家都是朋友，都是同事，绝对不会中伤你的。"邹先生也帮我讲好话，李小龙的气才慢慢平下去，然后和我握手言和，我走出门后才晓得害怕。万一他刚才一冲动，我就没有命了。

张耀宗在接受电台访问时，做了如下忆述：

罗维那一次是他（李小龙）故意那样做的，李小龙告诉我说"我吓唬吓唬他（罗维）而已"。我问他："你怎么发这么大的脾气啊？"他说："不是！我故意吓唬他（罗维）的。"他觉得罗维成天"刻薄"员工。

对于这次事件，许多人看法不一，有认为罗维小题大做的，也有力挺罗维的。而李俊九闻之则嗤之以鼻，认为李小龙只需一拳就可以解决罗维，根本用不着用刀。

当晚，TVB与丽的电视抢先对该事件做了报道。稍后，李小龙便接到蔡和平电话，应邀出现在"欢乐今宵"节目，试图在访谈中对该事件做出"澄清"。开播前，李小龙事先与何守信说好，将会对他做一个动作，但毫无危险性。但就是这个看似平常的动作，引来舆论对李小龙的一片批评。琳达在回忆录里对此事的回忆也颇为无奈：

当晚，李小龙应约定做客香港电视台，结果这件事又被提起……为了表明罗维声称他对罗维的人身威胁有多么可笑，他打算演示一下当时推肩膀的动作，采访者同意了。

非常不幸，第二天早晨的报纸上关于这件事情的报道题目仍然是充满了感情色彩，内容极不客观。我重提罗维的这件事只是想告诉大家,在李小龙的生活中,总会出现这些乱七八糟的事。本来不算什么大事,但媒体却不断夸张、放大。据我观察,李小龙身边的这些媒体记者,只关心自己报纸的销售量,于是,任何一个名人的琐碎小事都会成为报纸的大标题。

第二天,报章、电视都对此事做了报道,舆论对李小龙在节目中的举动十分反感,谴责其为"武牛",而蔡和平与"欢乐今宵"节目组也因此而遭到池鱼之殃,被报章作为谴责攻击的对象。蔡和平接受采访时表示,他不在乎人家的谴责,他认为李小龙是文艺界名人,观众们还是较为喜欢李小龙的言论的,所以才致电李小龙在节目中接受访问,并表示对李小龙在节目中的言论事先毫不知情,拒绝对李小龙在节目中的表现及言论做出评价。同时,他声称,欢迎罗维来"欢乐今宵"大谈李小龙与他在试片室内交恶的私人感想。

当时,香港正在如火如荼地展开"反暴力运动""扑灭罪恶运动"。

这或许也就能解释为什么《猛龙过江》《唐人镖客》需要删去部分打斗镜头才能上映了。这股风气之盛,从叶问去世事件后已经开始阅读中文杂志和报纸的李小龙不可能不知道,而他居然自己撞在枪口上,真是不知道怎么解释了。果不其然,李小龙事后也很后悔自己的行为,曾对好友说,不知为什么就鬼使神差地上了电视。从心理学的角度来分析,当时李小龙的情绪已经恶劣到了精神崩溃的边缘,他自己也已经开始控制不住自己的行为了。导致情绪失控的原因或许是压力太大又没有足够的时间适当发泄。

或许李小龙觉得自己已经无法在嘉禾公司与罗维相处,不久后,他写信给邵逸夫,提及自己将把9—11月的档期空出来。言外之意,他将为邵氏拍一部电影。这其实不是新闻,早在1972年夏天,李小龙就对媒体说,他不会只为一家公司拍片,只要剧本合适,可以为任何一家电影公司拍片,他认为用这样的方式可以推动国产片的发展。但在去世前,他曾对好友表示,香港不适合自己居住,香港人对他不好,他想回西雅图。琳达甚至认为全家应该尽快回到洛杉矶居住,香港无法提供给孩子们正常、健康的生活。

成龙曾回忆起李小龙在逝世的 6 天前,曾主动和他一块去打保龄球:

> 一天,我从公司出来,他(李小龙)对我说:"喂,你去哪儿?"我说:"去打保龄球。"于是他说:"我和你一起去。"我们就一起去了保龄球馆。可他根本没玩,就我一个人打,他只是坐着看。我不知道他在干什么。他就坐在那里看,眼神怪怪的,好像在望着很远的地方,好像在制订什么计划。他在想事,好像在抉择下一步何去何从。

7.7 ｜撒手人寰

7 月 20 日上午,李小龙在家中写了几封信,一封给自己在美国的私人律师阿德里安·马歇尔,为 8 月间的《龙争虎斗》宣传造势,并与华纳商讨新片剧本。另一封是写给沃尔的,但是始终没有寄出。同时,他还接到了琳达·帕尔默从美国打来的电话,称院线经理们在特别审片室内看过样片后赞叹不已,还规划了很多项目给他,这让李小龙很是高兴。琳达·帕尔默同时还表示,他们夫妻二人想来香港玩上几天,李小龙对此很高兴,表示自己准备带他们去参观一些地方。

中午时分,李小龙在书房看书,琳达出去和女朋友一起用餐、购物。两人吻别时,李小龙对她说,自己下午要和邹文怀一起去和第二任詹姆斯·邦德的扮演者乔治·拉赞比(曾主演过 007 系列电影第 6 部《铁金刚勇破雪山堡》)讨论《死亡游戏》的剧本以及他将扮演的角色,可能不回来吃晚饭了。谁能想到,这竟然是李小龙留给妻子的最后一句话。

下午 2 点左右,邹文怀来到李小龙家,两人一起谈论剧本到下午 4 点,决定邀请丁珮在剧中出演角色,这是李小龙认识丁珮后唯一一次给她安排角色[1]。

于是两人随后一起驱车,于下午 5 点左右到达笔架山道 67 号碧华园 A3 号二楼丁珮寓所内讨论剧本细则。三人决定一起去金田中日式餐馆赴约,于是丁珮早早换好衣服,随时准备出发。讨论剧本期间,李小龙只喝了一罐汽水。

大约晚上七点半,李小龙忽感头疼,于是丁珮给李小龙服用了一片她的私人医生朱博怀给她开的强力止疼药。服药后,李小龙对邹文怀说了句"回头在餐馆见",便进了丁珮的卧室关上门休息,于是邹文怀便先行赴宴。8 点,离开寓所之前,邹文怀来到卧室,见李小龙侧卧着,一切正常。之后,丁珮一直在客厅看电视。

邹文怀驾车在尖沙咀接到乔治后,便一同来到金田中日式餐馆等候李小龙与丁珮。期间,约在晚 8 点 45 分与 9 点 15 分,丁珮曾两次致电邹文怀,称李小龙睡得很熟,可能要晚些前来,让邹文怀与乔治先行用餐,邹文怀称将在晚餐后再前来其寓所。晚上九点半左右,快用餐完毕的邹文怀见李小龙仍未赴约,便致电丁珮,丁珮称其曾试图叫醒李小龙,但是李小龙却始终没有反应。邹文怀于是急忙赶往丁珮寓所。

不久后,邹文怀便来到丁珮寓所,对李小龙推、拍多时,仍未见有所反应。于是,邹文怀先后打电话给两名医生,却无一接通,丁珮只得打电话给正在浸信会医院值班的朱博怀医生,并在朱医生到来之前,亲自在楼下等候。朱医生于晚 10 点 15 分左右抵达,经

---

〔1〕丁珮对内地媒体采访时曾说:他答应给我做三部戏,《死亡游戏》中我演他太太,如果《猛龙过江》不是早已经确定了苗可秀,我就会是那部戏的女主角了。笔者认为,看看李小龙 4 部戏中的"龙女郎",从衣依、苗可秀到钟玲玲,无不是清新脱俗,气质优雅,很难想象一个极为妖艳的女星出现在李小龙的电影中。

检查,发现衣着整齐的李小龙躺在床上,并无挣扎迹象,但已陷入不省人事状态,对外界刺激毫无反应,无脉搏,无呼吸,但瞳孔尚未完全放大,且还有体温,便打电话叫救护车。

在等待救护车期间,正在家中与子女们一起看电视的琳达接到了邹文怀的急电。

我回到家的时候大约4点,在进行了晚间运动后,我、国豪、香凝在小龙的书房一起看电视。小龙并没有打电话回来,这让我觉得有点反常。尽管他告诉过我他可能会外出吃晚餐,通常总是会打电话回来确认。相反,大约在10点的时候邹文怀打来电话,我从他的声音中感到了事情有些紧急。

"琳达,你现在赶紧到伊丽莎白皇后医院来,小龙在这——在救护车上。"

"出什么事了?"我急忙问。

"我不知道——看上去他快死了。"

晚十点半左右,A43号救护车负责人彭德生与三名队员接指挥中心派遣,由救护车站驶往丁珮寓所。抵达现场后,彭德生发现李小龙面朝上平卧在床,没有呼吸与脉搏,于是立刻派人由救护车上拿取呼吸器材对李小龙施以人工呼吸,但是未见效果。而当朱医生得知李小龙两月前曾有过类似状况,且经浸信会医院长时间抢救方脱离生命危险时,便指示救护人员将李小龙送往较浸信会医院设备更为齐全的伊丽莎白医院,只邹文怀一人陪同前往。为了避免引起麻烦,惊慌失措的丁珮被留在家中。在驱车前往伊丽莎白医院途中,邹文怀曾向彭德生说起过李小龙两月前的癫痫发作,并在抵达医院前透露了李小龙的身份。这一路上,李小龙的情况始终没有改善。

琳达到达医院的时间比救护车早15分钟,当问及前台人员李小龙的情况时,却被告知他们对此一无所知。晚上11点,救护车终于抵达医院,邹文怀与琳达护送李小龙进入急诊室,曾广照医生为李小龙进行检验时,发现病人已无任何生命迹象。虽然认为病人已经死亡,但仍然为其做了心外压急救措施,并安排病人进紧急病房[1]。参加抢救的麦海雄医生为李小龙做了心肺复苏术,同时打电话通知在紧急救治组值班的郑宝智医生前来协助。郑医生在对病人进行检查后,认为病人已经死亡,但依然按照程序,为其做了心外压,注射肾上腺素强心针并施以电击等抢救措施,但是依然没有任何效果。晚十一点半,麦医生宣布李小龙回天乏术,并在有关文件上批写及签名。守在急诊室门口的琳达听闻此噩耗,痛哭失声。她在回忆录中写道:

……我注意到心电图仪器上,小龙的心跳记录是一条直线,这表示小龙的心脏停止了跳动……我问医生,我没有用"死"这个词,对小龙不能用这个词。我问的是:"他还活着吗?"医生摇了摇头。医生们离开了小龙,我待在他的身边,那时我才确信自己真的已经无能为力了……我记得邹文怀打电话给他妻子,让她到这来接我们。我记得医疗小组的负责人来问我是否需要做尸体解剖以及验尸报告,"是的,我想知道他的死因是什么。"我记得大批的记者和摄影师涌入医院,闪光灯亮成一片……

为了应付记者,也为了照顾好琳达的情绪,维护好李小龙的名誉,在征得了琳达的同意后,邹文怀便向蜂拥而至的记者们说出以下各报章于次日一早口径一致,但细节各有出入的"官方消息"。

红透半边天的李小龙,昨晚 11 时 30 分突然在伊丽莎白医院殒命。

李小龙是于昨晚深夜 11 时,由邹文怀及李小龙之外籍妻子,以私家汽车送入伊丽莎白医院急救,当时李小龙已陷入昏迷状态,情况严重,医生动用氧气紧急抢救,但返魂无术,约半小时后竟告

---

[1] 李小龙被送入急诊病房时是晚上 11 点 24 分,也就是说,医生们对已无生命迹象的李小龙的抢救只进行了 6 分钟。

一命呜呼。

……李小龙昨日本来约邹文怀于下午 7 时，一同在尖沙咀金田中饭店吃晚饭，但因较早时感到不适，在家中睡觉，邹文怀以李小龙逾时未到，致电李小龙美籍太太琳达，才发现李小龙在住所睡房中昏迷不醒。

约于下午 8 时许，邹文怀及李小龙太太琳达，以私家车将李小龙送往浸信会医院，但浸信会医院乃私家医院，因发觉似属急症，不能收容，迫得转送政府公立之伊丽莎白医院。

经过了一段时间转折，送抵伊丽莎白医院时已是深夜 11 时了。

……李小龙之美籍太太琳达，一直在病房中守候，乃至 11 时 30 分证实不治，哀伤欲绝。当时大群记者在医院门前等候消息，但琳达不发一言，气氛沉重。

李忠琛、俞明夫妇及影视界多人闻讯后急忙赶到医院探视，之后，遭遇到沉重打击而神情恍惚的琳达由邹文怀驾驶着妻子开来的私家车送回"栖鹤小筑"家中。

就在官方宣布李小龙死讯的同时，警方也着手介入。7 月 21 日凌晨 0 点 30 分，以黎远荣督察为首的十余人来到丁珮寓所，向丁珮询问当时情况，当时寓所中除丁珮外，还有其母及其弟。随后警方带走了四粒药丸、两个尚存液体的汽水瓶和三个使用过的玻璃杯，场面极为混乱，此时的丁珮意识到出了事，但是还不知道李小龙已死。

第二天，李小龙暴毙的消息如同晴天霹雳般传遍了整个香港。这个消息对香港人而言，远比葛柏贪污案、刚过去的台风黛蒂，以及发生在白宫的水门事件来得震撼得多。大家都很惊讶：这个堪称地球上最健康、最强壮的男人，怎么说死就死了？是不是在为《死亡游戏》制造噱头做宣传？李小龙的弟子们闻讯后纷纷致电琳达，得到的消息始终是：李小龙真的去世了。

谁都不会也不愿相信李小龙的死讯，但这是事实。蔡和平得知消息,整个人都傻了:"李罗事件"当晚,李小龙还和他在一起吃晚饭,还答应他会在 11 月去新加坡参加一个慈善晚会……这一切都已经不可能了。为了纪念李小龙,TVB 制作部已着手进行"李小龙纪念特辑"的拍摄工作。当晚 9 点 35 分,TVB 新闻部抢先报道了李小龙的死讯,采访了邹文怀、邵汉生、刘大川三人,时长 5 分钟。

居住在洛杉矶的李振辉和何爱榆从电视新闻上得知消息后简直不敢相信这是真的,李振辉急忙致电琳达,证实了消息的真实性,何爱榆得悉噩耗后当场就昏了过去,经抢救才醒转。由于时差的关系,在伦敦,7 月 20 日正是《精武门》的首映式,当李小龙逝世的消息传来,场内外观众皆集体默哀,场面甚是凄凉。邵逸夫闻之长叹一声,谓电影界少一人才,张彻也为李小龙的死而感到可惜。而一向与李小龙不和的罗维在惋惜的同时,表示死者已矣,两人的恩怨也随之一笔勾销,自己将亲自到祭。邵氏"双子星"狄龙、姜大卫亲自到李小龙寓所向李小龙家人致哀。华纳公司总裁泰德·雅士利,《龙争虎斗》制片人弗雷德·温楚布,史蒂夫·麦昆,新加坡、曼谷和中国台北的电影界人士纷纷发来唁电慰问。正在菲律宾拍戏的小麒麟闻听噩耗,急忙于 21 日晚赶回香港。

7.8 | 死后乱象

紧接着,"练功过度说""假死说""毒毙说""被多人殴打致死说""脑溢血说""风水说""算命说"等不实流言开始充斥着香港的报章舆论。李翰祥在评价李小龙的死时说"他生前光明磊落,死后扑朔迷离",可谓一语中的。这些光怪陆离的死因揣测中最为荒谬的,当属李小龙死亡次日,媒体发表的黄淳樑的"电刺激说":

　　李小龙生前师兄弟，咏春派拳师黄淳樑，昨日下午在伊丽莎白医院殓房谈及李小龙最近练功情况。他表示，别人对李小龙之死感到惊奇，他不觉得这是突然的事。

　　……黄淳樑透露，李小龙在半年前由美国买来一部练武机器，体积如录音机，练武时绑在腰间，加电压后可产生静电，通过人的大脑，控制肌肉收缩或扩张。这种练武机器对人的体力消耗很大，带这种机器练武，两三分钟即相当于平常剧烈运动四十分钟。

　　黄淳樑表示，他也用过一次这部机器，感到身体支持不住，以后放弃。

　　嘉禾公司宣传部经理杜惠东在多年后也对《看电影》杂志记者有更为详细、如同身临其境的阐述：

　　……那个震荡机很厉害的，用电线连到身体上，开机就震肌肉，速度是很快的，他震十分钟，就像平常练十小时一样，所以后期李小龙的肌肉非常漂亮，力度非常好。但显然是太强迫自己练，以致失去了和谐，他也和我们说过，你们这么练有什么用，你们这样操练十个钟头，都不如我练十分钟……李小龙既弄西药，又弄这种机器，他的死亡也就成为不意外的事情了。

　　荒谬的是，黄淳樑的先河一开，便有许多人跟风，衍生出众多版本，如杨斯、元华的说法便与黄淳樑类似；而"香港先生"周剑则干脆把"电刺激治疗仪"改名为"电桩机"，除形状外，内容描述则与黄相仿。

　　能被李小龙请来参观豪宅的，当然是与他交情非同一般的。而能得到李小龙本人获准参观书房和练功室的人，则是少之又少。连琳达也不能随便进书房打扰李小龙看书，练功室的钥匙只有管家胡奀夫妇有。

　　周剑说李小龙玩的是"电桩机"，完全是瞎编；杨斯是在1987年，克劳斯和张钦鹏采访他的时候说到这台机器的，与黄淳樑的描

215

述还有一些出入；杜惠东在 2003 年对内地媒体如是说；元华则是在 2009 年左右才在电视纪录片中提及这台机器。这些人是否真见过这台机器？又是否了解这台机器的功能？为什么在李小龙死后才说出这个故事？其动机、真实度均值得商榷。

据笔者查证，这种被描述得神秘至极的机器其实是现如今极为普通的"神经肌肉电刺激仪"。据香港报纸记载，最迟香港已在1965 年开始贩售日本生产的"电子健康器"，并逐渐开始自行研制开发新款同类型产品，后更开发出按摩椅、静电健康毛毯，功能以按摩为主，可改善体质，治疗失眠、神经衰弱、风湿性关节炎、高血压、头疼、胃病、记忆力衰退等慢性疾病。1971 年起，经过改进的"电子静电健康器"引起香港各大医院重视并被采用，通过 2～160赫兹的低频可调节脉冲电流来减轻疼痛症状（如关节痛、肌肉疼痛等）以及减轻肌肉紧张度；增强肌肉，改进肌肉的总体外观，并能提高体育锻炼效果；对病变神经及肌肉进行刺激，促进局部血液循环，引起肌肉节律性收缩，改善代谢和营养，从而延缓病肌萎缩，抑制肌肉纤维化，防止肌肉萎缩。还可以刺激组织再生。现如今，电刺激已经成为现代运动训练的重要训练、理疗手段之一。尽管2000 年后，多篇相关医学论文指出该机器的种种不科学之处，但依然不能将此与死因画上等号，最多算加速死亡的一个次要因素。李小龙用这种机器来治疗腰伤，缓解腰部疼痛，防止腰部受伤的肌肉萎缩，提高锻炼效果，减少脂肪，美化肌肉群无可厚非。但如果按照黄淳樑所说，那生产这些治疗仪的厂家都要吃官司、倒闭了。如果说元华不明白其中的原理，有此一说尚属情有可原；但作为始作俑者的黄淳樑就属于信口开河了，而那些跟风者如果不是愚昧无知，就是为了出名而胡说八道，真是无耻之极！

而王羽也不甘寂寞跳将出来，他的言论更是让人笑掉大牙：

王羽认为李小龙之死，是每日吃的维生素太多所致。他说小龙每天一吃就吃二三十粒，小龙并说已经吃了 20 年。

"吃维生素能死人"这种言论在几十年后依旧存在,嘉禾公司宣传部经理杜惠东就对《看电影》杂志记者说过:

······最后几天他脾气很暴躁,人也很瘦,一定是受了药物的影响,他一天吃一百多颗药,维生素 ABC 的乱来,香港医学界后来才感觉到,当时他的身体很棒,身上一点脂肪都没有,吃的可能就是后来体育界的禁药类固醇。当时类固醇是刚刚发明的新药,他吃的分量就不合标准了,因为当时大家对于这种药还处于摸索阶段。

20 世纪 30 年代就出现的类固醇在 60 年代初被应用于体育界、健美运动。李小龙的训练计划里也包括了肌肉训练,但服用的是自己研制出的混合蛋白质饮料,其中所掺的奶粉不含类固醇。李小龙也不像那些服用了类固醇而拥有大块肌肉、体重增加、脂肪减少的健美运动员,他的肌肉非常自然,体重也保持在 135 磅左右,这完全是依靠十几年如一日的不懈的科学训练得来的。

香港民众们热衷于探讨李小龙的死因,同时等待着最终的验尸结果。7 月 23 日下午 2 点,法医在高度保密的情况下对李小龙的尸体进行了解剖,但是死因要等到法庭研究后才能公布。此时邹文怀与李家人忙得不可开交,他们与李小龙生前好友共 29 人组成了治丧委员会,并在各大报纸发表讣告,写明将于 7 月 25 日在九龙殡仪馆大殓,并由琳达择日护送灵柩回西雅图安葬。24 日上午 11 点 15 分,李小龙的遗体由其兄李忠琛含泪领出,紧接着,九龙殡仪馆专车将遗体运至殡仪馆。据称殡仪馆为李家佣人所开,还特地为李小龙的遗体准备了一间化妆间,加强冷气,除亲属外任何人不得入内。当日 12 点 25 分,琳达、李忠琛、邹文怀、俞明进入化妆间,下午 1 点左右才离开。

香港的《星报》在追查李小龙死因时,突然发现李小龙的真实出事地点是在丁珮家! 文章刊出后引发了轩然大波,媒体、民众纷纷将矛头指向了邹文怀,直斥其说谎。邹文怀极力否认自己曾对媒体说起过李小龙是在自己寓所出的事;而丁珮也对媒体力证自己清白,并口口声声称自己将于 25 日亲自吊唁李小龙。但是寓所看门人对媒体透露的"消息"对邹文怀、丁珮、李小龙极为不利:

> 笔架山道 67 号的大厦之日间看门人,昨日向本报记者透露其于星期五下午 3 时左右目睹李小龙偕一男士进入该大厦,其后该男士于下午 4 时左右离去,但未见李小龙一同离去,直至他于当晚 8 时下班为止。

如果看门人所言属实,那邹文怀走后,李小龙当时和丁珮在干什么? 当时还有谁在场? 是否当时李小龙就已经出事? 如果是的话,为什么要等到 10 点多才把已经死亡的李小龙送入医院急救……一连串无法解答的问题接踵而至,"阴谋论"也就因此传开来。对于满天飞的谣言,琳达曾做出如下解释:

> 小龙死后,邹文怀在电视节目中谈论此事,由于我的过错引起了部分混乱。
>
> 邹文怀对我说与其说李小龙死于丁珮家中,不如说是死在自己家里更为合适。我说这对我来说并不重要——这是他所能想到的最好的主意。我们都明白小龙和丁珮的名字被放大后刊登在报纸的头条是一件多么引人关注的事情。我不在乎,况且现在我也管不了那么多——这些都已经不重要了。那时我要照看我的孩子们,还要安排葬礼。邹文怀并没有很确切地说出小龙死在家中,但是他在话语中暗示了这点。当真相大白后,大家都觉得邹文怀是在撒谎。为什么他要这样说? 结果,大量突如其来的谣言开始四处扩散。

而邻居们说,经常看见李小龙造访丁珮家,而且常常是在夜间。孤男寡女共处一室,这让想象力极为丰富的娱乐记者和港媒们立刻就制造出了"马上风说""丁珮谋财害命说"等不堪入目的下作流言。稍微客气一些的媒体则以"自古英雄难过美人关"来暗示。不少八卦杂志还将苗可秀、丁珮的照片与李小龙放在一起作为封面，极尽污蔑之能事。鲁迅就在文章中写过：

一见短袖子，立刻想到白臂膊，立刻想到全裸体，立刻想到生殖器，立刻想到性交，立刻想到杂交，立刻想到私生子。中国人的想像惟在这一层能够如此跃进。

显然，大家对于这位三级片艳星的关注度远超寻常，不少报纸纷纷将陈年旧事挖出来：

……李小龙对本港一女星甚依恋，曾以十一万元购买一新型汽车送给她[1]，作为礼物，这手笔可算大矣。

李俊九听闻该桃色艳闻后，大笑不止：

李小龙会给一名女演员买车？你我都知道李小龙对于金钱的态度。除了琳达或他的直系亲属，他不会给任何人买车。这些报道真是胡扯。

40年后，丁珮在做客香港电台节目《旧日的足迹》接受主持人车淑梅访问时承认：

李小龙当天的确在我家，我也有去给警方录口供，也上了法庭。（对于邹文怀为何隐瞒真相）那已经没关系了，因为都过去了，邹先生这么说的话必定有他的道理。（问邹文怀在宣布消息前是否有和她商量过）我的地位是不是值得别人跟我商量呢？换作是你，你会找我商量吗？要是当时找我商量的话，我也不知道该怎么办。那时候还有很多人质问我，外国的记者、超级李小龙迷……

---

[1] 丁珮的家世显赫，家境殷实。她1967年入邵氏，2周后便购买了一辆豪车代步。1972年，丁珮就斥巨资购置了一辆金色奔驰车，报纸上多有登载，但在李小龙死后却依然被某些人说成是李小龙买了送给她的，实在让人哭笑不得。

（浸信会医院这么近怎么不送，为什么要送去伊丽莎白医院？）可我没有权力做主啊。

一家报纸甚至在李小龙死后派出两名记者潜入殡仪馆停尸房，偷拍到李小龙遗像并刊登于报纸上。

李小龙死后，丁珮在报刊上发表了一篇由她口述的"自白书"，摘录如下：

我记得李小龙生前，我没有沾过他一丝一毫的光，不管是名，是利。死后，所有不幸的事，我都沾着边儿了。

我是一个不爱管闲事的人，别人的话，别人的生活，我从来不去注意。可是，别人却注意我的一言一行，尤其是在李小龙死后。我的的确确过了一段比坐"牢狱"更不如的日子！

为了避开那日夜不停的电话铃声，为了避开那充满责骂的影迷信，我只有采取唯一的方法，把自己秘密地封闭起来，我唯一需要的，只是清静，让我疲乏的身心得到休息。

在李小龙生前，我从来没有利用他的名气出过风头，死后，我也不想这么做……我每天把自己关在房子里，自怨，自叹。对着电视，不知荧幕上在放映什么。对着书本，不知其中含意。对着描写得稀奇古怪的报纸，脑里一片空白。我的泪已流干，感情已麻木。我想，这大概才是真正的"非人生活"！

李小龙死后，丁珮除了拍戏，一直郁郁寡欢。为了避免不必要的麻烦，她甚至一度搬去爱德华王子道 211 号 4 楼居住。据当时报纸杂志记载，邻居们发现，李小龙死后，她就避免与记者接触，窗门都用白纸封上，极少出家门。有时会溜出去买些食物，更多的时候是托邻居或公寓看门人代为买烟。更在客厅抽烟解愁，看上去颇为疲倦。

某报记者两次致电丁珮，问及她与李小龙是否有"超友谊"关系时，丁珮以"什么好事都轮不到我，什么倒霉事我都摊上了"这样的话来回应；当记者问她会否参加李小龙追悼会，她信誓旦旦地说一定会去，结果李小龙举殡当日，记者们苦等半天，除了一个花圈外，不见丁珮其人。相比更为年轻就被冠以"李小龙绯闻女友"的苗可秀，自称深爱李小龙的丁珮此举不过是尽了礼数而已。当时，香港著名演员伍秀芳曾在《明报周刊》撰文，不指名地痛斥丁珮：

> ……如果有一个男人死在我家里、怀里、为我而死；我的歉疚将穷此生也冲洗不掉。我可以一言不发，不承认、不否认，为了死者的声望，自己的名誉，等等，然而不可不到灵堂去看他最后一面，即使那会受万人唾骂。一别将天上人间，那个人曾经如此辉煌过、相爱过，一切成为陈迹了，"人生得一知己，死而无憾"，对得起知己，又何必以明哲保身，怕万人不谅？倘若得一万人谅解，但愧对知己，又能心安理得吗？

7.9 ｜ 两次葬礼

尽管有关丁珮的话题不断涌现、升温，但是最让香港民众关心的依然是李小龙的葬礼。

李小龙的临时灵堂已于 7 月 24 日下午 2 点于殡仪馆二楼一号房内布置妥当，灵堂中间放着李小龙的巨大遗像，供奉着李小龙生前爱吃的牛腩酥、咸煎饼、橙子、苹果、叉烧包与葡萄等果品。遗照上方写着"典型尚在，艺海星沉，哲人其萎"的字样。遗像下摆放着琳达的花圈，上书："小龙爱夫，缘续来生，妻琳达泣献"。两旁的挽联为："魂散凄清齐奠万钱空入梦，鸾轮缥缈灵前洒泪赋招魂。"其他花圈、挽联也已堆满整个灵堂。嘉禾公司纪录片摄制组人员的灯光将灵堂照射得如白昼一般，现场镜头一个也不放过。至下午 6 时许,已有不少圈内好友前来致祭。最为引人注目的是苗可秀,一身黑色素服,戴着太阳眼镜,带来了李小龙生前最爱吃的番鬼荔枝。行礼时因触景生情而数度哭泣。她本想亲自陪着李小龙的灵柩回美国,但由于档期问题而无法成行。这番举动,被报纸称为"戴了孝的半个未亡人"。

下午 3 点左右,灵堂的布置全部转移到礼堂。4 点,邵逸夫派代表送来巨型花圈一个,以白黄剑兰与菊花满缀,上题"小龙先生千古",下署"邵氏公司邵逸夫暨全体同仁鞠躬"的字样,正中写着"痛失英才"。约四点半,嘉禾公司送来一个同样大小的花圈,以红玫瑰与粉红剑兰组成,上书"小龙先生千古",下署"嘉禾公司电影(香港)有限公司全体同仁敬挽",正中题写"天妒英才",与邵氏送的花圈一左一右摆放在灵前。深夜,影视界好友及生前好友到祭者仍众。"欢乐今宵"全体成员在节目完成后,由蔡和平亲自带领,夜祭小龙。当晚,小麒麟为李小龙守夜。

7 月 25 日一早,便有三万多名李小龙影迷在九龙殡仪馆门前争睹小龙遗体,一时间秩序混乱,后由警方抽调百余男女警员架起铁马以维持秩序。殡仪馆内,嘉禾公司的几十名龙虎武师戒备森严,以防影迷涌入灵堂。

而邵氏全体影星或感尴尬而无一人前来,至于武术界人士,只有一名署名关培基的咏春门人、叶准、黄淳樑、王仕荣、咏春体育会、汉生康乐研究院等以个人或组织名义送来花圈。

罗维八点半便来祭奠,停留一段时间后离去。8 点 50 分,丁珮花圈送到,却不见人影。上午 9 点过 5 分,一身白衣,头戴白花,戴着茶色太阳镜的琳达强忍悲痛,在邹文怀夫妇及何冠昌等人陪同下抵达殡仪馆,并由邹文怀一路搀扶着匆匆步入灵堂。在向亡夫三鞠躬后,便由亲友为其披麻戴孝,神情麻木地端坐在灵堂左侧,由李忠琛夫妇、李小龙表姐李秋钻、许冠杰夫人琳宝·弗莱明及小麒麟、胡奀等陪同。由于悲伤过度,对于友人的安慰也充耳不闻。一早便来到殡仪馆的苗可秀神情哀伤,在其他嘉禾公司影星及工作人员到场后方才进入灵堂，不时以手巾掩面。不久后，乔治·拉赞比、郑君绵夫妇、李锦坤、石坚、曾江、张清、魏平澳、萧芳芳、刘家杰、关南施等一一到祭。11 点 10 分，一身白色素服的国豪与香凝在佣人及生前好友陈炳炽的带领下进入灵堂行礼，紧接着便换上中式丧服，与母亲跪坐在一起，向前来祭奠者还礼。

11 点 20 分左右，装着李小龙遗体的铜棺被抬进灵堂，供大家瞻仰遗容。此时各方人士蜂拥而上，场面极为混乱。殡仪馆外对面马路仍然有两处铁马被狂热影迷撞翻。

李小龙神态安详，身着一套唐装衣衫，棺椁内围有白色丝绸，只露出脸部。脸部及颈部略显浮肿，颈部还套有以纯 K 金项链串起的小黑玉坠，是李小龙同年的纪念品。李小龙的脸色因遗体保存欠妥而呈紫黑色。棺椁上安装了一层玻璃，以防被人触摸遗体。双眼已哭至红肿的琳达看着亡夫的遗体泣不成声，两名子女被亲属抱起瞻望，却不知道他们与父亲已阴阳两隔。

7 月 26 日早 5 点，装载有李小龙的铜棺从九龙殡仪馆运出，装入一个木箱，经过多重严密保护措施，由多位搬运人员小心地搬入西北航空公司 004 号波音 747 型机舱内。琳达偕子女在邹文怀及蔡永昌陪同下，于启德机场办理登机手续。此次前往美国，除琳达母子三人外，还有嘉禾公司经理安德鲁·摩根，摄影师陆正、许冠杰妻子琳宝及李小龙嫡传弟子兼好友秦彼得等人。邹文怀因要事在身，无法陪同前往。

在机场餐厅，琳达打破多日来的缄默，召开了一场简单的记者招待会，宣称自己坚信丈夫是"死于自然"，并向在场记者宣读了一份书面讲话，报纸译文全文如下：

　　我深愿香港报界及社会人士不再猜测我丈夫死亡前后的情况，虽然我们还未收到最后的剖验报告，但我个人则深信他是死于自然，也不认为任何人应对他的死亡负责。

　　命运的安排是我们无法改变的，唯一重要的是，小龙已经离去,永远不再回来,但是他在我们的记忆及在他的影片里继续长存。请各位在怀念他的时候,想起他的天才、他的艺术和他的魅力,对我们跟他熟识的人而言,他的言论和思想,会永存于世。

我知道香港人士爱护小龙,对他替香港扬名世界的成就感到骄傲,所以我恳请你们让他平静地安息,不要让他的灵魂受到干扰,我本人和他的至亲好友都是这样的想法。

招待会后,琳达一行便登机离开香港。运输途中,由于压力差的关系,李小龙的灵柩破了,保存遗体用的液体漏得到处都是。按照中国传统的说法,这意味着他不能安静地休息——他还有很多事情没有完成[1],这更添加了一丝悲壮的意味。当到达西雅图的时候,他们发现液体从小龙的蓝色唐装渗透到了灵柩的白色丝质内膜,于是琳达决定重新换一口新的棺材。

7月27日,飞机降落在西雅图国际机场,李小龙母亲何爱榆、李小龙胞姐李秋源、弟弟李振辉及琳达母亲、妹妹、周露比等人前来接机。琳达与何爱榆一见面就禁不住抱头痛哭,李俊九、木村这些李小龙生前好友也只能对琳达稍加安慰。但是,再多的话语也无法抚慰琳达那颗破碎的心。

7月30日,在西雅图的巴特沃斯殡仪馆举行了一场小型的私人追悼会,参加者只有180人,包括李小龙在美国的明星弟子及《龙争虎斗》部分原创人员。现场气氛十分压抑。灵堂中,除了那幅巨大遗像,在李小龙的铜棺旁还放置了一个由红、黄、白三色花所组成的截拳道图案。葬礼上没有播放传统的悼念音乐,而是播放了4首李小龙生前最喜爱的歌曲:*MY WAY*(我行我素)、*THE IMPOSSIBLE DREAM*(不可能的梦想)、*AND WHEN I DIE*(当我死去时)、*LOOK AROUND*(环顾四周)。

---

〔1〕李小龙生前曾对好友提及过,他想当电影制片人,带着林正英、陈会毅、元华等特技人闯荡好莱坞,每年回香港拍摄一到两部电影,并梦想着能拍摄一部类似《陈查理长子》的电视连续剧。

　　牧师做完祷告后，木村武之以他特有的方式——向着李小龙的遗体施以振藩礼后走向小讲台发言。之后，华纳总裁泰德·雅士利、李小龙遗孀琳达分别发了言。琳达发言前，向安躺在棺内的小龙遗体三鞠躬，在小讲台发言时神情非常镇定，她以一段极富李小龙式哲理的语句结束了她的简短致辞。

　　李小龙始终相信：灵魂是躯体的胚胎，死亡之日便是灵魂苏醒之时，精神永远存在。我们苏醒之日，便会与他相逢。

　　大家一一排开瞻仰遗容，而伊鲁山度刚走近铜棺便无法忍住内心的悲痛，转身离去……何老夫人在众人搀扶下缓步走向铜棺，最后一次触碰并亲吻了儿子的脸庞，抓住棺木不肯放手，开始哭天喊地，大家想把她带走，但她又昏了过去。场面气氛压抑，令人不忍目睹。在子女们最后看了自己的父亲最后一面后，仪式便告结束。由詹姆斯·科本、史蒂夫·麦昆、丹·伊鲁山度、木村武之、秦彼得和小龙的弟弟李振辉将铜棺抬上灵车，运往湖景墓地安葬。从湖景墓地可以俯瞰平静的华盛顿湖水面，风水极佳。虽然琳达不懂风水，不过她相信如此漂亮的景色也是李小龙喜欢的。

　　众人跟随灵车来到墓地，聚集在搭建了临时顶棚的小龙墓地前，由詹姆斯·科本致最后的悼词：

　　别了，兄弟。此时此地我们与你分享荣耀。作为兄弟和老师，你将精神以及心理上的自我一起赐予了我。谢谢你，愿你安息。

　　随后，扶灵者纷纷将手中的白手套抛入墓穴。何老夫人与李小龙的亲人们早已泣不成声。琳达上前与大家一一致意，葬礼便告正式结束。每个人都往棺椁上撒了些土。杰西哭得像个孩子，他和李小龙的其他亲传弟子们都不愿意见到他被陌生人埋葬，于是从工作人员手中拿过铁锹，将坟墓弄好。虽然悲痛，却觉得这是应该为李小龙做的。斯基普还抓了一把土放在西装外套的口袋

225

里,将它放在自己家中的"李小龙房"内的一个特制瓶子里。

琳达为李小龙在意大利订制的褐色大理石墓碑就竖立在这片寂静的墓地之中,上面镶着李小龙的遗照,刻着李小龙的英文名、中文名和出生年月:

BRUCE LEE 李振藩　1940.11.27——1973.7.20
创造了截拳道

墓碑前的那本翻开的大理石书本上刻着这样一行字:

你的在天之灵依然指引我们走向个性解放之路。

第八章

1973年之后

8.1 │ 死后哀荣

　　1973 年 10 月 6 日，琳达现身九龙丽声戏院[1]，欣赏《龙争虎斗》午夜场。当日的午夜场，预售票在不到一个小时内便告售罄，创下新纪录。其他观众便即刻购买次日票。在此之前，琳达得知播映午夜场的戏院早已告满，心情很是愉快。并在返美定居前，从警局取回李小龙生前购买的两支不能发射的、有着合法枪照的古董长枪，并表示自己将不再婚，首要任务是将孩子们拉扯大，以慰亡夫在天之灵[2]。

　　10 月 10 日，《李小龙的生与死》上映，影片较为全面地展现了李小龙的一生，更将李小龙寓所的布置、练功器材，包括那个 1972 年底才运抵寓所的马西牌循环健身器首次曝光于观众眼前，满足了大家的好奇心。虽然只有不到 40 万的票房，却巧妙地为在 10 月 18 日正式上映的《龙争虎斗》做了极佳的心理铺垫。

　　《龙争虎斗》在港上映后，由于受到李小龙去世的影响，上座率只有 6 成。许多观众、影评家批评这部"007"式的电影不中不西、不伦不类，虽然打戏精彩，但是除李小龙外，约翰·萨克森和吉姆·凯利的性格特点都不甚明朗。情节老套不说，院方又抬高票价，让人不免失望。观众们则把这一切都归咎于庸才导演克劳斯和编剧艾伦。不过，该片屈居年度票房亚军，夺得 330 万的票房也还能接受。《龙争虎斗》一片在李小龙死后还能取得如此佳绩，可

---

[1] 丽声戏院于 1960 年开办，1990 年停止营业。原址上建立了徐克的电影工作室。
[2] 琳达之后结婚两次，并未"遵守誓言"。

谓余威尚存。

值得注意的是,该年度票房排名第一的电影是由楚原导演的市民生活粤语喜剧片《72 家房客》[1],票房 562 万,是香港本地意识日渐觉醒的一个信号。1969 年到 1972 年,香港股市连续 3 年股价大幅上涨。许多人眼见炒股有利,纷纷辞职,开始全职炒股,其中不乏教师、文员。非理性投资和盲目乐观滋生了人们的投机心理。但从 1973 年 3 月 9 日起,香港恒生指数就从 1700 多点开始急剧回落,到 9 月中旬,只有 500 多点。倾家荡产、精神失常甚至跳楼自杀者不在少数。终于,港人明白,生存还是要靠自己的踏实工作以及积极拼搏的精神才能获得,这种生活态度最终变成了全港市民的共同意识,也即本土意识的苏醒。此时,已经衰落的粤语片开始复兴,70 年代初,是香港青少年人口的膨胀期。和上一代不同,他们不是移民,没有家乡故土的怀念,因此较易对香港产生归属感。可以说,他们是粤语影片、歌曲、电台节目等的受众基础。或许楚原看到了这一点,才想到将影片全部采用粤语对白。据说,邵逸夫为了做出这个决定,一个晚上没有睡着。正是因为这个决定,让该片打败了《龙争虎斗》,登上票房冠军的宝座。

李小龙的影片在台湾上映之前,台湾影坛处于真空状态,但在上映后反响极为强烈,多次打破当地票房纪录,排入台湾年度卖座影片前三。李小龙死后,片商们硬是将已上映的电影拉了下来,再度上映《唐山大兄》,票房也有 162 万,连《李小龙的生与死》这样的纪录片都有近 300 万的票房。因此,对于《龙争虎斗》一片的引进事宜,台湾自然不会放过[2]。台湾有关电视台专程派出外景队拍摄李小龙出殡的影片,访问了不少电影界名人、李小龙生前好友,

----

〔1〕《72 家房客》最早是根据上海大公滑稽剧团同名舞台剧改编,1963 年由导演王为一在香港拍成同名电影。1973 年,楚原受到启发,根据同一剧本重新翻拍。2010 年,香港影片《72 家租客》以楚原版为蓝本进行再次创作,被看作是对前辈电影人的致敬。

〔2〕台湾省电影制片协会对该片审查后指出,该片由美国华纳公司所摄制,因此不能算国产片,直到 1974 年才上映,票房高达 968 万。

进行了街头访问,向嘉禾公司借取了几部电影的片段,剪成一个纪念特辑,播出后成为全台湾收视率最高的节目。

日本这个极为骄傲、自恋的民族,很少上映外国影片。有鉴于《龙争虎斗》在海外的影响力,日本东宝公司对此极为重视,引进此片后,特别加强了宣传力度。此外,影视界不断派遣外景队来港,拍摄李小龙的故居、办公室与遗物等,访问李小龙生前友人。电影杂志也一期期地以李小龙为封面,介绍李小龙的事迹与电影。时至今日,以李小龙为封面形象的电影、武术杂志在日本仍是层出不穷。1975年底,李小龙的铜像矗立于富士山上,李振辉出席该仪式并剪彩。

《龙争虎斗》在美首映后连破票房纪录,连《教父》所保持的纪录都被打破。各位影评人对该部影片及李小龙的表演赞不绝口。有影评人称李小龙的动作“如同致命的芭蕾”。在对该片进行了评估后,《洛杉矶时报》曾将其形容为“穷人版”的詹姆斯·邦德式电影。

最终,该片北美票房达到了前所未有的2500万美金,约合现在的13.5亿美元。之后,该片不断重映,时至今日,全球累计票房已经达到了2.3亿美元。在《龙争虎斗》上映25周年纪念日时,新闻媒体对此片再次做了评估,并将其称为《乱世佳人》的动作版。

1974年,《黑带》杂志将已故的李小龙评为“年度武术家”,这是李小龙第二次被列入“黑带名人堂”。

1975年,华纳公司举办了一场向全世界公开招募“李小龙”、别开生面的电视大赛。寻找长相、神韵、武技都类似李小龙的人来筹拍《李小龙传》。那天一早,在华纳公司伯班克制片厂门口聚集了500多名不同种族的男女青年。评委有琳达、诺里斯、克劳斯等人,李振辉与芭芭拉·史翠珊作为嘉宾到场助阵。

《死亡游戏》是李小龙未竟之遗作,嘉禾公司在经过1年多的筹划及重新编剧后,仍然请来克劳斯作为导演,由洪金宝任武术指导,并觅得岑岳柏、金泰中(一说金泰靖)、元彪等三名替身来扮演剧中的"卢比利",他们的穿着、打扮、发型、打斗都极力接近李小龙本尊。这部影片于 1977 年 9 月 5 日正式在港开镜,由李小龙原来出演的部分电影镜头与演员们的表演胡乱拼凑而成。在半年多的拍摄、制作后,于 1978 年 3 月 23 日在港公映。在 14 天的映期里,票房收 343 万,除了塔内的打斗戏,影片中的所有情节、韵味都可被视作另外一部电影。

　　武侠片也好,功夫片也罢,都随着李小龙的去世而逐渐衰弱。或许由于《死亡游戏》票房反响还算不错,不少厂商便纷纷跟风效仿。香港兴起一股模仿李小龙热潮,只要长得有点像李小龙,或是言行举止模仿李小龙、有着不错的功夫格斗技巧,便会有片商邀请拍摄有着强烈李小龙风格的电影,但因不是李小龙本人出演,故本书称之为"仿龙片"。这些长发墨镜男子艺名都是"X 小龙"——黎小龙(何宗道)、吕小龙(黄健龙)……,他们模仿着李小龙的一举一动甚至是吼叫,故事情节也多仿照《精武门》桥段,更有一些影片掺杂了不少色情镜头以博取关注。但是李小龙终究只有一个。而吕小龙更是因为英文名与李小龙极为相似而在法国被投诉。

　　在这些"仿龙片"里,笔者认为较有价值的当属 1976 年,由吴思远拍摄的《李小龙传奇》。虽然该片依旧是由其他人扮演李小龙,且故事情节与真实情况相去甚远,不过饰演者何宗道不仅功夫了得,也极富李小龙神韵,堪称"李小龙第二"。为求真实感,还请来了叶准饰演叶问,小麒麟扮演自己,有几位在李小龙影片中出现过的演员也在该片中出现。其余的演员,如"琳达""邹文怀""丁珮"等,也找的是特型演员。吴思远也率组亲赴罗马竞技场、美国西雅图华盛顿大学、唐人街、湖景墓地、长堤、洛杉矶、曼谷等地取外景,甚至在拍摄戏中戏时,也用到了丁珮笔架山道寓所、大潭湾、李小龙九龙塘故居等香港本地外景,可谓诚意十足。同时,将民间几种流传得最广的死因搬上银幕,看得观众唏嘘不已。

　　1979 年 6 月 8 日,《死亡游戏》在美国洛杉矶好莱坞大道的派拉蒙剧院首映时,数千名忠实粉丝身着传统武术服装站在街上,琳达偕李国豪、李香凝出席首映式。何爱榆、伊鲁山度、刘易斯及几位片中主要演员作为嘉宾出席。那天,洛杉矶市长汤姆·布拉德利当众宣布 6 月 8 日为该市的"李小龙日",人群中爆发出热烈的掌声与欢呼。

1980 年,配成粤语的《精武门》在港首次以全本重映,盛况一如当初。观众们便是在此次放映中第一次见到李小龙一脚将外滩公园那块"华人与狗不得入内"的木牌凌空踢碎的场面。

李小龙当年所许下的四大宏愿一一达成,只是他意想不到,在他身后,还能获得如此多的奖项与荣誉:

1980 年,被日本《朝日新闻》选为"70 年代代表人物"。

1986 年,被德国汉堡大学选为"最被欧洲人认识的亚洲人"。

1993 年,美国好莱坞名人大道铺上李小龙纪念星徽。

1993 年,获香港电影金像奖大会颁发"终身成就奖"。

1998 年,获中国武术协会颁发"武术电影巨星奖"。

1998 年,被《时代杂志》评为"20 世纪英雄与偶像",是唯一入选的华人。

1998 年,获美国演艺同业公会"终身成就奖"。

2004 年,英国传媒协会特为李小龙颁发"传奇大奖"。

2005 年,获香港电影金像奖大会"世纪之星奖"。

2005 年,入选《人物》"电影百年十强人物"之一。

2005 年,获"中国电影走向世界杰出贡献奖"。

2005 年,当选"中国电影百年百位优秀演员"。

2005 年,获国家"中外文化交流突出贡献奖"。

……

以上仅仅是李小龙身后所获得的荣誉、奖项的一小部分,再多的荣誉,李小龙也当之无愧。只不过,这些奖项是不是来得太晚了些呢?

其他演艺界、体育界名人,也纷纷表达了对李小龙的崇敬、仰慕之情：

他是许多人的偶像，他激励了数以百万计喜欢他的孩子们愿意追随他的足迹。他们想成为武术家；他们想拍电影。为此，他们每天要训练上好几个小时。李小龙提供了大量的灵感；他曾帮助世界上许多的孩子。他对世界的影响巨大而又深远，我认为在很长的一段时间内，他会被世人顶礼膜拜。他是独一无二的。

——阿诺德·施瓦辛格

我从他这学到了许多。他的知识极为渊博；他的全部生命就是武术……再也找不到像他这样优秀的人了。

——查克·诺里斯

李小龙是个伟大的人。他确实是独一无二的。现在我希望能与他见面，因为我真的很喜欢他的风格。他超越了他所在的时代。

——穆罕穆德·阿里

8.2 ｜摇钱树

1973 年，李小龙去世后不久，美国便有一本李小龙传记《李小龙传奇》（*The Legend of Bruce Lee*）出版，作者是曾采访过李小龙的美国作家、记者、影评人阿莱克斯·本·布洛克，这是全球第一本李小龙传记。但是其中许多内容纯属杜撰，对很多事件也进行了过分夸大，今天的许多流言，有相当部分来源于此。

琳达是一个很细心的女性，早在香港时，她就担任了李小龙的"秘书"：

尽管小龙很早便借用录音器材来记录构思，回到香港拍片后，

233

他更在书房、客厅、办公室及汽车里放置多部卡式录音机，以方便随时使用。从众多盒式录音带中翻查资料实在艰难，为免资料外泄，一待国豪、香凝上学后，我便花上三四个小时，逐一整理录音内容以免积压，当然还要处理一大沓照片、剧照、剪报、文件、便条和信函。

回到美国后，她将李小龙的遗物更仔细地加以整理，尤其是武学笔记。还于 1975 年授权出版了《截拳道之道》（*Tao of Jeet Kune Do*）一书。她在回忆录中如此阐述自己对出版这本书的想法：

尽管这段受伤（注：指的是 1970 年夏天李小龙的背伤）的时间令人沮丧，这加重了我们的财政忧虑，他在这段时间内经历了个人和武术家的成长期。小龙从不为了个人的利益而对吸取知识感到满意，他强调将个人的思想付诸行动。最后，他写了 8 本笔记，有 2 英寸厚，他觉得这些笔记迟早有一天会出版的。后来他决定不出版这些书，因为他觉得读者们会把"他的方法"变成"他们的方法"。就我来说，在他死后我有很多想法，我把他的那些笔记浓缩成一本叫作《截拳道之道》的书，由奥哈拉出版集团出版。我只是觉得他所写的被埋没了，而这些太有价值了。

她与李小龙的弟子们、编辑们一起将这些资料加以归类整理，以《李小龙图书馆系列》出版了 5 本专著、4 本思想类图书。在创立了李小龙基金会后，还以基金会的名义出版了不少有关李小龙的图书。

1975 年，琳达出版了自传体回忆录《李小龙：只有我懂的男人》（*Bruce Lee：The Man Only I Knew*），薄薄的书中简略地讲述了李小龙的一生，披露了不少鲜为人知的故事和细节，在海外多次卖出版权，并多次重印，港台还出了不少中文译本，并于杂志连载。14 年后，再婚的琳达与作家丈夫汤姆·布里克合著了更为详细的

《李小龙故事》(*The Bruce Lee Story*),比之前的书更受欢迎。1996 年,与琳达离婚的布里克根据各种来源不明的资料与道听途说简单整理后,出版了一本《李小龙秘闻》(*Unsettled Matters : The Life and Death of Bruce Lee*)。荒谬之处,俯拾皆是。

自从李小龙传记兴起,至今已有不计其数的相关中外书籍问世。但鱼龙混杂,良莠不齐。

《黑带》杂志原主编水户上原自 20 世纪 80 年代起也在琳达的授权下,编辑、出版了几本有关李小龙的书籍:《李小龙技击法》(*Bruce Lee's Fighting Method*)、《李小龙:传奇》(*Bruce Lee : The Legend*)以及《李小龙:无可比拟的格斗家》(*Bruce Lee : The Incomparable Fighter*)。前者为根据李小龙武学笔记整理出的武学专著,后两者多以故事为主,且有不同程度的爆料,仔细看来也有不少错谬,但是瑕不掩瑜,深受读者欢迎并多次重版。而《李小龙技击法》也由原来的一套 4 册装,在 2008 年修订成数码修复版合订本出版,2013 年,由后浪出版公司出版该书的中文译本。

1980 年,《大众电影》破天荒地撰文介绍了李小龙和他的电影。1981 年,《少林寺》享誉全国,李连杰一夜成名,《中华武术》也对影片做了报道,同时,"李小龙"的名字出现在了《武林》杂志上。此后,陆续创刊的各大武术类杂志也开始报道李小龙的相关文章。1981—1984 年,《霍元甲》《陈真》《霍东阁》等剧在内地热播,但此时几乎没人知道,这些电视剧是以李小龙的《精武门》为题材翻拍、衍生出的电视剧。90 年代,随着录像机的普及,李小龙的电影开始以录像带形式传入内地,李小龙因而被广大群众所熟知。在此前后,内地有关李小龙技击法、生平的书籍也开始逐渐涌现,但内容大多粗陋浅显。

李小龙的形象自 20 世纪 80 年代起,先后被应用于动画、广告创意、电子游戏、手机、T 恤等各个领域,凡此种种,数不胜数。李小龙收藏家们的藏品也因此而与日俱多。

1981 年 5 月,由于版权问题,数以千计的原版照片、底片、绝版书刊、印刷电版、剪报、小龙亲笔信笺便条、纪念品,以及琳达的访问录音、李国豪申请加入"李小龙截拳道研究学会"的往来函件，均统统在香港西环焚化炉中付诸一炬。但笔者始终坚信，被"焚烧"的那些"资料"其实早已被大量消息灵通的日、韩、中国台湾地区及欧美人士以重金全数购去，被烧的不过是"替代品"而已。

1993 年起，琳达开始逐渐将李小龙的部分遗物拍卖。琳达解释道：

> 也有很多小龙的东西我是永远不会拍卖的，包括所有他写给我的信、文章和送给我的衣服、珠宝。我之所以举办这个拍卖会，是为了让仰慕和喜爱李小龙的影迷们有机会拥有属于他们的英雄的东西。

话虽如此，但仍然惹来不少争议。李香凝曾当过歌手，她在1993 年的《龙：李小龙的故事》一片中出镜并演唱过《加州之梦》(*California Dreaming*)，也曾做过武术节目主持人，参演过一些影视剧，并有不少打戏。1998 年，她应邀为嘉禾公司拍摄过动作片《浑身是胆》，事先接受过长时间的截拳道与跆拳道训练，她在片中与"喷气机本尼"（本尼·尤奎德兹）的动作戏、眼神被影评家誉为"仿若李小龙再现"。后来退出娱乐圈，与母亲一起创建李小龙基金会，将"李小龙"作为一个版权、一个品牌来打造、经营，并由她的丈夫专职在全球范围内追讨版权。2014 年，"Bruce Lee"品牌打入中国市场。

8.3 ｜沽名钓誉

掌握话语权者，总能得到更多的关注，也因为此，许多"知情人士"便在不同时间、不同环境透过不同媒体及渠道大放厥词，以提高自身关注度。例如克劳斯，其于1987年来港，遍访李小龙生前好友及同事，写了《龙争虎斗制作特辑》（*Making Enter The Dragon*）和《李小龙传》（*Bruce Lee：Biography*），部分访问已由张钦鹏、罗振光合编的《他们认识的李小龙》刊出，笔者看过后只觉错谬百出，荒诞不经，除收藏外已基本没有太多研究价值。

又如黄淳樑，李小龙死后，他便第一时间对媒体发表"李小龙用电练功说"，之后，元华、杜惠东等人也发表过类似言论；而后，黄淳樑又炮制出"密室切磋练武说"，自1973年起，切磋时间从"数小时"一直到了12小时[1]，切磋细节也被他颠倒黑白，称李小龙"力度远逊当年、处于下风"并被其"一指封喉"，而自己疏于练功两年，搏斗经验比对方好，切磋时不觉得有压力感。但其弟子温鉴良于2000年、2008年先后两次爆出切磋真相：时间不过4～5分钟，两人过了几招而已，切磋时李小龙主要用脚。事后他回武馆给黄淳樑擦药酒时才发现师傅手臂上全是瘀青，像皮蛋一样。温鉴良承认"现在公平地说，如果李小龙真拳拳到肉打下去，我师傅很难顶得住"。

正因为黄淳樑与李小龙有过交集，内地获取信息渠道又较为单一、狭窄，于是，与李小龙"有过交集"的咏春门人说的话都成了金科玉律，外界才会对其言论如此"深信不疑"。

除黄淳樑外，叶准、卢文锦、梁挺，也是咏春门中颇有名气的。由于与李小龙同是叶系咏春传人，便沾了李小龙和叶问的光，有了足够的话语权来为自己造势。不可否认，他们的咏春拳造诣颇深，但是明眼人也看得出，他们对于李小龙的认识也仅限于坊间的道听途说，或仅仅是数面之缘，甚至对李小龙有着莫名的嫉妒。为此，不惜诋毁、贬损李小龙。但到了需要宣传咏春拳的时候，又把李小龙这个可能是咏春门内名气最大的徒弟抬出来，作为招牌来

---

[1] 从1973年7月21日面对媒体说的"数小时"，到一个多月后在《新武侠》杂志上说的"8小时"，到《永恒巨星李小龙的一生》《李小龙技击术》中的"超过11小时"，在国内某些不入流的传记中，便顺理成章地凑够了"12小时"的数。

招徕学生；一旦达到目的，便把李小龙抛诸一边，肆意践踏。叶准便是以反复无常而"著称"，在各种书籍、采访中对李小龙的生平、与叶问的关系信口雌黄，随意颠三倒四，让人实在不敢相信其言论真实性[1]；叶问外甥、台湾咏春拳大师卢文锦在内地节目中自称是李小龙的"三师兄"[2]、说"李小龙没学咏春之前逢打架必输"；自称是叶问"关门弟子"的梁挺更是将自己捧成"全球咏春王"，抹黑李小龙武道思想及其武技的言论不胜枚举，其丑恶面目清晰可见。

李小龙的美国弟子们在李小龙死后依然低调授徒，遵守着"不将截拳道公开化教授"的诺言。但众多李小龙迷、截拳道爱好者需要一个精神支柱，不希望看到截拳道因为李小龙的去世而一同消逝。他们都知道，众多李小龙弟子中，只有伊鲁山度与李小龙拍过电影，并与同样是菲律宾裔的李小龙弟子理查德·巴斯蒂罗合作开设了菲律宾功夫学院。而李小龙的其他弟子或学生都有自己的工作，业余时间各自授武极为低调而不为人所熟知。媒体对这个话题也很感兴趣，在不遗余力地大力报道、渲染、追踪下，使得大家误以为世间懂得截拳道的李小龙弟子仅伊鲁山度一人，因此他们

---

〔1〕叶准的言论反复可从以下两例窥见一斑：(1)在其于1981年出版的英文版《叶问116式咏春拳木人桩》一书中，亲自提到叶问不喜欢李小龙，也不喜欢别人在他面前提到李小龙；而在2013年7月20日，香港亚洲电视(ATV)直播的《李小龙逝世40周年》特辑上，叶准现身视频，又说："很多人说我父亲和李小龙关系不好，这是错的，他们关系一直很好。"(2)在80年代与90年代的言论互相矛盾：……家父在李小龙离港赴美前，曾叮嘱他不要随便教功夫，特别是传授外国人，而李小龙在答应后，却于美国开馆，并不同国籍地授徒。此举确令先父惊讶及失望……(80年代言论，选自《叶问116式咏春拳木人桩》一书)……李小龙往美国读书，临行前家父带着他培养多些徒弟学矫手，其后李亦在美开班授徒……李小龙自创截拳道，曾向先父征询意见，并获得家父同意创立新拳，当时我也在场……(摘自《李小龙：神话再现》)

〔2〕卢文锦说自己是叶问到港后第一批学员，是李小龙的"三师兄"，而在《叶问宗师百年诞辰纪念特刊》一书中，也不过是排在李小龙前一期，根本就不在梁相、骆耀、徐尚田、叶步青等第一批学员之列。而作为叶问宗师来港后收的第一期学员的徐尚田师傅于回忆文章所述及的第一期学员名单里，也压根没有提到卢文锦的名字。

辗转找到伊鲁山度,要他教授截拳道。伊鲁山度初始为了遵守诺言,并不愿教授,但是迫于无奈且骑虎难下,便提出"截拳道概念"一说,如果按照这个概念,人人都可以混合各种武技而发展出属于自己的拳术。同时他将自己从李小龙处所学到的振藩功夫与自己的菲律宾武术、马来武术及其他国外武术混合起来,作为"截拳道"来教授给大家[1]。或许他认为,这么做便是没有违反当初许下的承诺——因他教的其实并非李小龙所传授的截拳道,只是属于自己发展出的一套混合武术。但因为大量的截拳道爱好者错将只属于伊鲁山度的个人武术作为真正的截拳道来学习,真正的李小龙功夫反而几乎被取代、埋没了。

面对这种愈演愈烈的乱象,李小龙其他的亲传弟子们实在坐不住了。1990年,一向低调得几乎令人遗忘的黄锦铭出现在了公众视野中,并接受了《黑带》杂志的独家专访。1996年,振藩截拳道核心成立,仔细看名单便会发现,这些核心人物都是李小龙当年"振藩功夫"或"振藩拳道"的亲传弟子或再传弟子[2]。也就是在此时,"原本截拳道"一词被提出,与伊鲁山度的"截拳道概念"针锋相对。估计这也是伊鲁山度自核心创立伊始便退出的原因。虽然伊鲁山度在1997年也借《黑带》杂志就"截拳道概念"做出大量解释,但全文矛盾重重,逻辑不通,始终无法自圆其说。李恺认为,截拳道在前后期虽然有所区别,但是一脉相承,不应该被分成派别,应当好好传承发扬。而杰西和冯天伦则坚持认为,截拳道只属于李小龙,因此,随着李小龙的去世,截拳道早已消失。而冯天伦更是认为,那些吹嘘自己教的是截拳道的所谓教练其实根本不懂截

---

[1] 李小龙死后,他的弟子们便去伊鲁山度家继续进行训练,但是随后便发现,伊鲁山度所教授内容多为菲律宾武术,截拳道内容少之又少,便一一离开此地。李小龙生前就曾对他说过:"不要因为你是菲律宾人就过多地加入菲律宾武技。"日后,伊鲁山度还想创立"马菲尼道",但没有成功。

[2] 振藩拳道核心初建时,有许多李小龙早期弟子并未能及时加入。不过在此之后,许多原先未列入名单的弟子也以技术顾问的头衔陆续参与其中。

拳道的内涵，是骗子。

其实，以"截拳道"为幌子的何止伊鲁山度或那些骗子？李小龙早就预见自己的武术将会被利用并成为一种固定僵硬的门派而丧失活力：

在没有研究截拳道之前，让我们先切实讨论一下"传统武术形式"是什么……所谓"形式"，都是由一位首创者的"人"组织成功的。所以"形式"绝对不可以视作万古不移的定律或经典，因为人类乃是一种具有创造力的生物，"人"永远比"形式"重要得多。

譬如这么说：在很久以前，有一位武术家发现了一种原理，而在他一生之中，自然就会根据这条原理来钻研他本门的功夫。但等这个"人"死去之后，他的门徒承接了他的设想、他的规矩、他的意向以及他的方法，而把这些都化为"定律"。于是，严格的教条订立了，庄重的仪式形成了，硬性的姿势规定了，终于组成了一个门派，把原来是具有流动性的个人直觉，演变成为一种牢不可破的固定方式。

如此做来，他们非但神化了这项知识，而同时也埋葬创始者的智慧，这绝不是那个"人"在最初时的意图，我敢相信另外更有许多的"人"，也发现了自己的原理。于是就有对立派的出现……他们也建立了自己的门户，规定了本门的律条与方式，而且每一派都自认为是具有最高"真理"的，因此，人类对于武术的知识与智慧，就此永远不能集中，从而逐渐沦为今日四分五裂的局面。

当然，与李小龙有交情、赏识李小龙的咏春门人或许也不在少数，如叶问次子叶正师傅，在公正评价李小龙的同时自己默默授武，不愿意与上述沽名钓誉者同流合污。电影《一代宗师》的咏春顾问、叶问"第一私家门徒"梁绍鸿师傅就说过："叶问之所以是一代宗师，是因为他教出的李小龙成就比他还高。"

8.4 │ MMA 之父

李小龙曾在《龙争虎斗》片头与洪金宝的打斗中展示了其全面的武技，尤以独特的地面技最为吸引人眼球。2000年后，以地面技为主的UFC比赛大行其道，总裁达纳·怀特（昵称白大拿）则从李小龙的训练方法和现代MMA技术的相似性入手，肯定了李小龙是MMA之父的历史地位，大多数武术家及MMA格斗家持相同看法，但仍有一些人怀疑李小龙的实际战斗力是否有如传说中那样神乎其神，他们的依据则是李小龙从未参加过任何擂台比赛，体格瘦小，实战纪录几乎找不到。他们甚至扬言李小龙上了拳台会输得一败涂地，让我们看看那些成名已久的拳台老将们是怎么说的。

乔·刘易斯：直到1970年，美国才正式出现全接触式搏击比赛。李小龙是全接触式训练和搏击的倡导者……我把第一场职业踢拳（Kickboxing，又译自由搏击）比赛的胜利归功于李小龙，也正是李小龙让我对拳击产生了兴趣。我早期和李小龙一起训练，虽然当时我只是一个受训者，但我在一场比赛中三分钟内就将对手击倒。

查克·诺里斯：不论我的想法对或不对，总之我觉得他是个强人，是个值得自负的人，也是世界上武功最好的人！这是我个人的想法。

兰迪·库卓：MMA那时还不存在。最主要的是，他从大量不同风格的武术和相关文章中提出了创立一种比传统武术更为有效的武术体系的概念，并且提出了混合型武术风格的想法。这就是他做事的方式。他是一位先驱，他所改进的分指拳套我们使用至今。我觉得他应该去和 145 磅重的对手比赛。当然，他知道自己的重量级别，而且成绩会非常不错，这是毫无疑问的。

弗兰克·沙姆洛克：我认为他是第一个明白什么是混合格斗的人……是的，他是 MMA 之父。我认为他可能是最适合这项赛事的选手之一，他在那个时代拥有非凡的实力、影响力以及统治力。他是一名武术家，也是一名久经训练的世界级运动员。大多数人是格斗家而不是武术家。而实际上像李小龙这样的人，他更多的是以武术家的身份出现的。我可以举出一大堆理由来告诉你，李小龙是不可被复制的，再也没有像他那样的人了。

舒格·雷·里奥纳德：我曾向全世界宣告，李小龙是我的偶像之一。主要是因为他那锲而不舍的精神。他所做到的比任何体格的人做得都更好。我不认为有人能接近李小龙的境界。李小龙是世界范围内的一个偶像，他的名字已经进了字典，当你要找"最伟大"一类的词语时，"李小龙"这个名字就一定会跳出来。事实就是如此。他是如此杰出，是无法被取代的！他简直就不是这个星球上的人。

乔治·福尔曼：我认为如果你去认真看待李小龙与穆罕穆德·阿里所做的贡献，你就会认为他们是对竞技体育领域影响最为深远的两个伟大人物。我不认为任何运动员能在毫不模仿李小龙的情况下获得成功，更别提与李小龙对抗了……李小龙是个优秀的运动员，他会是个很棒的拳击手。他能对付所有人，在他的体重级别里他会赢得冠军。

大家所不知道的是，李小龙生前曾想将截拳道比赛制订成类似于 UFC 那样的比赛：

哈特塞尔曾向一名记者透露"其实大家都不知道，在李小龙去世前，他曾计划给截拳道制订类似 UFC 那样的规则，并用在踢拳

（也译作自由搏击）里，不允许认输。但是这一切都无法实现了"。

　　李小龙曾与多名柔道家、柔术家交换过武技，这些人包括谢华亮、吉恩·勒贝尔、海沃德·西岗等。看看他们对李小龙当年练习柔道技能的评价。

　　谢华亮：我认为他在西雅图时进行过一些训练。我从未说过他熟知一切摔法，但是他的确能够使出其中的一些技术。他的擒锁技基础并不是太好。我们和严镜海会一起在我的道场进行练习。我的儿子经常看见李小龙在周六的时候在我屋外等我，他经常在我工作的时候打电话给我，说工作完后哪也别去，因为李小龙在这。

　　海沃德·西岗：李小龙对柔道非常精通，有很强的摔投能力。他不做太多的垫上练习，他对于地面格斗所知并不算多，因为这需要花费大量的时间去练习。事实上，在一次练习课上我问他："你觉得还有什么缺陷吗？"他说："可能有。"于是我问他"如果我躺在地上，你如何对我进行攻击？"他转过身瞟了我一眼，嘴角下撇，他说他会直接走开，不予以理睬。后来他再次转过身，并伸出一根手指指着我说"不过你最好别起来"。

　　勒贝尔：我始终使用着他给我演示过的那些技术，主要用在电影里。小龙同样从我这里学到了很多柔道和擒锁技。我经常在他所出演的电影里扮演他的对手。小龙在好几部电影里使用了我给他示范的技法，有些是我教他的擒锁技。在他的最后一部电影，未完成的《死亡游戏》里，他对贾巴尔使出了勒颈技法。有时我会在一部电视剧中和他一起工作，他接受了我提出的一些关于动作的建议。

　　MMA极重视地面缠斗，用在一对一的比赛中尚可，如果那些MMA冠军们也希望用这种方法来对付歹徒，那就死定了。所以，李小龙虽然练习柔道，却并不热衷于此道，他的解释是：

243

如果我和一位像他（西岗）那样优秀的柔道选手在地面上缠斗时，我不会有任何机会。但我要告诉你，没有人能让我躺倒在地，因为，无论你的地面技多么棒，你无法同时与一个以上的人格斗。我才不在乎你有多优秀，当你的移动受限制的时候，你不可能在两个及以上的人的格斗中有任何赢的机会。

8.5 │ 李小龙热

1988 年，钟海明、徐海潮先生将四卷本的《李小龙技击法》汇集成一本，略作删减，精心翻译。出版后，读者反应热烈。一时"洛阳纸贵"，成了截拳道爱好者们的入门必读之书。2014 年，冲破重重阻碍，终于购得该书美国版权，以 2008 年美国数码修复合订本为准，重新翻译，以简、繁体在中国内地、中国香港特区出版。同年，简、繁体版《截拳道之道》也以 2011 年的美国数码修复扩展版为准，重新校订翻译后出版。

1992 年起，河北昌黎的石天龙先生、湖南娄底的郝钢先生，分别在河北和湖南开办了以弘扬李小龙截拳道为旗帜的武术学校和研究会，并走出国门，积极与国际截拳道界合作。1995 年，陕西的高鸿鹏先生开创了"武道研修总会"，为截拳道在国内发展做出了不可磨灭的贡献。其他众多所谓的"武校"见有利可图，也纷纷在武术杂志上打出"截拳道"的幌子招揽学徒，一时间大量假冒的"截拳道"班在国内"兴起"，令不少截拳道爱好者上当受骗。

与老外极端崇尚武力不同，1995 年成立的香港李小龙会，着力于李小龙文化的传播与发扬，更注重各种资料的搜集与龙迷的参与度。可惜的是，内地的顺德李小龙研究会副会长黄德超除了与李秋勤出版过几本有关于李小龙童年的书籍外，花十年时间筹建了大而无当的李小龙纪念馆并成了馆长后,却再没有听说过其参与过出版任何李小龙书籍、组织过有关李小龙的活动。

著名的李小龙雕像已于 2005 年 11 月 27 日,李小龙诞辰 65 周年之日借"香港文化节"揭幕,矗立于维多利亚港的"星光大道"上。后应星光大道扩建而关闭三年,李小龙雕像被迁往尖东海滨平台花园。香港特区政府曾宣布将对李小龙位于九龙的故居"栖鹤小筑"进行修复,并改造成纪念馆,但是这个计划因与业主余彭年产生纠纷而未能实施。

2008 年,经李香凝授权的 50 集央视电视连续剧"巨作"《李小龙传奇》播出,主角为香港李小龙会会员陈国坤,因长相酷似李小龙而被周星驰招入自己的星辉公司旗下。陈国坤的演出不可谓不努力,但该剧情节架构完全脱离现实,与 1993 年李截所主演的《龙:李小龙的故事》同属瞎编乱造,对认识真正的李小龙毫无价值,反而起到了混淆视听的负面作用。事实证明,没有人演得了李小龙,因为李小龙只有一个。同年,秉持"求同存异,共同发展"的理念,钟海明、郝钢、石天龙、朱建华在长沙历史性地发起创立了中国截拳道国际联盟(CJIF)。由钟海明担任主席,郝钢、石天龙担任共同主席,朱建华担任副主席兼秘书长。并同时聘请到李小龙师祖亲传第一代弟子、国际截拳道导师李恺,国际著名武术家、历史学家马明达担任荣誉主席,李小龙第二代传人麦克·鲁特尔(美国)、汤米·克鲁瑟斯(英国)担任副主席。2015 年 11 月 27 日,"首届中国截拳道文化节"李小龙文化展暨李小龙学术研讨会在江苏南通顺利举行,笔者作为嘉宾及活动策划者之一应邀参加了此次盛事。

对李小龙的争议持续了四十多年,全球性的李小龙热却始终没有降温。相反,认识他的人越来越多。在俄罗斯,李小龙的名气甚至超过阿里。在很多人眼里,李小龙就是"功夫"的代名词,成了一个符号化的全球性偶像级人物,包括拳王泰森、李连杰、甄子丹等众多世界知名武术家、功夫片名人在内。现在的功夫片就是沿袭了李小龙当时所创建的电影风格。李小龙为这些后辈们铺好了一条捷径，他们才得以在较短时间内得到功夫片名人的光环。更有不少演员将"陈真""加藤"这些虚拟人物翻拍成各种影视剧，各种李小龙元素不断加入影视剧中，在娱乐的同时也延续着李小龙的传奇。

对于日久不衰的李小龙神话，林燕妮做了如下深刻诠释：

……他虽然少用中文，但也不是写不来，他从来不是自诩不会说中文的人，中国的文化和哲学，给了他很大的影响。李小龙神话之所以形成，根源在于他对自己生为中国人的骄傲。

李小龙墓始终是湖景墓地最热闹的、游人聚集最多的地方。每年都有无数龙迷前来拜祭，墓碑也因为龙迷们的狂热举动而数度遭到毁坏，甚至镶嵌在墓碑上的照片都被人冒着触犯法律的危险撬走。现在看到的李小龙墓碑已经不是最初那块了。

新一代的龙迷们或许不再仅仅关心李小龙的武技有多么不可思议、生平有多曲折或是死因有多离奇，但他们无一例外都能从李小龙这个创造了奇迹的普通人身上得到启迪，通过对生活的理解，对自身的探索，将自己的身、心、灵合而为一，最终成为一个完整的人，这正是李小龙创建截拳道的本意所在，也是生活的真正意义所在。

最后，笔者以李小龙对截拳道的一句评价来对本书做结尾：

截拳道并非伤残之法，而是一大道，朝向生命真谛追寻的坦荡大道，我们只有在了解自己时方足以看透旁人，而截拳道则是朝了解自己之道而迈进。

附 录

李小龙死因揭秘

正当李小龙在美国入土为安之际，香港媒体却还在为李小龙的死因、丁珮与李小龙是否有关系、李小龙的铜棺价值几何、李小龙有多少遗产、遗产如何分割、保险受益人是谁等问题上吵得不可开交。

正所谓"一人得道，鸡犬升天"，李小龙死后，自称是李小龙生前好友兼弟子的秦彼得也与泛亚公司签约；罗伯特·沃尔也参加了台湾影片的拍摄并在全美影坛走红；吉姆·凯利和约翰·萨克森也因参加《龙争虎斗》的拍摄，新作倍受关注。

见钱眼开的港台片商们瞅准《龙争虎斗》尚未上映的空档，将李小龙遗作重映，但反响极差。星海公司更将李小龙参加《独霸拳王》(《麒麟掌》原名)记者招待会、《麒麟掌》开镜典礼及为该片做武术指导的片段剪接在《大天二》中播映[1]。无线电视台也不甘示弱，于 8 月 9 日下午五点半重映了《人海孤鸿》。有消息称，嘉禾公司欲将《死亡游戏》补拍完毕以馈观众。不久后，随琳达一同赴美拍摄纪录片的嘉禾公司外景队返回香港，将前后所拍得镜头与李小龙生前珍贵资料影片剪辑在一起，命名为《李小龙的生与死》，于10 月 10 日上映。

8 月 3 日，苗可秀主演的《黑夜怪客》上映，同场加映"李小龙

---

[1] 这个短片以李小龙葬礼为开头，拍摄不少丁珮在《大天二》片场带妆接受访问的镜头，丁珮所坐的椅子底下，全是与李小龙有关，或以李小龙为封面、标题的报纸、杂志。短片也拍摄了丁珮家中陈设，床头柜上是李小龙的照片，床上摆着两本以自己做封面的杂志。

哀荣纪录片",但是影评认为,该纪录片无法反映出悲哀凄凉的气氛。而该片播映午夜场时,苗可秀因害怕自己触景生情,会在观众面前失态而拒看午夜场。

8月15日,邹文怀飞往美国,一来是为了接琳达与何爱榆来港,二来是与华纳洽谈《龙争虎斗》在东南亚上映的情况。原本应于24日回港的邹文怀,因琳达需要将一切安排好才能启程而延后回港,同时他也得到了4部影片在美国上映的机会。自8月24日起,旧金山16家影院上映《龙争虎斗》,影迷们成群结队去观看,每家电影院的票房都很不错。而在洛杉矶中国戏院优先放映时,接连三天打破该戏院纪录,周六与周日也打破了该戏院周六与周日的纪录。

李小龙死后,便有各种其生前练武逸闻在坊间、媒体流传开来,最为荒诞的当属"精武指",《当代武坛》曾有过如下报道:

> 根据熟悉李小龙的亲友透露,李小龙生前曾苦练一种神秘指功,且已接近炉火纯青的阶段……据传李小龙所练的指功,初期拟定名为"精武指"……在他的练武室内,据说现仍吊着一个用铁丝捆成的四方框,框上放有玉扣纸,而纸上布满用手指插穿的痕迹,估计是李小龙在生时锻炼指功所留下……

梁挺与香港某空手道武师还演示了咏春派的"标指"与空手道的"铁指"技术,一位不愿透露姓名的洪拳高手也发表了自己的意见。但纵观全文,咏春派的图片与访谈占了极大版面,梁挺做了"标指"示范,并对记者长篇大论。文章结束的空余版面还印上了"咏春梁挺拳术馆"的地址与电话。

满嘴谎言的杜惠东又对内地记者大肆渲染了一下这门"独门秘技":

> ……他说正在研究一个"精武指",他的寸劲与你距离半尺不到就可以发力,如果这个精武指练成以后,他一插就可以插进你的

胸膛,就等于手枪的枪弹一样,他说他现在可以练到戳穿一筒啤酒罐……他把啤酒罐放在酒吧桌上,握着拳头运了有半分钟的劲,然后啪地一戳,但是没有戳进去……我们拿这个啤酒罐来看,果然虽然没有戳穿,但已经被戳进去有半寸多深……〔1〕

李小龙死因极为复杂,为谨慎起见,新上任的律政司司长何伯励任命德辉为李小龙死因研究的检察官,将在荃湾第二法庭举行"死因研究"聆讯会,任何与此事有重要关联的人物都将出庭作证,这意味着琳达也将会出庭作证。

9月1日晚10点左右,琳达抵港,头戴白花,身穿杏色外套、花格衬衫,面露笑容,频频向到场迎接的李忠琛、李秋钻、邹文怀家人及嘉禾公司工作人员挥手致意。之后,在警方护卫下,琳达与邹文怀坐上一辆出租车前往栖鹤小筑,自始至终一语不发。而邹文怀在回答了记者保险费等问题后便称无可奉告,驾车离去,李忠琛等人也随后抵达,该处整晚灯光闪亮,欢笑之声不绝于耳,一反月余静寂情况。

琳达这次回港,一方面是参加李小龙死因研究法庭并出庭作证,另一方面则是来处理相关遗产。

9月3日上午10点20分左右,李小龙死因研讯在荃湾第二法庭举行。琳达在邹文怀及其他一男一女陪同下,于10点左右抵达法庭,等候传唤,她请的律师是罗德丞(罗文锦幼子),后更换为布莱恩·戴斯德。

董梓光法官宣称,经过验尸,发现死者脑部与其他器官有肿胀现象,在胃部与小肠发现有大麻,但并未发现酒精或吗啡等。大脑有水肿现象,但未发现有其他自然疾病,肿胀原因无法解释。同时,列举出七大死因推测:

---

〔1〕李小龙生前照片揭示,这不过是他日常的"标指"训练,绝没有杜惠东说的那样离谱。那些门派之所以如此夸张、煞有其事,无非是炒作。同时也反映出媒体人对李小龙其人及武技的认识极为肤浅。

一、谋杀

二、误杀

三、合法被杀

四、自杀

五、自然死亡

六、意外死亡

七、死因不明

连日审讯的证词过于烦琐及冗长,笔者只将供词中疑点列出:

1. 邹文怀说自己与丁珮通话一共 3 次;但丁珮作证时只说 2 次。

2. 邹文怀与丁珮都作证称,是邹文怀叫来朱博怀医生。但朱 医生却称是接到丁珮电话后赶到其公寓。

3. 邹文怀对抵达伊丽莎白医院后是否对急诊室值班医生曾广 照告知李小龙既往病史表示"当时场面太混乱,已不记得了";曾广 照医生也说,从未有人提及过李小龙"发过癫痫";但彭德生称,听 到邹文怀在急诊室内将此事告诉其中一位医生。

4. 邹文怀、朱博怀都说是朱博怀医生指示救护车前往伊丽莎 白医院;但救护车负责人彭德生说是自己做出的送院决定。

5. 朱博怀医生作证说,曾找到一个印有 EQUAGESIC 的锡纸 包;但探员刘树作证时称,在事发现场,曾搜寻过该锡纸包,但未 找到。

6. 邹文怀称,自己与李小龙是于 1972 年初合作。

7. 邹文怀称,自己并未向任何报章发表过有关李小龙"出事" 的消息。(事实是,邹文怀向报界发布过李小龙在家中昏迷,家人 送医院后不治的消息。)

8. 琳达称,李小龙因 1968 年的背伤需要服食止痛药。

去除翻译问题,以上疑点均指向邹文怀、丁珮、琳达等人彼此作伪证、串供。

9月24日,董梓光法官做出案件总结并分析重点,并强调此次研讯着重于医学方面的供词,完全认同利赛特医生、林景良博士及迪尔教授的专业见解,相信李小龙是因丁珮所给予的Equagesic止痛药中的阿司匹林及安宁混合后的并发作用导致脑水肿而死亡。这种病例极为罕见,因此,考虑选择判决为"死因不明"。

董梓光法官陈述完毕后,陪审团便退庭,商讨最终裁决。五分钟后,董梓光法官根据陪审团成交的决议,当庭宣布李小龙的死因裁决为"死于不幸"。

琳达在审结全案时,与律师频频交谈,笑容可掬,一洗往日数次聆讯时默默无言及面容憔悴的神情。邹文怀在审结全案时,与他人交谈甚欢,以往局促不安的情绪一扫而空。

丁珮第一次作证后便被法官宣判无需出庭,法医又宣布未检测出催情药,法庭内座位便大多空着。这哪是旁听,分明是八卦猎奇心态!

李小龙的死随着法庭裁决而告一段落,但是李小龙的遗产问题却是困难重重。虽然李小龙生前保险数额巨大,但是被投保之一的友邦保险公司以"未获申请赔偿通知"为由拖延办理赔偿,称该问题仍在讨论中,将在不久后做出决定,但也不是短期内能办妥的。直至琳达将寓所出售、家具装箱返美时,遗产问题仍未得到解决。后又以李小龙胃中发现大麻为由拒付保险费。直到1976年,琳达才被批准获取高达670万美元的李小龙遗产。同年,她又起诉另一家保险公司,要求偿付40万英镑的意外保险。有了这两笔遗产,琳达便真的成了港媒所报道的"富孀"了。

裁决一出,媒体、民间便传出"李小龙是瘾君子""靠针药维持肌肉"等流言。法庭审讯跨度将近一个月,开庭6天,传唤了十数位证人,居然在证词相互矛盾、漏洞百出的情况下如此快速地裁决,总觉得蹊跷,似有猫腻。于是,"阴谋论"便甚嚣尘上。

其实,以今天的医学眼光来看,当时的裁决是有问题的,起码也是有很大的商榷余地。首先要郑重申明的是,李小龙的确是脑部出了问题,他的死在笔者看来,其实是一个再自然不过的过程。

琳达:……1973年初的那段日子,他一直很忙,谈论剧本、开会,有时一个电话打上几个小时。最后,他的头部终于出问题了,开始失眠,于是,他醒着的时候,就特别忧郁,情绪低落,喜怒无常。

为避免损害健康,小龙曾限定自己每天工作不可超过十二小时,并于晚饭后,停止处理一切公事。无奈此仅属奢望,因为美国方面来电、片务洽商及员工咨询意见,总迫使小龙放下心爱的训练器材、按停新购置的录音机,拿着电话谈个不休。而正当思索先前问题之际,那些接踵而至的来电,往往又替他带来新的疑难及构想。

乔恩·本:……在拍摄现场,他不停地训练。他会出拳500次,一直在动,就没有停下来的时候。他会做俯卧撑,做柔韧性训练,偶尔他会因为偏头痛而躺倒在地上。他会说:"天啊,我头疼。"10分钟后他说:"很抱歉。"便又投入拍摄之中。这样的事发生了很多次了。

陆正:……我们在片场拍的那场戏,只打一会儿,他就叫:"停停停,我要休息。"而常常NG。他想停下来。他说:"我不行,必须休息。"石坚担心,说:"啊,你最好小心一点。"他说"也许我们明天再拍"或什么的。有时,我说:"你为什么不停下来?你可以拍其他的东西,拍一些细节。"从那时起,大家都担心,我们拍了一些照片,你可以看到他的脸,真的很不同。

保罗·海勒:……他说他有次去餐厅男厕,突然昏倒,我猜测有过一次,不太肯定,而他来找我问意见,推荐医生,我带他去看我的医生,很知名的心脏科和内科医生,检查过后,他没有破坏医病保密协议,只说了李小龙的身体和青少年一样,健康得不得了。

乔治·拉赞比：那天下午我和李小龙谈论一些事情，他抱怨说自己头疼，我记得他问起过我是否知道关于头疼的任何事，我开玩笑说所有的澳洲人在头疼后都会喝上一晚的酒。他说这让他很痛苦。因为我第二天就要去伦敦，听说他身体不舒服，我就提议当晚的会晤延期。但是李小龙坚持要和我会晤。

以上言论，无论是否有夸大之嫌疑，都明确地指出，李小龙的脑部早就出问题了。或许李小龙已经意识到了自己的身体出了问题，他曾对身边亲人朋友说起过极为消极、晦涩的话语，现在看来几乎是对自己的死亡提前做了预言。

琳达：……有几次当他的身心处于低潮的时候，他会说"也许我会出事"，他意识到一切都是那么脆弱——他必须保持身体健康。当他谈到这方面的时候经常会吓到我，因为我对他的身体比他的格斗技术更有信心。

……这几个月小龙不止一次地提到过死亡，他确信自己不会活到老年，他也不希望那样。在最后的那些日子里，他和大家说他讨厌自己又苍老又虚弱的样子。

"我不会活得像你那样长。"有一天他对我说。

"你怎么会那样想？"我问，"看在上帝的份上，你的身体比我强健得多。"

"我现在还不敢肯定。事实上我不知道我还能这样保持多久。"此时此刻，他很纠结。

石坚：……有一天，我正在化妆，他从我后面走过来，坐在这里，忽然说："坚叔，我不会活得像你那样长。"我很奇怪，我说："年轻人，以前你要练武，现在是演戏，做的事应该少一些，多花点时间去休息。做这行当然是睡眠不足了。"他说："拍戏不过是我的副业。"那我还能说什么呢？

其实，如果李小龙注意休息，并且抽空练习、研究一下太极拳，或许不至于英年早逝。

李恺：小龙师父当年非常非常着迷太极拳，家中藏有大量有关太极拳的书籍。此外，还曾拍摄过我演练太极拳的录像。他当时十分希望能够学好太极拳，有时他还问我，"嗨，李恺，你看这个白鹤亮翅、手挥琵琶，对不对？"后来他选择以电影来作为自己的事业发展方向，以此来向大众传播其对于武术的理解。也正因此，使得他愈加忙碌，无暇再就太极拳继续深入研究。可即便如此，他仍表示在其事业发展到一定阶段，或他四五十岁以后，他一定去学太极拳。对于这些刚柔、阴阳之理，他非常喜欢和了解。可是为了事业，他一定要以刚为主，他的英年早逝，导致他未能再续太极拳之缘，很可惜！

莫非真的应了那句"自古名将如美人，不许人间见白头"？

李小龙之死在笔者看来，绝对不是某种药物的直接偶然结果，而是多重因素叠加的必然结果。李小龙腰伤一直要吃止痛药，止痛药吃多了会导致昏昏欲睡、胃溃疡，甚至影响肝肾排毒功能，或许这就是李小龙体内尿素过高的原因。而大麻对缓解疼痛是有着很好的效果的，所以李小龙服食大麻也是为了更好地缓解腰疼。

李小龙在拍摄《龙争虎斗》期间，脱水就到了一个警戒线。人一旦处于脱水边缘，再喝大量碳酸饮料，脱水的概率就更高了。曾有记者亲眼见过李小龙遗体，并做出如下描述：

……本报记者有机会进入殓房看到李小龙的遗体时，发觉并无异样。

李小龙遗体上带赤红色，全身肌肉紧缩，青筋外现，看似临终前有抽筋迹象，不过样子颇为安详，没有特别的地方。

黄淳樑也见过李小龙遗体，描述与之相同。

这里说的"抽筋"便是指"癫痫"。通常说的癫痫指的是浑身抽搐，喉内发出怪叫，四肢僵直。除非在发病时周边环境极度危险

（如爬山时、车辆经过时、攀登高处、海边游泳等），否则绝对不会致人死命，发作后数分钟到半小时左右便会恢复正常。引起癫痫的病理原因至今尚未查明。

在《龙争虎斗》配音期间，由于空调被关闭，室内闷热，李小龙本身也累得精疲力竭，可说是身心俱疲，人已经过度透支了，身体很虚弱。在这样的情况下，脱水随时可能发生，所以相比其他人更容易发作癫痫症。而服食大麻后便有癫痫发作、昏迷，完全是时间上的一种巧合。

李小龙第一次紧急送院后注射甘露醇就恢复正常，这说明甘露醇对于降低颅内压力、分流脑室内液体很有效，同时甘露醇将过量体内毒素——尿酸尽快排出，但是也带走了一部分体内电解质，此时进行的脚踝内侧输血也很好地调整了人体内水、电解质并使之趋于平衡，李小龙才得以保命，所以这是一桩成功的抢救案例。

在法院口供中，李小龙当日饮用了七喜汽水或姜汁啤酒（或者两样都喝了），这两种都属于碳酸饮料。以李小龙当时的身体状况，结合香港炎热的天气，喝下碳酸饮料后或可导致电解质紊乱而感到不舒服和头疼是完全可能的。至于李小龙是不是像当年香港媒体说的"遗传性癫痫"就不得而知了。

李小龙曾飞赴洛杉矶做全面体检，医生给他开了抗癫痫药苯妥英钠，虽然琳达"相信"李小龙会每日服食该药，但在验尸报告中完全没有提到体内有苯妥英钠的成分，专家证词中也不认为李小龙当日曾服食过该药。同时，验尸报告中也没有提到脑血管有阻塞或破裂。

时隔多年，美国芝加哥库克县死因研究办公室专家詹姆士·菲尔金斯研究李小龙的验尸报告后，认为李小龙是死于罕见的癫痫猝死症，而不是药物过敏引致的大脑水肿，原因是药物过敏只会令患者颈部肿胀。这种病症于 1995 年才被医学界所发现并承认。"Equagesic 止痛药中的阿司匹林及安宁混合后的并发作用导致脑水肿而死亡",这种理论也仅仅在理论上有一定的可能性。况且该药物残留在尸体内的分量极微,更不可能致人死亡。

癫痫猝死症会令人出现癫痫症状,引致心脏或肺部停止运作,此病每年在英国导致近500人死亡,而受影响的主要是20~40岁男性,缺乏睡眠和压力大会增加患病的机会。而李小龙的个案正符合有关条件,事发时他正值壮年,且身心承受很大的压力。这和"工作过劳死"是一个道理。

菲尔金斯医生提到过因此病而导致的心肺骤停,全身大量血液正处于各种不同程度的充血中突然凝固,所以才会出现异常充血现象,尤其是大脑和肺部最为严重。全身大部分血管异常充血,青筋尽显,而手指甲和嘴唇也由于缺血、缺氧而发青。就这样的一种常见现象,有人便质疑为"中毒而死"。虽然近几年有人用"布鲁格达综合征"这样一种遗传性心脏病来解释李小龙猝死,却无法解释李小龙全身异常充血,全身呈赤红色,肌肉紧缩,青筋外现,脑部高度肿胀的原因。

许多人质疑遗体肿胀,笔者个人认为,除了异常充血的原因外,人死后,肌肉松弛,尸体多少会有些肿胀,加上李小龙死前肌肉已经开始有所松弛,在浸泡、注射防腐剂后也多少会产生一些这方面的问题,这也许就是为什么验尸报告里没有提及颈部肿胀的原因。英国伦敦大学法医学及毒药专家迪尔也认为,尸体肿胀未必是由过敏症所引起。如果联想到癫痫猝死,则一切便能合理解释。

尸检报告上说,李小龙神态平静,没发现任何搏斗迹象,身上也无任何伤痕。前文曾多次提及,李小龙很多时候每天只休息3~4个小时,每天工作十几个小时,还要练武……不吃抗癫痫药,头疼还要继续训练、拍戏、看书、思考、洽谈业务,这完完全全是不爱惜自己的身体。李小龙生前最厌恶香港电影界日夜颠倒,超负荷的工作方式,但最终自己也陷入这个环境中无法自拔。

由于不注意饮食、睡眠,拍戏、练功导致过度劳累,精神压力大产生的心理问题,又加速了病情的恶化,于是头疼、失眠、精神障

257

碍、癫痫发作随之而来；癫痫引起了病情急速恶化。这一切可在极短时间内发生。所以，朱博怀医生在丁珮房中见到的李小龙其实已经死亡，甚至可能在丁珮打第一个或者第二个电话时，李小龙就已经死亡。因此，理当认为"自然死亡"。

综合种种观点，笔者的结论是：李小龙完全是劳累至死，而绝对不可能是被人害死的。这个"累"，一半是外部社会生活、工作环境所迫，即便如李小龙，也不得不妥协或屈服；一半是他的完美主义性格所致。令人唏嘘的是，李小龙曾写就一篇名为《中国哲学——阴阳论》的哲学论文，看得出来，李小龙深谙中国古代哲学智慧。而在中国海关出版社翻译出版的《功夫之道：李小龙中国武术之道研究》中，李小龙曾做以下阐述：

……极度的热与极度的冷都会导致死亡，极端的都不可能长久，适度方可持久……当一个人极度地工作，就会开始感到疲劳，必须休息（从阳转变为阴）。获得足够的休息之后，他又可开始工作了（从阴转变为阳）……

｜李小龙大事记

1940 年 11 月 27 日早 7 点,李小龙出生于美国旧金山杰克逊街东华医院,原名李振藩,族名李源鑫,英文名 Bruce Lee 为接生医生 Mary Glover 所起。

1941 年 2 月,3 个月大的李小龙生平首次登上银幕,被父亲李海泉抱着在关文清编剧、伍锦霞导演的粤剧影片《金门女》中亮相,扮演幼年王莱露。

1941 年 5 月,随父母一起回到香港。

1946 年,进入香港嘉诺撒圣玛丽书院念书。

1947 年,转入德信学校念书。

1948 年 11 月 24 日,《富贵浮云》上映。这是李小龙的首部粤语影片。艺名"李鑫",广告用"新李海泉"。俞亮导演,秦剑编剧,罗品超、小燕飞、李海泉、半日安、胡美伦主演,李小龙参演。

1949 年 5 月 6 日,参演的《梦里西施》上映。艺名为"小李海泉"。编剧、导演蒋爱民。罗丽娟、李兰、廖侠怀、谢君苏、红光光主演,李小龙参演。银鹰影业公司出品,四达影业公司摄制。

1949 年 11 月 24 日,参演的《樊梨花》上映,艺名为"新李海泉"。毕虎导演,秦小梨、陆飞鸿、少昆仑、林家仪主演,李小龙参演。兴隆影片公司出品。

1949 年 11 月 27 日,李小龙 9 岁,在生日晚宴上结识张卓庆。

1950 年 2 月 20 日，《花开蝶满枝》公映。艺名为"李敏"，广告用"神童小李海泉""新李海泉"。俞亮导演。白云、小燕飞、陈露华、陈天纵主演，李小龙参演。大利影业公司出品。

1950 年 5 月 31 日，首次主演的《细路祥》首映。冯峰导演。李小龙主演，伊秋水、冯峰、李海泉合演。大同公司出品。报章广告上用的艺名为"李龙"。

1950 年 6 月 23 日，参演的《凌霄孤雁》公映。吴回导演。白燕、周志诚、陈枫、张活游、陈露华、林莺主演，李小龙参演。大联合影片公司出品，大利影业公司发行。

1951 年，转入喇沙书院小学部。

1951 年 4 月 12 日，参演的《人之初》首映。首次使用"李小龙"这个艺名。秦剑导演。吴楚帆、黄曼梨、张瑛主演，李小龙合演。大观编委会出品。

1953 年 4 月 30 日，参演的《苦海明灯》首映。秦剑导演。张活游、李清、张瑛主演，李小龙合演。中联公司出品。

1953 年 6 月 28 日，参演的《慈母泪》首映。秦剑导演。张瑛、红线女主演，李小龙合演。红棉公司出品。

1953 年 9 月 27 日，主演的《父之过》首映。孙伟导演，徐泰编剧，庞碧云、李小龙、小麒麟、小南红主演。

1953 年 10 月 8 日，参演的《千万人家》首映。珠玑导演。吴楚帆、黄曼梨、李清主演，李小龙合演。中联公司出品。

1953 年 11 月 27 日，这一天是李小龙的 13 岁生日。参演的《危楼春晓》首映。李铁导演。张瑛、吴楚帆、卢敦、梅绮主演，李小龙合演。中联公司出品。稍后，在张卓庆的引荐下，拜咏春拳一代宗师叶问为师，学习咏春拳。

1954 年，参演《爱》及《爱》续集。

1955 年 1 月 1 日、8 日,参演的《爱》及《爱》续集首映。李铁、李晨风、吴回、秦剑、珠玑联合导演。张活游、梅绮、马师曾、白燕、吴楚帆主演,李小龙合演。中联公司出品。

1955 年 2 月 11 日,参演的《孤星血泪》首映。珠玑导演。吴楚帆、张活游、容小意主演,李小龙合演。中联公司出品。

1955 年 6 月 24 日,参演的《守得云开见月明》首映。蒋伟光导演。芳艳芬、江一帆、胡枫、朱丹主演,李小龙合演。大成公司出品。

1955 年 9 月 8 日,参演的《孤儿行》首映。铁大叔导演。邓碧云、梁醒波、凤凰女主演,李小龙合演。天公公司出品。

1955 年 10 月 21 日,参演的《儿女债》首映。秦剑导演。张活游、紫罗莲、黄曼梨主演,李小龙合演。中联公司出品。

1956 年 2 月 25 日,参演的《诈癫纳福》首映。蒋伟光导演。新马师曾、胡枫、白露明主演,李小龙合演。大成公司出品。

1956 年 9 月 10 日,转入圣芳济书院。

1956 年 12 月 22 日,参演的《早知当初我唔嫁》首映。蒋伟光导演。芳艳芬、任剑辉、胡枫主演,李小龙合演。大成公司出品。

1957 年 3 月 14 日,主演的《雷雨》首映。吴回导演。李清、梅绮、白燕、李小龙、卢敦、黄曼梨主演。大生公司出品。李小龙在本片中饰演"二少爷"周冲。

1957 年 12 月 6 日,参演的《甜姐儿》首映。吴回导演。张瑛、文兰、梁醒波主演,李小龙合演。

1957 年底,主演电影《人海孤鸿》,饰演片中男主角、问题少年阿三。李晨风导演、编剧。李小龙、吴楚帆、白燕、冯峰、李月清主演。华联公司出品。

1958 年 3 月 29 日,在圣芳济书院击败过去三年的冠军嘉里·埃尔姆斯，赢得校际西洋拳击少年组冠军。

1958年，与弟弟李振辉搭档，获得全港恰恰舞公开赛青年组冠军。

1959年4月29日晚上10点，告别家人，怀揣父亲给的100美元，乘"威尔逊总统号"客轮只身漂洋过海，远赴出生地美国读书。

1959年5月17日星期日，抵达美国旧金山。在旧金山居住期间，开办恰恰舞学校，结识李鸿新。

1959年9月3日，来到西雅图，居住在周露比餐馆。每天在餐厅工作4小时，并入读爱迪生技校。期间，收下了生平首徒杰西·格洛弗，结识木村武之、詹姆斯·德迈尔等人。

1959年，在西雅图开设武术会所。

1960—1961年间，在西雅图开设了两家未向公众开放的武馆。

1960年3月3日，主演的《人海孤鸿》在香港首映，大获成功。

1960年11月1日，在西雅图青年会接受一名日裔空手道选手挑战，仅用11秒钟时间便取得了胜利。

1960年12月2日，从爱迪生技术学校毕业。

1961年，在校园停车场的一个角落设立"振藩功夫道场"。

1961年3月27日，就读于华盛顿大学，主修心理学与戏剧。

1962年4月，在西雅图唐人街旧楼地窖成立第一家公开的"振藩国术馆"。同年，严镜海拜入李小龙门下，同时结识谢华亮、冯天伦、周裕明等人。

1963年，李小龙生平唯一一部生前完成的专著《基本中国拳法》，自费出版1000本左右。其间，应邀在加菲尔德高中客串讲授中国哲学课，认识了高三女生琳达·艾米丽。

1963 年 3 月 26 日,李小龙携白人弟子道格·柏尔默由美返港探亲。在居住的近 5 个月期间,叶问破例允许李小龙拍下大量咏春拳对练及器械训练照片。

1963 年 9 月,琳达进入华盛顿大学读一年级。李小龙选择哲学为主修(专修)课。

1963 年 10 月 5 日,李小龙的功夫表演首次被列为大学开放日的表演项目。随后,"振藩国术馆"由唐人街迁往大学道 4750 号地下室新址。

1963 年 10 月 25 日晚,李小龙与琳达在新建成的西雅图城市地标"太空针"首次约会,并在塔顶旋转餐厅共进晚餐,正式确立恋爱关系。

1964 年夏,李小龙从华盛顿大学肄业,关闭西雅图"振藩国术馆",飞往奥克兰开设分馆。

1964 年 8 月 2 日,出席由埃德·帕克举办的"长堤国际空手道锦标大赛",做嘉宾表演,技惊四座。并结识李恺、伊鲁山度、李俊九等武术界知名人士。

1964 年 8 月 12 日,李小龙回到西雅图,与琳达在西雅图金郡法院办理结婚手续。

1964 年 8 月 17 日,李小龙与琳达在华盛顿大学的西雅图公理会教堂举行了庄严而简朴的婚礼。婚后寄居于严镜海家中。

1964 年 12 月,李小龙与旧金山教头黄泽民在奥克兰振藩国术馆比武 3 分钟,黄泽民在不接招的情况下满场逃窜,最终双方在耗尽体力的情况下,李小龙艰难取胜。

1965 年 2 月 1 日,李小龙爱子李国豪在奥克兰出生。

1965 年 2 月 4 日,李小龙来到洛杉矶好莱坞二十世纪福克斯电影公司,为准备出演的《陈查理长子》接受试镜。

1965 年 2 月 8 日，李小龙的父亲李海泉因心脏病在香港去世，享年 63 岁。

1965 年 2 月 14 日，李小龙与李振辉、李秋凤先后回到香港，与亲友家人为父亲举殡。

1965 年 5 月初，李小龙一家三口返港居住了 3 个多月。

1965 年 9 月 21 日，与好莱坞二十世纪福克斯电影公司正式签订演员合约。

1966 年 4 月 30 日，李小龙与二十世纪福克斯公司正式签订了 30 集电视片集《青蜂侠》的演出合约。

1966 年 9 月 9 日，26 集的《青蜂侠》片集在美国首播。

1967 年 2 月 5 日，洛杉矶"振藩国术馆"在唐人街的学院街 628 号地下室成立。丹·伊鲁山度做他的助手。李恺、黄锦铭等弟子于此时加入。在此前后，李小龙开始为好莱坞明星、富豪们做私人授课。

1967 年 5 月 6 日，应邀出席在美国首都华盛顿举办的"全国空手道冠军大赛"。

1967 年 5 月 21 日，出席洛杉矶全明星空手道锦标赛。

1967 年 6 月 24 日，应邀出席在纽约麦迪逊广场花园举办的"全美空手道公开大赛"，并做示范表演。为查克·诺里斯颁奖。乔·刘易斯于此时在麦克·斯通的引见下拜李小龙为师，进行了为期 3 年的私人训练。

1967 年 7 月 9 日，李小龙为自己创立的武术新体系正式命名为"截拳道"。

1967 年 7 月 14 日，在电视片集《无敌铁探长》一集中客串演出 3 场打斗。

1967 年 7 月 30 日,应邀出席在加州长堤举办的"国际空手道锦标大赛",并与助教伊鲁山度做截拳道自由搏击示范表演。

1967 年 11 月 4 日,被著名柔道家谢华亮邀请在他的柔术界纪念仪式作为嘉宾出席。

1968 年 6 月 23 日,应邀出席美国首都华盛顿举办的"全国空手道冠军大赛",并做示范表演。

1968 年,以截拳道创始人身份出席由《黑带》杂志主办的武术论坛。

1968 年 7 月 5 日,在迪恩·马丁与莎伦·塔特主演的影片《破坏部队》中出任武术指导。

1968 年 8 月 1 日,在詹姆斯·加纳主演的影片《丑闻喋血》中扮演一个功夫惊人的黑社会同性恋杀手。

1968 年 10 月底,迁入位于贝尔区的罗斯高蒙路 2551 号的自购房屋。

1968 年 11 月 12 日,在环球影片公司的《可爱的女人》电视片集中客串一集。

1968 年 11 月,在电视片集《新娘驾到》之《中国式结婚》一集中以文戏的表演形式,并西装打扮客串演出。

1969 年 4 月,在哥伦比亚电影公司文艺影片《春雨中的漫步》补拍阶段中出任武术指导。

1969 年 4 月 19 日,爱女李香凝在加州圣莫尼卡出生。

1969 年 5 月 11 日,作为嘉宾出席华盛顿国际空手道锦标赛。

1969 年 8 月 2 日,出席长堤国际空手道锦标赛。

1970 年 2 月 5 日,与李俊九飞抵多米尼加共和国的圣多明戈机场,在李俊九学院做示范讲解,并接受电视台节目录制。

1970 年 2 月 20—27 日,应好莱坞著名导演罗曼·波兰斯基之邀飞赴欧洲瑞士,为正在这里度假的波兰斯基上私人武术课。

1970 年 2 月 28 日—3 月 2 日,李小龙来到英国伦敦度假。

1970 年 3 月底,携爱子李国豪由美返港省亲。

1970 年 4 月 9 日,应邀到香港无线电视节目《欢乐今宵》接受许冠文访问,并与空手道黑带二段李锦坤及其弟子合作表演。

1970 年 4 月 10 日,应邀到香港丽的电视节目《金玉满堂》接受访问。之后不久,由于与香港最大的邵氏电影公司未能达成合作协议而返回美国。

1970 年 4 月 15 日,离开香港,飞回美国。

1970 年 4 月 25 日,参加李俊九学院招待会。

1970 年 5 月 24 日,作为嘉宾出席华盛顿国际空手道锦标赛。

1970 年 8 月 13 日,李小龙在一次举重训练中腰椎严重受伤,第四腰椎椎节错位,不得不卧床休息、治疗了半年之久,才基本康复。

1971 年 1 月,李小龙与自己的两位名人弟子、好莱坞影星詹姆斯·科本、著名剧作家斯特林·西利芬特为共同合作构思的功夫电影《无音箫》,一同远赴印度考察外景地 3 周,但影片最终未能投拍。

1971 年 5 月,香港嘉禾电影公司派女制片人刘亮华飞赴美国洛杉矶,游说李小龙回香港加盟该公司,拍摄两部功夫片。

1971 年 6 月,李小龙出演电视片集《盲人追凶》第一集《截拳之道》中的中国功夫教练。

1971 年 6 月 28 日,李小龙正式签约加盟香港嘉禾电影公司,并签订了主演《唐山大兄》及《精武门》两部影片的合同。

1971 年 7 月 12 日,由美国洛杉矶乘机抵达香港启德机场,随即转机直飞泰国曼谷,投入《唐山大兄》的拍摄工作。

1971 年 9 月 3 日,《唐山大兄》拍摄完成,由泰国返抵香港,在机场召开记者招待会。并于当天应香港无线电视节目《欢乐今宵》之邀,接受谭炳文访问。

1971 年 9 月 7 日,客串三集《盲人追凶》电视片集的演出。

1971 年 10 月 16 日晚 9 点,携妻儿、罗伯特·贝克由美国回到香港。邹文怀动员嘉禾公司全体员工在启德机场恭候。李小龙一家被临时安排在九龙窝打老道山文运道 2 号"明德园"14 楼 A 座居住。

1971 年 10 月 22 日,再次来到香港无线电视《欢乐今宵》节目,接受刘家杰访问,并与自己的美国门徒兼特别助理、保镖罗伯特·贝克合作表演截拳道。

1971 年 10 月 30 日,影片《唐山大兄》正式上映。首轮公映 23 天,即创下 3197400 港币的辉煌佳绩,打破此前由美国影片《音乐之声》所保持的票房,创香港电影史最高纪录。

1971 年 11 月 3 日晚 9 点,作为主礼嘉宾出席"童军筹款义映典礼"。

1971 年 12 月 7 日,李小龙接到美国华纳公司的正式书面通知,由他创意并计划主演的电视片集《武士》(后更命为《功夫》)改由白人演员大卫·卡拉丁主演。

1971 年 12 月 8 日,李小龙出席了在美丽华酒店太和殿"第三届国语电影周"开幕仪式。当日下午,在香港电视 TVB 演播室,接受加拿大著名谈天节目主持人皮埃尔·伯顿的电视专访。

1971 年 12 月 29 日,由李小龙创办的协和电影有限公司(隶属于嘉禾电影公司,是该公司的子公司)在香港正式宣布成立。

1972 年 3 月 22 日,《精武门》正式上映。首轮公映即创下 443

万港币的票房,打破《唐山大兄》纪录,再创新高。

1972 年 4 月 10 日,斯特林·西利芬特夫妇来到香港,游说李小龙出演《无音箫》。

1972 年 5 月 4 日晚上 8 点,兼编、导、演于一身的李小龙,率领摄制组外景队飞赴罗马,开拍个人代表作《猛龙过江》。

1972 年 5 月 18 日下午 3 点,率领《猛龙过江》外景队回港。罗礼士、罗伯沃随行。

1972 年 5 月 19 日,李小龙携罗礼士、罗伯沃在香港无线电视台《欢乐今宵》节目中亮相,为影片造势。

1972 年 6 月 12 日,出席《独霸拳王》招待会。

1972 年 6 月 24 日,参加香港无线电视为"六一八雨灾"而制作的《筹款赈灾慈善表演》节目,与爱子李国豪、好友胡奀表演截拳道,主持人为刘家杰。捐款 1 万港币。

1972 年 7 月 26 日,《麒麟掌》借嘉禾片场开镜,李小龙主持开镜典礼。担任义务武术指导。

1972 年 7 月 29 日,李小龙举家迁入新购置的私人别墅——九龙塘金巴伦道 41 号"栖鹤小筑"。

1972 年 9—11 月,开拍《死亡游戏》。合演者有李小龙高足、美籍"菲律宾棍王"伊鲁山度,NBA 篮球巨星贾巴尔,韩国合气道掌门池汉载,香港武打影星陈元、田俊等。

1972 年 10 月 15 日,获金马奖"最佳演艺特别奖"。

1972 年 9 月,李小龙被美国权威武刊《黑带》杂志评为该年度"黑带群英殿"名人。

1972 年 11 月 20 日,李小龙出席香港 TVB 电视台举办的五周年台庆活动。

1972 年 11 月 23 日,接受美国华纳兄弟电影公司提出的合作协议,同意主演新片《龙争虎斗》。该片将由美国华纳公司与香港协和公司合拍。

1972 年 12 月 1 日,李小龙的恩师、一代咏春拳宗师叶问因咽喉癌在香港逝世。

1972 年 12 月 18 日,被香港权威的报纸《华侨日报》评选为年度"十大影视红星"。

1972 年 12 月 20 日,在香港大会堂音乐厅接受简悦强爵士夫人颁发的第十六届"金球奖"。

1972 年 12 月 30 日,《猛龙过江》正式上映。同日,严镜海在美国因肺癌去世。

1973 年 1 月 5 日,严镜海葬礼举行,李小龙未出席。

1973 年 1 月 6 日,由华纳、嘉禾合拍的大型功夫片《龙争虎斗》在香港开机。这是李小龙生平首次,也是最后一次在好莱坞的影片中担纲主演。

1973 年 3 月 13 日,在圣芳济学院作为荣誉嘉宾为运动会获奖者颁奖。

1973 年 3 月 15 日,在《龙争虎斗》片场击败一名挑战者。

1973 年 4 月 17 日,詹姆斯·科本飞抵香港,游说李小龙出演《无音箫》。

1973 年 5 月 10 日下午 5 点左右,李小龙为《龙争虎斗》英语版配音时晕倒在嘉禾片场,被送往浸信会医院急诊室,随后转入九龙圣德勒撒医院深入观察。

1973 年 5 月 13 日,李小龙出院回家。

1973 年 5 月 25 日,携带圣德勒撒医院的诊断报告,飞往美国洛杉矶做进一步全面检查，诊断结果无异常。

1973 年 7 月 5 日下午，李小龙在嘉禾片场试片室与罗维发生口角。罗维报警，警方到场调停，二人冲突方告平息。当晚，就此事件，接受《欢乐今宵》节目何守信访问。直播当中，李小龙为说明自己不屑于向罗维动武，抬手示范，将何守信撞倒在沙发上，引来公众非议。

1973 年 7 月 20 日夜，李小龙在笔架山道碧华园女影星丁珮家中再次晕倒，被送往伊丽莎白医院急救，当晚 11 点 30 分被宣布死亡。

1973 年 7 月 25 日，李小龙遗体在九龙殡仪馆出殡。

1973 年 7 月 30 日，李小龙遗体在美国西雅图比特沃夫殡仪馆举行第二次葬礼，随后在西雅图湖景墓园下葬，李小龙生前亲友与高足詹姆斯·科本、史蒂夫·麦昆、丹·伊鲁山度、木村武之、李振辉、秦彼德等为李小龙抬棺送别。

1973 年 8 月 17 日，影片《龙争虎斗》在洛杉矶好莱坞中国大戏院隆重首映，再次引起轰动。

1973 年 9 月 24 日，香港荃湾裁判署第二法庭裁定李小龙的死因为"死于不幸"。

1973 年 10 月 18 日，《龙争虎斗》在香港公映。

1974 年李小龙被国际权威武术杂志《黑带》评为"年度武术家"。

1979 年，美国洛杉矶市政府将《死亡游戏》的开映日，即 6 月 8 日定为"李小龙日"。

1980 年，被日本《朝日新闻》选为"70 年代代表人物"。

1986 年，被德国汉堡大学选为"最被欧洲人认识的亚洲人"。

1993 年，美国好莱坞名人大道铺上李小龙纪念星徽。

1993 年，获香港电影金像奖大会颁发"终身成就奖"。

1998 年,获中国武术协会颁发"武术电影巨星奖"。

1998 年,获《时代杂志》评为"20 世纪的英雄与偶像",是唯一入选的华人。

1998 年,获美国演艺同业公会"终身成就奖"。

1999 年,美国政府颁授李小龙"多米尼加艺术奖"。

1999 年 6 月,美国《时代》杂志将李小龙评选为 20 世纪最具影响力的 100 人之一。

2000 年,美国政府宣布发行一套李小龙诞辰六十周年纪念邮票。

2003 年 7 月 24 日,美国电视台 VH1 选出历史上 200 个最伟大的流行文化偶像,李小龙名列其中。

2004 年,英国传媒协会特为李小龙颁发"传奇大奖"。

2005 年,获香港电影金像奖大会"百年光辉之星"奖。

2005 年,入选《人物》"电影百年十强人物"之一。

2005 年,获"中国电影走向世界杰出贡献奖"。

2005 年,当选"中国电影百年百位优秀演员"。

2005 年,获国家"中外文化交流突出贡献奖"。

2007 年,入选英国 Total Film 杂志"50 大电影英雄"。

2008 年,被誉为世界武术大师和电影大使。

2009 年,再上美国《黑带》杂志封面。

2009 年,美国历史频道推出李小龙纪念特辑《李小龙如何改变了世界》。

2011 年,由李香凝担任制片人的纪录片《我是李小龙》推出。

| 李小龙影视作品年表

美国时期（3 个月时）		
1941	《金门女》	第一次出镜，扮演幼年王莱露
香港时期（1948－1957）		
1948	《富贵浮云》	第一部电影
1949	《梦里西施》	
	《樊梨花》	
1950	《花开蝶满枝》	
	《细路祥》	第一次主演
	《凌霄孤雁》	
1951	《人之初》	第一次用艺名"李小龙"
1953	《苦海明灯》	
	《慈母泪》	
	《父之过》	
	《千万人家》	
	《危楼春晓》	
1954	《爱》、《爱》续集	

香港时期（1948—1957）		
1955	《孤星血泪》	
	《守得云开见月明》	
	《孤儿行》	
	《儿女债》	
1956	《诈癫纳福》	
	《早知当初我唔嫁》	
1957	《雷雨》	
	《甜姐儿》	
	《人海孤鸿》	赴美前最后一部影片，1957年底拍摄，1960年上映
美国时期（1966—1971）		
1966	《青蜂侠》	扮演加藤
1967	《蝙蝠侠》	以加藤形象出演3集
	《无敌铁探长》	出演其中1集
1968	《破坏部队》	武术指导
	《丑闻喋血》	在美国出演的第一部电影
	《可爱的女人》	客串最后一集
	《新娘驾到》	第一季第25集中出演文弱小生
1969	《春雨中的漫步》	武术指导
1971	《盲人追凶》	出演过4集并担任武术指导
香港时期（1971—1973）		
1971	《唐山大兄》	饰演：郑潮安
	《精武门》	饰演：陈真

续表

香港时期（1971—1973）		
1972	《猛龙过江》	饰演：唐龙 编、导、演、 制片、动作指导
	《麒麟掌》	武术指导
	《死亡游戏》	饰演：海天 编、导、演、 制片、动作指导
1973	《龙争虎斗》	饰演：李先生 制片、动作指导

注：以拍摄时间为准。

后　　记

　　本人自 1995 年起开始研究李小龙，至今已 20 余年。在此期间，购买、收集到了不少关于李小龙的英文原版书籍和第一手资料。在写本书之前，自认为算是一个较为资深的李小龙迷，但不能算做李小龙研究学者。

　　李小龙本来是个和你我一样的普通人，有着明显的优缺点，但由于他经历的传奇性，每每成为我们茶余饭后的谈资。因对其生平并不了解，又难免会添枝加叶，从而偏离了事实本身，不是将他妖魔化就是将他神化。无论是报纸、书籍、杂志、纪录片，还是电视剧，到处充斥着无法原谅的错误。在我看来，迄今为止国内没有一本真正意义上的全面、权威、准确、原创的李小龙传记，一些不当言论才会以讹传讹至今。于是本人以这些年积累下的资料为基础，以一名学者应有的态度对海量材料进行归纳、考证、分析，于 2013 年正式动笔，才有了这本传记。

　　将近 4 年的时间，这本传记曾多次重写，无论是结构调整，还是根据新发现的材料颠覆原来的观点，对笔者来说都是挑战，甘苦自知。李小龙相关的中文资料较少，因此，我购买的书籍大部分是英文的，少数是日文版本的。这就迫使我不得不对这些书籍、资料或音频视频一边整理，一边做笔记，有时甚至要将整本书翻译下来才能做进一步的研究。工作量确实很大，也确实很累，但我始终没有放弃写作。在写作过程中，梁毅超、姚乐军、雷伟权等龙迷朋友都曾向我提供过各种一手资料，进而让我能够修改、充实不少细节，令这部传记增色不少。

　　考证是件苦差事，但我乐在其中。我试图从各种资料中还原当时的环境，并置身其中，感受人物的情绪，并随着环境的变化而变化。当发现自己的分析与李小龙亲笔日记完全吻合时，那种惊喜的感觉难以言表，感觉自己又离李小龙近了不少。同样爱看历史的深圳李小龙迷梁毅超说："这就是你与众不同的地方——你有着对历史的敏锐的洞察力和感知力。"甚至有朋友说："你的性格的很多方面乃至部分人生轨迹与李小龙很相似。"

当传记终于写好的那一刻，我大大地出了一口气，长叹一声："李小龙，我对得起你了！"朋友们得知此事后，从 QQ 里发来一句话："你早就对得起他一百次一千次了！"此时的我，顿觉欣慰。

笔者尽了最大的能力去考证，并极力设身处地投入到那个时代和人物的内心，以便能尽量接近历史真相，还原一个有血有肉的李小龙。但至今为止也只能说，这本书还算中规中矩，没有什么文学性和思想性，"有多少资料，说多少话，得出什么样的结论"，仅此而已。同时，笔者无法保证对于每一份资料的解读是完全准确的，所以文中表达的是观点，并不是定论，更多的请读者自行思考。由于得到所有李小龙资料是不可能的，时间与精力也有限，且与本身经历和知识面相关，错谬自然是无法避免，但我已问心无愧。如果读者朋友们发现书中任何漏洞或错谬，欢迎与笔者进行交流。

谁都想自己的作品大卖，但我的终极目标是通过这本入门级的传记，让越来越多的中国龙迷认识一个真实的、有血有肉的李小龙，而非流于浅薄的符号化的表面。

因李小龙的哲学思想、武术体系之演变，市面上已有多部专著出版，故本书不做赘述，有也多为一笔带过，侧重于生平研究。

某种意义上来说，这本充满了正能量的传记是极有说服力、接地气的成功励志书籍。无论是谁，都会从中找到自己的影子，并获得启迪，继而找寻到真正的自己。相信这也是李小龙，一名生活的艺术家所乐于见到的。

感谢我的父亲，在天堂的母亲，同时感谢中国国际截拳道联盟副主席朱建华老师为我作序，感谢好友卢振宇、梁毅超、姚乐军、江丽萍、雷伟权、"心中的龙吧"的各位吧友以及一如既往地支持、鼓励我的好朋友们，他们不时提供各种细节及相关资料供我参考。如果没有他们的鼓励和帮助，本书绝不可能面世。

2017 年 4 月 1 日

郑杰

于上海家中